KU-190-700

SEAL AG RÓDAÍOCHT

SEAL AG RÓDAÍOCHT

PROINSIAS MAC MAGHNUIS

SÁIRSÉAL AGUS DILL
BAILE ÁTHA CLIATH

An Chéad Chló 1955

LEIS AN ÚDAR CÉANNA

Úrscéalta

Stand and Give Challenge
Candle for the Proud
Men Withering
The Wild Garden
This House Was Mine
Flow On Lovely River
Watergate
Statue for a Square
The Greatest of These
The Fire in the Dust

Cnuasach Aistí agus Gearrscéalta

Pedlar's Pack

Stair

After the Flight
Boccaccio

NA PICTIÚIRÍ

An 23ú Aibreán : Ar Bord Loinge

TÁ CÓSTA NA hÉIREANN á mhúchadh faoi cheo na maidne. Ní mór é teas na gréine fós, ach tá an t-aer bog úr agus mothaím óige na bliana ann. Tá spréacharnach ar bharra na dtonnta beaga i measc an chúir, mar a bheadh seoda soilseacha á gcaitheamh suas le gach léim a thugann an t-uisce. Tá luas faoin ngaltán *America* anois. Luascann sí go mall fada réidh agus a soc dírithe ar a tír dhúchais. Níl scáth de Chóbh Chorcaí le feiscint a thuilleadh. Diaidh ar ndiaidh íslíonn Éire í féin síos faoi imeall ceoch na spéire.

Tá beagnach cúig bliana is fiche curtha dhíom agam ó bhíos i gCóbh Chorcaí cheana. Bhí sé ina oíche an uair sin, oíche cheobháistí a choimeád muintir an bhaile istigh. Ní raibh éinne amuigh ach mé féin agus ní bheinnse amuigh, agus ní bheinn ar an mbaile ar aon chor, mura mbeadh sean-aintín liom a bhí le filleadh ar Mheiriceá lárnamhárach agus a thug mise léi go bhfeicfinn féin conas mar a bhí aos óg na tíre ag glanadh leo thar sáile agus go gcloisfinn féin dordán an dobróin trí shráideanna cnocacha cúnga an Chóibh. Bhí seantaithí aici ar an turas thar an bhFarraige Mhór ach shíl sí, agus an ceart aici, gurbh é leas m'anama an imirce a fheiscint dom féin, an imirce ba chosúil le galar áibhéileach i gcorp an náisiúin agus atá mar sin fós. Dá bhrí sin sheol sí amach as an teach ósta mé go raghainn ar fán trí na sráideanna i ndorchadas na hoíche. Shiúlas go meán oíche im aonar. Ar ardshráideanna an bhaile, áit a raibh na tithe lóistín, bhí doirse ar oscailt agus solas buí ó na hallaí ag snámh amach ar an mbáisteach. Sa cheo os mo chionn lig faoileán a scread caointe as. Amuigh sa chuan scaoil long búir thruamhéileach aisti ar nós ainmhí a bheadh ar strae i bhfad ón gcró. Agus ansin chualas cailín ag réabadh a croí le racht cráite goil. I dteach láimh liom a bhí sí, teach a raibh lonradh lampaí ina chuid fuinneoga. Chuala glór fir á ciúnú, agus ina dhiaidh sin glór mná : ' Cad chuige an gol a Mháire ? Ná beidh tú ag filleadh ? Ná tiocfaidh tú ar ais i gceann cúig bliana agus airgead agat agus éadaigh nua agus cá bhfios—fear céile mór groí saibhir ad thionlacan ! ' Lig an cailín uaill fhada ghéar aisti. Ansin chualas bualadh cos ar staighre agus glór an fhir arís : ' Lig di ! Lig di ! Suigh síos agus bíodh deoch agat.' Ar feadh na hoíche d'fhan caoineadh an chailín im intinn. Níor thuigeas a scéal ach thuigeas déine a bróin. Chuaigh an brón sin go croí ionam agus mhothaíos go raibh goineog ionam ná leigheasfaí go ceann i bhfad. D'fhéachas isteach i dtithe lóistín. I gcuid acu bhí daoine bailithe sna hallaí, suite gan mórán comhrá eatarthu, a lámha ar a nglúna, a n-aghaidh go marbh-shúileach ar a chéile agus iad ag feitheamh is ag feitheamh. D'éirigh mo chroí ar feadh neomait nuair a chuala mé ceol á chasadh ach ba leor dom an t-aon stracfhéachaint amháin isteach sa tseomra. Ní raibh aon áthas ná tógáil croí istigh ansin. Bhí fear óg ina sheasamh ag an matal agus é ag cantain agus na deora ar a leicne. Chuas ar ais chun an tí ósta.

Luíos faoi na braitlíní fuara ach níor fhéadas na glórtha a ruagairt uaim. Ní im chluasa bhíodar. Bhíodar im intinn.

Aréir, cúig bliana is fiche d'éis na hoíche úd fadó, aréir agus mé im luí sa teach ósta roimh mo chéad turas ar na Stáit Aontaithe, d'fhill na taibhsí orm, amach as an gceo agus as an dorchadas agus as na tithe lóistín ar ardshráideanna an bhaile. A ruagadh ní raibh ionam agus bhaineadar codladh na hoíche dhíom. D'fhanas im dhúiseacht ag éisteacht le búirthíl na long amuigh sa chuan, le gíoscán an urláir os mo chionn mar a raibh duine éigin ag siúl síos suas, le gutha boga séimhe i bhfad uaim, agus le cloga na hArd-Eaglaise in uachtar an bhaile, agus chuimhníos ar an mbean a chonac i bparlús an tí ósta roimh dhul a luí dom. Bean fhionn ab ea í agus rian na himní ar a haghaidh mhílítheach. Bhí sí ag scríobh litreacha, leathanach i ndiaidh leathanaigh, clúdach i ndiaidh clúdaigh. Bhí greim docht aici ar a ciarsúr ina láimh chlé agus ó am go céile thugadh sí cimilt don dá shúil a bhí ata dearg le gol, ach riamh níor chuaigh na deora i ndísc. Lena hais bhí bean eile suite ina tost gan lámh ná cos a chorraí ach í ag stánadh ar an moll páipéir. Ní shilfeadh sise braon dar liom, go dtí go mbeadh an slán deiridh á rá. Labhradar le chéile uair amháin. Thuigeas óna mblas gurbh as Baile Átha Cliath dhóibh agus thuigeas fós go rabhadar ag dul thar sáile gan dóchas fillte. Bhris a gol ar an mbean fhionn arís agus tharraing sí clúdach úr chuici go scríobhfadh sí slán is céad chuig duine éigin eile. I rith an ama sin bhí leabhar ar mo ghlúna agam ach theip orm oiread is leathanach a léamh.

Im sheomra stáit atáim ag scríobh anois. Táim im shuí ag bord maisiúcháin a bhfuil trí scátháin ar crochadh air. Is fuath liom an triúr atá os mo chomhair amach, sa ghloine, triúr dea-bheathaithe a bhfuil aoibh an tsuaimhnis ar a n-aighthe ramhra ! Bainid geit asam gach uair a ardaím mo cheann. Cad é an gnó a bheadh ag na tuataigh úd sa tseomra prionsúil seo ? Ag m'uillinn ar dheis tá telefón mar a bheadh i dteach i mbaile mór. Chun labhairt leis an stiurd nó leis an gcisteoir nó leis an innealltóir, nó leis an gcaptaen féin, nó le duine de na paisnéirí, níl le déanamh agam ach an telefón a ardú. Ar gach taobh den bhord maisiúcháin tá cófraí culaithe. Tá an leaba cóirithe. Taobh thiar díom tá mo sheomra folctha. Ar an síleáil os mo chionn tá gléas a bhféadaim an t-aer sa tseomra a théamh nó a fhuaradh leis ar mo rogha. Má bhíonn deoch uaim, nó aire an dochtúra, nó leabhar ón leabharlann, níl le déanamh agam ach méar a bhrú ar cheann de na cnaipí aibhléise atá anseo is ansiúd ar fuaid an tseomra. Thíos fúm, leibheann faoi leibheann, tá seomraí bídh is seomraí suí, seomraí damhsa is seomraí cluiche, atá inchomparáid leis na cinn is maisiúla sna tithe ósta is compordúla ar tír. An íomhá í an long seo den tsaol Meiriceánach ? An é seo an caighdeán a bhíonn i meon na Meiriceánach nuair a thugaid a ndaor-bhreith ar shaol na ndaoine san Iodáil, nó sa Fhrainc, nó in Éirinn ?

Ar maidin bhíos ag caint le scríbhneoir mná ó áit éigin in Ohio a bhí ag filleadh abhaile ón Rúis mar a raibh sí ar chuairt coicíse. B'fhuath léi an réim atá sa Rúis ach mar sin féin bhí íonadh uirthi a mhéid is a d'éirigh leis na Rúisigh monarchana móra a chur ar bun, bailte nua a thógáil agus bóithre iarainn faoi thalamh a chur ar siúl i Moscú. 'Ach,' ar sise, 'tá bóthar fada le cur díobh acu sara mbeidh a saol leath chomh maith leis an saol atá againn i Meiriceá.' Ní ag maímh a bhí sí. Níor ghá dhi. Bhí a caighdeán féin ina haigne aici. Ba leor sin.

An 24ú Aibreán : Ar Bord Loinge

ROIMH A DEICH A CHLOG ARÉIR bhí na deiceanna, deic na siamsaí, an ghrian-deic, agus deic na siúlóide, chomh tréigthe ag daoine agus a bheadh sráideanna bhaile bhig tráthnóna lae Nollag. Fuaireas amach go raibh beirt charad liom ar bord, agus chuardaíos an long ina dteannta. Bhí triúr fear suite sa tolglach, iad go dtí na cluasa i gcathaoireacha doimhne uilleann, iad ag caitheamh totóga gan focal astu, gloiní lán ar an mbord íseal os a gcomhair, agus fear freastail faoi chóta bán ina sheasamh taobh thiar díobh agus rian na tuirse ar a aghaidh. In aice leo bhí beirt bhan ag imirt táiplise, iad cromtha os cionn an bhoird, a gcneas bán agus na siogairlíní ar suathadh faoina gcluasa. Tost eatarthu. Mura mbeadh crónán bog na n-inneall thíos fúinn bhí an saol uile faoi chiúnas, mar bheadh séipéal go déanach san oíche. Tá fhios agam gur leasc leis na Meiriceánaigh fanúint ina suí i ndiaidh leathuair tar éis a deich nó a haondéag ach shíleas go bhfanfaidís ina suí ar bord loinge. Ní bheadh orthu éirí go moch ar maidin le dul chuig an oifig nó chuig an mhonarcha chun an chéad mholl eile dollaeirí a thuilleamh! Ní thiocfadh le haon treabh den tsaghas sin an saibhreas a sheachaint! Stadamar ag doras an tseomra damhsa. Bhí buíon cheoil ag seinnm dóibh féin ar ardán beag os cionn urláir a bhí chomh folamh ó dhaoine leis an bhfarraige amuigh. Chuamar go dtí ár seomraí, agus d'airíos go rabhmar ag imeacht ar bharra cos mar bheadh daoine i séipéal. Léadh an tAifreann sa tolglach céanna ar maidin. Ochtar fear an pobal a bhí ann. Ní raibh aon choinne agam go mbeadh a leithéid ar siúl agus baineadh geit asam nuair shiúlas isteach sa tseomra ag dul chuig mo bhricfeasta dhom. D'fhanas. Bhí an altóir ar an ardán ag bun an tolglaigh, na coinnle ar lasadh, agus Leabhar an Aifrinn ar oscailt ar a sheastán. Bhí sagart ag riaradh na soitheach i gcóir an fhíona is an uisce, agus nuair d'iompaigh sé chun é féin a bheistiú d'éirigh duine den ochtar—Meiriceánach ard tánaí liath—shiúil sé chuig an altóir, agus dúirt rud éigin de chogar leis an sagart. Thiontaíodar chuig an bhfalla eile den tolglach agus ansin shiúladar le chéile chuig bord a raibh cathaoir ar dhá thaobh de. B'é an bord céanna é a raibh an bheirt bhan ag imirt táiplise air an oíche roimhe sin. Ba mhór idir an táiplis agus gnó na beirte seo. Shuigh an sagart agus an Meiriceánach agus a thúisce chromadar a gceann chun a chéile thuigeas go raibh peacach ag iarraidh maithiúnais ar fhear Chríosta. Tar éis tamaillín d'ardaigh an sagart a lámh agus bhí deireadh leis an bhFaoistin. Is déine a chuaigh radharc na Faoistine sin i bhfeidhm ar mo chroí-se ná aon radharc dá bhfacas riamh i séipéal.

Bheistigh an sagart á féin ; thosnaigh sé ar an Aifreann. Bhí an t-urlár á bhogadh agus á luascadh fúinn ag suathadh maorga mall na dtonn. Thuas ar an áilléar bhí fear freastail dubh ag cur snas ar an ráil le ceirt agus a dhroim leis an altóir, ach ar neomat tuirlinge Dé d'fhéach sé thar a ghualainn, a lámha agus a chorp faoi smacht aige. Ní móide go raibh an creideamh aige, ach pé scéal é d'aithin sé am na hurrama.

D'éiríomar dár nglúna le dul go dtí an seomra bídh agus le tosnú ar shaol an leisceora—suí faoin ngréin, spaisteoireacht, a thuilleadh bídh is dí, léitheoireacht, cluichí páistiúla ar dheic na siamsaí, bladaireacht chainte . . . . Ní thiocfaidh liom glacadh leis an saol seo go lántoilteanach. Mothaím imní orm féin. Níorbh acmhainn domsa ná d'éinne dem mhuintir maireachtaint ar an ard-nós riamh. Thuilleamar ár mbeatha ach níor thuilleamar níos mó ná sin agus is dócha gur fhás sórt tréith Phiúratánaigh chugainn i gcúrsaí saolta mar fhásann a chomh-thréith i gcúrsaí spioradálta chuig daoine eile. Bhí an tréith chéanna sna Meiriceánaigh bunaidh agus sílim go maireann sí fós.

Nach deas uaim an babhta fealsúnachta sin ! Ach b'fhéidir go bhfuil breall orm. Sílim go bhfuil rud éigin cearr lem ghoile. Ní hé mo choinsias atá am ghríosadh ach mo bholg. Ní fios dom go cruinn anois céard d'itheas aréir ach táim cinnte ná tabharfad aghaidh chomh craosach céanna ar an gcarta bídh ag an dinnéar anocht ; *caviare* ar oighear, *pâté de foie gras aux truffles*, bradán deataithe Albanach, gliomaigh, clamanna Shasana Nua, sherbet, gambún Virginia, turcaí Mharyland, *filet mignon*, asparagas Chalifornia, uainfheoil, cáisí, cnóite, rísíní, figeanna, agus mar sin de, ar nós féasta éigin in *Aisling Mhic Choinglinne*. Tá mo bholg á ordú dhom fanacht i mbun na measarachta as seo amach !

An 25ú Aibreán : Ar Bord Loinge

Bhí liosta na bpaisnéirí os mo chomhair ar mo bhord maisiúcháin aréir, é clóbhuailte go deas. Fuaireas amach ón liosta go bhfuil Thornton Wilder ar bord agus mar sin bhuaileas leis um thráthnóna seo ag *cocktail party* an bhursaire. An uair dheiridh a bhí sé i mBaile Átha Cliath níor mhalartaíomar ach beannachtaí ach d'aithníos an t-am sin, ar a aghaidh agus go mórmhór ar a shúile, gurbh fhear mín cineálta é. Slánaíonn sé na blianta go groí. Tá lasair na hóige ann cé go bhfuil na sé bliana is caoga aige—ach chítear dom nár fhulaing sé bliain fhíorchruógach riamh ó rugadh é. Ní thiocfadh le scríbhneoir dár gcuidne bheith chomh gliondarach leis. Tá cruth an tseandochtúra clainne air nó cruth an dlíodóra atá cineálta agus macánta ag an am céanna, rud nach minic.

Scaoileamar lenár dteanga. D'inis sé dhom go bhfuil dráma nua críochnaithe aige faoi stailc mhór a tharla i Meiriceá dathad nó caoga bliain ó shin agus faoin gcath a chuir na hoibritheoirí ar na hinnill nua sna monarchana. Thuigeas uaidh gur cáineadh ar Mheiriceá an lae inniu atá sa dráma agus go gcreideann Wilder go millfidh na Meiriceánaigh iad féin leis an gcreideamh atá acu faoi

Progress gan stad. Mura bhfuil a chuid cainte curtha síos go beacht agam, a mhilleán sin ar dheochanna maithe an bhursaire, nár fhág gloine folamh riamh agam. D'inis Wilder dom freisin go bhfuil sé ag déanamh mionstaidéir ar *Finnegans Wake* agus go bhfuil sé ina bhall de chumann idirnáisiúnta ina malartaíonn scoláirí sanasáin lena chéile. Bhí meanga gáire faoina chroiméal liath agus é á rá sin. Ní rabhas cinnte an raibh sé i ndáiríre. D'airigh sé an t-amhras sin ar mo shúile, ní foláir, agus dúirt sé go tur nár thug na hÉireannaigh cothrom na féinne do Shéamas Seoighe riamh. D'fhill an meanga nuair dúrtsa gurb ar éigin a chreidfinn go gcaithfeadh sé a chuid ama ar shanasánaíocht mar sin, a bhí cosúil leis an mionscoláireacht ab amaidí dar dhein scoláirí na meánaoise riamh ar fhinnscéalta na ndéithe pághánacha. Ní ghéillfeadh sé. Thóg sé giota páipéir as a phóca agus scríobh sé síos sliocht gairid as *Finnegans Wake* agus d'fhiafraigh sé an leomhfainn a rá ná raibh an tsárfhilíocht ann. Lena linn sin bhí misneach na dí ag borradh ionamsa. Rugas greim ar a pheann agus mhíníos dó roinnt rudaí i dtaobh na hÉireann, agus go mórmhór faoi Bhaile Átha Cliath, a bhí fite isteach sa téacs ag an Seoigheach. Lig sé scairt áthais as. Chomhairligh sé dhom teacht isteach sa chumann agus dúirt gurbh í teanga na n-aingeal a bhí á labhairt agam. D'aithníos féin go rabhas ar bogmheisce. Éinne a cheapann gur féidir leis brí chainte an údair—má bhí aon bhrí faoi leith léi—a bhaint as *Finnegans Wake,* ní foláir nó tá sé as a mheabhair nó ar bogmheisce. Ach níl Wilder as a mheabhair. Ní raibh sé ar bogmheisce. Is cluiche aige cúrsaí an leabhair sin a sholáthróidh ábhar oibre do scoláirí Mheiriceá go deireadh na haoise seo.

An 26ú Aibreán : Ar Bord Loinge

UAIR AMHÁIN d'aontaínn leis an bhfile Spáinneach a dúirt go raibh gach rud ag na Meiriceánaigh ach Dia. Dá mb'fhíor dó, ba dhearóil an seans a bheadh ag an saol. Sílim go raibh goic an tsearbhais ar an Spáinneach agus sílim fós go mbíonn goic an tsearbhais nó an éada ar an gcuid is mó againn nuair a dhaoraimid na Meiriceánaigh go héasca. Nach minic a deirimid gurb é an t-easnamh atá orthu go bhfuilid gan aon fhilíocht ina gcroí agus gan aon fháilte roimh mistéir acu ina n-anam ! Suím i gcathaoir chompordach am ghrianadh féin nó téim ag spaisteoireacht ar na deiceanna lem chairde agus breathnaím máistrí nua an domhain. Tá culaithe liatha éadroma den tailliúireacht is faiseanta agus is fearr ar na fir. Tá aighthe dea-bheathaithe orthu, gruaig chomh geal le hairgead, agus guthanna doimhne máistriúla acu. Cruth an fhir mhóir gnótha orthu. Ag an mbord proinne, nó le linn na ndeochanna sa *lounge*, labhrann siad go mall socair tromfhoclach faoi staid na hEorpa agus faoi staid a ngnó féin. Táid cairdiúil liom. Cuireann siad síos ar a mná, ar a gclann, ar a dtithe. Tá fhios agam má léann siad chor ar bith ná léann siad ach na leabhair a gheibheann a gcuid ban ó na clubanna leabhar ; tá fhios agam go bhfuilid i gcoinne ealaín an lae inniu, go bhfuil a saol sa bhaile ciúin gnóthach, go bhfuil a mná céile éifeachtach máistriúil, go bhfuil a n-iníonacha dea-ghléasta, grámhar, eolach, cliste, páistiúil, agus mar sin de. Tá fhios agam go dtugann na Meiriceánaigh cúis a ndaortha dhúinn—ach, maidin inniu, maidin Domhnaigh, thugas faoi deara ag an Aifreann gurbh iad féin agus a gcuid ban formhór an phobail!

Nach mealltach suairc an duine é Thorton Wilder nuair is mian leis a phearsantacht a imirt ar dhaoine! Agus nach beag an méid a fhágann sé id aigne i ndeireadh na dála! Tá ráitis cháiliúla agus focla deisbhéalaí saoithe na hEorpa ar bharr a theangan agus ar a thoil aige. Briseann an chaint ina sruthanna uaidh. Má luaitear Goethe sa chomhrá, tugann sé bunfhocla an Ghearmánaigh duit ina theanga dhúchais. Má luaitear Lope de Vega—drámadóir go bhfuil mionstaidéar déanta aige air—siúd dréachta as na drámaí á scaoileadh anuas sa mhullach ort. Tógann sé chuige páirt an Mheiriceánaigh mar thaistealaí léannta gan phoimp, ach ceapaim gur minic a bhíonn sé ag magadh faoi féin. Pé scéal é, tá an cáineadh agus an léann meascaithe ar a chéile sa dá úrscéal úd leis, *The Cabbala*, agus *The Bridge of San Luis Rey*.

Anocht, ag *cocktail party* a chuir sé ar siúl as a stuaim féin, bhí sé ag magadh faoi Wilder mar Ollamh Iolscoile nuair a thug sé óráid uaidh i dtaobh Sartre agus an *Existentialism*. Bean ramhar mheánaosta a ghríosaigh chuige é nuair dúirt sí nár cheart agus nár chóir go bhfoilseodh aon scríbhneoir leabhar den tsaghas a scríobh Sartre. ‘Tá an iomarca bróin ar an saol seo,’ ar sise agus na seoda luachmhara ar a méara ag spréacharnaigh mar réalta mire. ‘ Ní gá agus ní ceart d’éinne an brón sin a mhéadú. Mura mbíonn deireadh sonasach le scéal, ní scéal maith é. Féachaim ar an leathanach deiridh roimh ré i gcónaí. Chonaic mé *Huit-Clos* i bPáras agus . . . ’ Chuir Contessa a bhí sa chomhluadar a ladhar isteach ansin. Bean rua ab ea í—chomh rua le meirg ar iarann—ach chítear dom nach é sin an dath a rug sí ón gcliabhán léi. Ní foláir nó bhí sí ina spéirbhean tráth, ach d’imir na blianta a seanchleas, agus siúd í i muinín na n-uirlisí cosanta—púdar is péint, agus slabhraí péarla is fáinní ná facas a sárú riamh. ‘ Ó,’ ar sise i mBéarla a bhí go briotach ar a toil aici, ‘ téim go dtí na hamharclanna i gcónaí. Ní mór dom é. Tá sé riachtanach. Mar sin, má tosnaítear ag caint faoi na drámaí is déanaí, ní fágtar im bhalbhán mé.’ An bhean bhocht. Ansin as go brách le Wilder ar a óráid faoi Shartre. Labhair sé gan stad, gan briseadh abairte, ar feadh fiche neomat, fraoch-ghliondar ina ghuth, agus meidhir inashúile. (Uair amháin, agus é i bhfeilmintí na hóráide, chaoch sé súil orm !). Chuir sé síos go beacht ar pheacaí an domhain, as a dtáinig fealsúnacht an Fhrancaigh, agus dúirt sé leis an mbean ramhar go raibh an t-ádh léi nár fhulaing sí riamh saol pianmhar an oilc, a fhágann anam agus croí an duine go brúite éadóchasach.

'. . . Manhattan á ardú féin isteach sna scamaill . . .'
(*lch. 22*)

' . . . rian clasaiceach na Róimhe . . . '—Áras Cuimhneacháin Thomas Jefferson, Washington (*lch.* 32)

An 28ú Aibreán :
Ar Bord Loinge : Nua-Eabhrac : Washington

TÁ CÓSTA MHEIRICEÁ ag éirí chug ainndiaidh ar ndiaidh thar imeall na spéire. Sinn ag spaisteoireacht ar na deiceanna nó inár seasamh ag na ráilí ag stánadh siar. Ní mhothaím aon chorraí im chuid fola ach tugaim faoi deara go bhfuil paisnéirí le feiscint ar na deiceanna ná faca mé cheana agus go bhfuil meidhir orthu toisc go bhfuilid gairid don bhaile faoi dheireadh.

Suím síos agus smaoiním go leisciúil ar thrí rudaí a chualas inniu. Ar dtús, ar an scéal d'inis bean ag mo bhord proinne le linn bhricfeasta ar maidin. Bean saibhir í. Taistealann sí an domhan gach bliain. Anuraidh bhí sí san Ind Thuaidh, agus i sráidbhaile beag sna sléibhte tharla go bhfaca sí fear críonna a bhí tar éis caoga bliain a chaitheamh san áit chéanna agus an obair chéanna á dhéanamh aige. Paidreoireacht an obair, agus roth paidreoireachta an gléas a bhí aige chun í choimeád ar siúl. Chuir an radharc dúfhearg ar an mbean as Meiriceá. Dhruid sí in aice leis an seanduine agus ar sise : ' Mo náire thú mar fhear ! Cé an fáth ná caitheann tú uait an roth amaideach sin ? Cé an mhaith atá ann ? Nárbh fhearra-de thú lá oibre macánta a chur isteach agus béile maith folláin a thuilleamh duit féin ! Níl pioc feola ort, ní nach ionadh, agus ní bheidh. Cad a tharlódh don domhan dá n-imeodh gach éinne leis na geáitsí céanna ? '

An dara rud is cuimhin liom : d'inis mé do Wilder an méid adúirt an bhean sin. ' Nárbh í an óinseach ! '

ar seisean. 'Is fíor dhuit,' arsa mise, 'ach nach fíor freisin go bhfuil formhór na Meiriceánach ar an aigne chéanna maidir le paidreoireacht agus saol na mainistreach ?' Bhain sé searradh as a ghuaille agus rinne sé gáire ! 'Ní raibh lucht mo thíre tugtha do na rúndiamhra riamh.' 'An gcreideann tú gur easpa anama iontu é sin ?' arsa mise. 'Ag Dia atá fhios' ar seisean. 'Cine nua iad. Ní tuigtear an fhírinne sin ar fuaid an domhain fós. Cine nua iad na Meiriceánaigh.'

An treas rud : d'inis fear ó Nua-Eabhrac dom go bhfuil ceantar i mBrooklyn ar furasta d'éinne, fiú fear na háite, dul amú ann. Dúirt sé go magúil gur mó duine a chuaigh isteach sa cheantar sin nár chualathas a thásc ná a thuairisc ó shin. Tá na sráideanna chomh sníofa crosta ar a chéile gur deacair do na póilíní an bealach ceart chuig ball ar bith ann a thaispeáint. Uair amháin bhí cara don scéalaí sa cheantar sin, agus an bealach caillte air. Tharraing sé léarscáil as a phóca agus de phreab rith triúr nó ceathrar chuige ag béicigh : 'Lig dúinn do léarscáil a bhreathnú. Táimidne caillte freisin.' Cé thóg an *labyrinth* sa tsean-Ghréig ? Na daoine a thug ómós don Minotaur ?

·

Nuair d'éiríos as mo chathaoir bhí brú mór daoine ag na ráilí. Chuas ina measc. Bhí ceo ar imeall na spéire ach thíos faoin gceo bhí stríoca de sholas geal buí ag lonradh ar thrá ghainmhe agus níos faide uainn, Manhattan a ardú féin isteach sna scamaill ísle. B'é seo an radharc a chuir gliondar ar na mílte Meiriceánach. Canathaobh ná cuirfeadh ! Creidim ná fuil a leithéid de radharc le feiscint in aon bhaile cuain faoi luí na gréine. Shleamhnaigh an long mhór isteach, í ag búirthíl go tréan. Scaip an ceo. Bhí barra na dtúr saor ó scamall, a bhfallaí mar ailltreacha i gcoinne na spéire. Thíos fúthu, ar bhóithre an chósta, bhí gluaisteáin gan áireamh, buí agus glas agus dubh mar bheadh feithidí beaga páirce ag rith anseo is ansiúd ar a ngnó rúnmhar féin. Ach ní raibh aon ionadh orm in aon chor, agus bhí díomá orm ná raibh. Is minic, óm óige i leith, a smaoinínn ar Nua-Eabhrac agus ar na pictiúirí a bhíodh ar na cártaí poist agus sna leabhair; agus i láthair na samhla a ghinidís-san im intinn féin, thagadh ionadh mór orm agus corraí fola. Sa tsamhlaíocht sin bhíodh an ollchathair chomh hard leis na scamaill, dath gorm na spéire uirthi le linn an gheimhridh, í ag spréacharnaigh faoi mhiotail gheala, í chomh neamhdhaonna agus chomh dochreidte le sléibhte na gealaí. Ach ba bheag an gaol a bhí idir pictiúirí m'intinne agus an radharc a chonac ó dheic an ghaltáin! Im shúile cinn bhí túir Mhanhattan gan iontas ar bith. Bhí seaneolas agam orthu. 'It's just like the movies,' arsa bean Mheiriceánach in aice liom. 'It's always like the movies.' Bhí an ceart aici, monuar! Ach d'airíos rud amháin nár thug na scannáin aon eolas dom air. B'é sin na dathanna éadroma ar na crainn ag bun na dtúr, ar na fallaí agus ar na fuinneoga, agus ar na díonta. Ar na dathanna úd bhí gach fodhath den uaine. Bhíos á n-áireamh nuair bhris guth Wilder isteach orm: 'An solas sin, is solas Meiriceánach é. Ní solas Eorpach é. Tá sé gan boige. Ní bheidh sárdhathadóirí againne choíche. Is leis na grianghrafadóirí an solas sin.' Thuigeas é ach níor chreideas an leathscéal. Cé acu ar sholas na spéire atá an locht nó ar na Meiriceánaigh féin ? Pé scéal é, bhí camara nó dhó ag gach Meiriceánach ar an deic, beagnach, agus bhí gach ceann díobh ag obair.

Ní cuimhin liom go soiléir conas mar a chuaigh na paisnéirí, ná mé féin agus mo chairde, i dtír. Bhí dithneas orainn uile. Lorgaíomar ár gcuid bagáiste. Chraitheamar lámha le chéile. Gháireamar. D'éirigh gleo an bhuíon cheoil agus clampar na slóite ár gcrá. Ar an gcaladh thíos fúinn bhí daoine ag scréachaíl agus ag béicigh. Tugadh isteach i seomra mé agus thaoscamar gloiní. Céard a bhí sna gloiní ? Branda ? Uisce beatha ? *Gin* ? *Cocktails* ? Ní cuimhin liom. Bhraitheas go raibh an saol ag dul chun mearbhaill orm ar fad. Pé scéal é, bhí ionadh orm nuair fuaireas mé féin im sheasamh im aonar i dteach na gcustam faoi chéadlitir mo shloinne, oifigeach éigin ag cuardach mo chuid bagáiste. Bhíos im sheasamh ar thalamh Mheiriceá don chéad uair, agus toisc go raibh luascadh na loinge seandulta i bhfeidhm ar m'intinn agus ar mo chorp, chonacthas dom go raibh mór-roinn Mheiriceá ag luascadh freisin. B'é an t-aon rud amháin a bhí soiléir im aigne go gcaithfinn gabháil ar an traen go Washington chomh lua agus d'fhéadfainn.

Bhí cara liom ar an gcaladh—Dáithí Ó hUaithne, Meiriceánach nach bhfaca mé riamh. Trín bpost a snaidhmeadh caradas eadrainn, tar éis do Sheán Ó Cathasaigh sinn a chur in aithne dá chéile. D'aithnigh Dáithí mé. D'fhéachamar go géar ar a chéile agus bhí fhios againn ar an mbomaite ná raibh breall orainn maidir leis an gcaradas. Rug sé greim ar mhála liom nuair d'inseas dó go raibh orm dul go Washington agus as go brách leis faoi dhéin taxi. ' Socróidh mise gach rud duit,' ar seisean. Agus shocraigh. Is dual dó bheith fial. Nach Meiriceánach é ? Gach duine dá náisiún dar bhuaileas leis i rith mo shaoil, bhí féith na féile ann. Sciob sé leis mé trí shráideanna Nua-Eabhrac go dtí stáisiún Phennsylvania agus ceisteanna uaidh i dtaobh na hÉireann am chriathrú. Bhí toirneach na cathrach am bhodhradh. Sílim gur chuaigh gach ra cheist amú orm. Ollamh le litríocht in Iolscoil Nua-Eabhrac is ea Dáithí agus tá suim thar teora aige i litríocht na hÉireann. Agus ní hí suim an deoraí í. Cé gur de bhunadh Éireannach é, is Meiriceánach amach is amach é féin.

Amach as an taxi linn agus isteach i stáisiún Phennsylvania. Bhí fhios agam roimh ré as mo chuid léitheoireachta agus as pictiúirí gur sárfhoirgintí iad stáisiúin Mheiriceá ach ní raibh aon choinne agam le leithead agus airde agus faid na háite sin. D'fhéadfaí ardeaglais a chur faoi cheilt ann. D'fhéadfadh slua fathach as na seanscéalta cath-láthair a fháil ann, ach amháin go mbeidís bodhar ag an macalla mar bhíos féin. Mhothaíos an brothall. Bhí an t-allas liom go tiubh. Ag gabháil trasna an urláir dúinn go geata ardán mo thraenach, d'fhéachas suas chuig an díon, agus arsa mise : ' Ní ar mhaithe le huabhar an duine a tógtar foirgintí den airde seo ! ' Cheistigh Dáithí mé de stracfhéachaint. ' Nach feithidíní sinn faoin díon seo ? ' Dhein sé a gháire agus ar seisean : ' Sinne na fathaigh a thóg é.' Bhí sé ag magadh fúm agus ní raibh. Sheol sé chuig staighre gluaiste mé agus suas linn inár seasamh gan gíog asainn, ar nós dhá dhealbh chloiche, go dtí urlár eile mar a raibh siopaí, bialanna agus tithe tábhairne. ' Ná deirtear in Éirinn,' ar seisean, ' gur túisce deoch ná scéal ? Bíodh deoch agat, do chéad deoch den bheoir seo againne. Agus chomh luath agus a thiocfaidh tú ar ais go Nua-Eabhrac beidh oíche againn im theachsa, thall i Long Island.' Shuíomar i dteach tábhairne. Ní ligfeadh sé dhom íoc as aon bhabhta. Bhain a chuid cainte an chorrabhuais agus an mearbhall díom. Ghlacas meanma. Ní thiocfaidh liom sin a chúiteamh leis go deo, an fháilte d'fhear sé romham.

Bhí an ghrian ag dul faoi nuair a shroicheas Washington, agus m'aigne ar a shocracht. Ní raibh tuirse ar bith orm i ndiaidh an turais cheithre huaire an chloig ar an traen. Cheapas gur ghluais an luastraen sin ar éascaíocht an aeir. B'é an áit suite a bhí agam, cathaoir uilleann i gcarráiste parlúsach. Bhí leabhar ar oscailt ar mo ghlúna ach níor léas focal. Cé an fáth go léifinn ? Ná raibh an Domhan Úr á léiriú féin lasmuigh den fhuinneog ! Stánas go dian. Bhí gach rud ag tabhairt tuairisc na húire sin, agus tuairisc an ollsaibhris. D'imigh na cathracha móra, na bailte móra agus na fobhailte tharm, na foirgintí agus na túir ag éirí go hard i gcoinne na glanspéire goirme—Trenton, Philadelphia, Wilmington agus Baltimore—monarchana ina measc atá chomh mór le Cnoc na Teamhrach. Bhí coinne agam leo, ach ní raibh aon choinne agam le loime an talaimh rua. Talamh calcaithe é, talamh tur, agus is gann dofheicse an féar air. Ba shuarach liom na bánta beaga timpeall na dtithe sna fobhailte, ach ba dheas na tithe féin. Tithe adhmaid a bhformhór, na díonta daite go gorm nó go fionndearg, na fallaí bán. Ní raibh falla ná claí idir na bánta nó na gairdíní, iad go léir oscailte ar a chéile i dtreo go mbeadh saoirse na háite ag an gcomharsanacht. B'iad na monarchana, na cathracha agus na tithe gleoite d'inis scéal an ollsaibhris dom—saibhreas ná raibh riamh roimhe seo i seilbh aon náisiúin i stair an chine dhaonna. B'iad na coillte d'inis scéal na húire dom.

Chuir an scéal sin ionadh orm. Dhruideas níos gaire do ghloine na fuinneoige. Bhí coillte dlútha maorga á síneadh féin amach rómham. D'iompaíos. Bhíodar taobh thiar díom freisin, an lá geal ina chlapsholas faoi scáth dorcha na gcrann. Anois agus arís chínn bearna agus i bhfad uaim thar na bearnaí uisce geal síochánta. Bhí Chesapeake ina loch solais faoin spéir, dath an óir ar an uisce, agus dath géar-uaithne an earraigh ar an duilliúr. Níorbh í an áilleacht amháin a chuir an t-ionadh orm. Chuimhníos go raibh na Meiriceánaigh ina gcónaí in Oirthear na tíre leis na céadta, agus go raibh sé curtha ina leith go millfidís Parrthas Dé dá bhféadfaí a thuilleadh airgid agus saibhris a tharraingt as. Ach féach ! Bhí na coillte de chranna cánaigh ina seasamh gan bearnú fós. Rith sé liom ná raibh a leithéid de radharc le feiscint againn in Éirinn.

Chomh luath agus fuaireas mo sheomra san óstán i Washington, bhuaileas amach ar lorg béile. D'imigh an lá, agus ní raibh ach seal cúpla neomat sa chlapsholas.

Bhí na soilse sráide ar lasadh idir na cranna dlútha ar gach taobh. Mhothaíos brothall tais san aer, agus thosnaigh na scamaill ísle ag sileadh mionbháistí. Go hard os mo chionn thóg eitleán dordán ar a shlí thar an chathair. Shleamhnaigh busanna agus cairr mhóra snasta tharm ach ní raibh éinne ar na casáin ach mé féin—agus póilín. Fear gorm ab ea é, a chaipín ar chúl a chinn aige, agus gunna ar a chromán deas. Bhí a aghaidh iompaithe i dtreo solas lampa sráide agus ciúnas an mhachnaimh uirthi. Bhí spreachall báistí ar a éadan agus a leicne. Mar a bheadh cadhan aonraic, gan súil le cara . . . . Bhuail taom uaignis mé.

Isteach liom i gcaifé mar a raibh soilse geala agus plód mór daoine ina suí ag boird bheaga. Is ar éigin d'aimsíos áit ag bord i gcúinne amháin agus ar dtús ba leasc liom suí toisc go raibh fear gan cóta cromtha os cionn an bhoird agus leabhar á léamh aige go dícheallach. Ghabhas mo leathscéal agus dhruid sé siar. Shuíos síos agus ghlacas chugam an cárta bídh. Toisc go raibh bia Meiriceánach agam ar bord loinge bhíos i dtaithí an chárta, ach le fonn comhrá labhras lem chompánach boird. ' Gabhaim pardún, an miste dhom a fhiafraí céard tá go maith le n-ithe anocht ? ' D'ísligh sé an leabhar ; d'iniúch sé go géar mé ar feadh tamaillín, agus ansin ar sé : ' Is cuma céard a ordóidh tú anseo, a dhuine. Tá gach rud ar fheabhas. Déantar gach rud sa chistin sin istigh. Cé acu tá uait, béile mór nó béile beag ? '

' Béile beag.'

' Bhuel, bíodh mias den omelette Spáinneach agat, agus ina dhiaidh sin giota den phí fraochán. Is é an pí an rud is fearr sa teach acu.'

' Go raibh maith agat.'

' Fáilte romhat.'

' Is stróinséir mé sa chathair seo. Stróinséir sa tír, mar an gcéanna.'

Leag sé a leabhar ar leataoibh. ' Fáilte romhat arís,' ar seisean. Ghlaoigh sé go béasach ar chailín freastail, thug sé ordú dhi ar mo shon, agus ar seisean liom: ' Carb as duit ? Conas tá an saol ar an taobh thall den aigéan ? An bhfanfaidh tú inár measc ? ' As sin amach ní raibh cosc ar an gcaint eadrainn. D'inseas cuid dem scéal dó agus d'inis sé dhom gur dhéantóir clog é agus go raibh a shiopa suite tamaillín suas an tsráid, agus mura raibh aon rud eile le déanamh agam go mbeadh fáilte romham sa tsiopa. ' Éan oíche mise,' ar seisean. ' Codlaím de ló, agus oibrím istoíche. Is mé mo mháistir féin. Fear saor mé agus is cuma liom an domhan iomlán má tugtar mo dhá mhian dom—mo chuid oibre ar chloga agus uaireadóirí, agus éisteacht le sárcheol na máistrí.'

Nuair bhí mo chuid ite agam thionlaic sé go dtí a shiopa mé, mar a raibh fuinneog ard leathan faoi gheal-solas. Isteach linn, agus d'fhanas ann, ag comhrá leis agus ag éisteacht le ceol ar an radio, le linn dósan bheith ag obair ar an uaireadóirín ba lú dá bhfacas riamh. Bhí a chroí agus a anam san obair. Bhí riamh i rith a shaoil. Rugadh agus tógadh é i Council Bluffs, Nebraska, mar ar fhoghlaim sé as a stuaim féin, gan cabhair gan ceacht, bunphrionsabail a cheirde seanda. D'airíos ann an meon Meiriceánach—meon na ndaoine is mó eolas agus clisteacht i gcúrsaí inneall faoi luí na

gréine. Níor chríochnaigh sé a chúrsa scoláireachta ach d'fhág sé slán ag a bhaile dúchais agus d'imigh sé ar seachrán ar fuaid na Stát, ag obair agus ag foghlaim, go dtí go raibh máistreacht na ceirde chun a shástachta aige. Le linn dó bheith ag insint a scéil dom bhí a mhéara aiclí cúramacha ag cur an uaireadóirín bhídígh le chéile, na roithíní, na seoidíní, agus na tuailmí. Bhí sé mar bheadh manach ina chillín anallód agus cóip iontach de na Soiscéalta á dhathú aige agus é ag tabhairt ómóis a anama don leabhar naofa. Nár léir sa duine, arsa mise liom féin, *mystique* Meiriceánach úd na n-inneall ? Nárbh iad sólás anama na Meiriceánach ? Níor chruthaigh aon treabh eile a liacht gléas agus inneall. Mar a dtéid ar dhroim an domhain téann na maisíní, maisíní, maisíní.

D'inseas dó ceard a bhí im aigne.

' Cé an fáth,' ar seisean, ' nach amhlaidh a bheadh ? '

' Gluaiseacht síoraí atá uaibh,' arsa mise. ' An fuath libh an ciúnas ? '

' Ní thuigim tú.'

' Bhuel, éist leis an scéal seo.' Agus ríomhas dó scéal na mná agus fear naofa na hInde agus an roth paidreoireachta D'éist sé, bhain an gloine méadúcháin dá shúil deas, agus bhuail a dhorn ar an mbord.

' Cé an fáth gur dhein sí an drochbheart sin ? Ar chuir an seanfhear isteach uirthi ? Nárbh é a ghnó féin é dá mba mhian leis a roth a chasadh go ceann caoga nó céad bliain ? B'é a cheart é.'

' Aontaím leat,' arsa mise.

' An bhean úd,' ar seisean, ' an Meiriceánach í ? '

' Dúirt sí liom go raibh a sinsir sa tír seo ó aimsir

Jefferson ! '

' Bhuel, is mó rud atá le foghlaim aici fós.'

D'fhill sé ar a chuid oibre, é ina thost. Luíos siar im chathaoir. Ní raibh le cloisint ach a análúsan agus toc-toc na gclog agus na n-uaireadóirí a bhí ar crochadh leis na fallaí. Mhothaíos go raibh mo chodladh ag titim orm. D'éiríos agus dúrt gur mhithid dom dul chuig mo leaba. ' Tá sé luath fós,' ar seisean. ' Níl ach an mheán-oíche ann. Ach pé acu is fearr leat fanacht nó imeacht, tá cead do chinn agat.' ' Imeod,' arsa mise. D'éirigh sé agus chraith sé lámh liom. ' Codladh sámh chugat.'

Bhíos amuigh ar an sráid fholamh sarar chuimhníos ná raibh a ainm agam agus nár fhiafraigh sé fios m'ainme. Ach ní ligfead a chineáltas i ndíchuimhne go héasca.

An 29ú Aibreán : Washington

NÍ FOLÁIR nó bhí an Róimh in aimsir Virgil cosúil le Washington in aimsir seo Eisenhower. Ní mise an chéad duine a d'airigh cosúlacht idir an dá ré. Bailíonn daoine ón uile náisiún isteach sa chathair mhaisiúil seo a bhfuil rian clasaiceach na Róimhe ar na foirgintí poiblí inti. Inniu, shuíos i gcathaoir uilleann i gclub idirnáisiúnta chun mo scíth a ligint agus thugas faoi deara go raibh beirt fhear ón Ind sa tseomra ; fear beag bídeach donn ón tSile ; gasúr ard tanaí ó Cholombo ; fear meánaosta ón Iraic ; Seapánach agus spéaclaí móra air agus béal gan gáire ; daoine eile nárbh eol dom cárb as dóibh. Bhí culaithe Eorpacha orthu uile, nó culaithe geala Meiriceánacha. Iad ina suí go ciúin tostach, mar ní raibh eatarthu mar theanga ach Béarla briotach. Ba thrua liom a gcás agus chuas ó dhuine go duine ag caint leo lem lámha, lem chosa, lem theanga, agus i gcionn tamaillín bhí de shásamh agam gur thángadar le chéile im thimpeall. Thosnaíodar ag caint liomsa agus lena chéile i dteanga seo na gcomharthaí. D'éirigh rírá agus sclóndar sa tseomra. Cheapas go raibh an lá le hÉirinn nuair chonac ná raibh fiú aghaidh amháin dírithe ar an ngléas TV agus go raibh meanga gáire ar an Seapánach. Ba mhór an cúl taca dhom duine de na hIndiaigh. Fear beag ramhar ab ea é, a chraiceann chomh donn le cnó, a chuid ghruaige chomh bán le scamall samhraidh, súile móra lonracha dubha ann, agus a ghuth go doimhin, mall, éasca. Is minic a deirtear faoi lucht an Domhain Thoir ná scéitheann a n-aghaidh rún a n-intinne. Creidim ná fuil taobh thiar den tuairim sin ach an t-aineolas. Chítear dúinn go mbíonn aghaidh an Oirthearaigh gan brí toisc ná féadaimid na comharthaí a léamh. Pé scéal é, bhí smaointe agus mothúcháin an duine seo le léamh go soiléir ar a cheannacha. Bhí áthas an domhain ina shúile nuair a leath sé a ghéaga chun barróg a bhreith orm. 'Éireannach tú ? Tá an t-ádh liom.' Rug sé an bharróg orm, agus ina dhiaidh sin phóg sé m'éadan, agus ar seisean leis an gcomhluadar : ' Nuair a thagann fear ó Éirinn agus fear ón Ind le chéile, ní féidir gan gleo agus gairdeachas a dhéanamh. Tá ceangal caradais idir an dá náisiún seo ! ' Bhí focla an Bhéarla go líofa aige (d'fhoghlaim sé i Londain í, áit ar chónaigh sé tríocha bliain ó shin) ach ar nós an Fhrancaigh nach mian leis aon teanga eile a fhoghlaim go beacht toisc nach fiú leis ach an Fhraincis, bhí an blas go dona aige, agus is ar éigin a thuigeas é ar dtús. Níor thuigeas an bharróg. Níor thuigeas an phóg ach an oiread. Chuir a gheáitsí an comhluadar ina dtost, d'iompaigh siad óna chéile agus ar ais leo go dtí an TV agus na cathaoireacha. Ansin bhain an tIndiach geit asam le cuireadh chun tí tábhairne. Cheapas riamh nár dhleathach do lucht Islaim fíon ná beoir ná uisce beatha a ól ach dúirt mo dhuine go raibh breall orm. Tá creideamh Islaim aige agus goile an tSasanaigh chun na beorach. Shlugamar gloine i ndiaidh gloine de bheoir ghéar éadrom. Má bhí srian ar a theanga riamh chaith sé uaidh é, agus

E

d'inis sé dhom rúin a chroí agus a aigne.

Stiúrthóir oideachais ab ea é. An méid a bhí ar eolas aige faoi Éirinn, is as scríbhinní Yeats, an Bhantiarna Gregory agus AE a fuair, nó as leabhair staire. Eolas nár chothrom le dáta é, mar bhí sé cinnte go raibh lucht na dTithe Móra i réim in Éirinn fós. Chreid sé, adúirt sé liom, gurbh é cinniúin na hÉireann soiscéal na saoirse a chraoladh agus a leathadh ar fuaid an domhain. Shíleas go raibh an bheoir ag dul i bhfeidhm air. Nuair d'inseas dó gur beag le n-áireamh na smaointeoirí polaiticiúla a bhí againn shéid sé mo bharúil chun siúil le puth dá thoitín agus ar seisean, ' Is mó mar eisiompláir do na náisiúin atá i ndaorbhroid scéal do thíre ná ardchaint agus ardaigne na smaointeoirí. Is fearr beatha an naoimh ná bladar na saoi.' Chrom sé ar óráid faoi stair a thíre féin, agus ar an gcinniúin a bhí roimpi san am atá le teacht. Tír í a thug ómós do Dhia riamh. Tír spioradálta í. Faoi dheireadh bheadh an bhua ag clann an Diagantais. Bhí an chéim-síos agus an bás i ndán do shibhialtacht Mheiriceá maraon le sibhialtacht na Rúise toisc go rabhadar araon bunaithe ar chreideamh gan Dia agus go raibh uathu sólás iomlán don anam a bhaint as maoin an tsaoil.

Bhraitheas air go raibh sé ag labhairt as saghas brionglóide. Leath a shúile air agus chonac go rabhadar breacaithe go mion le spotaí fola. Mhothaíos go raibh tost inár dtimpeall, agus mhothaíos fós go rabhas féin ag caint ina choinne in ard mo ghutha. Ní rabhas toilteanach an argóint a ligint leis mar níor chreideas riamh agus ní chreidim anois gur thug na Meiriceánaigh droim láimhe le Dia. A mhalairt is fíor. Má théann na Meiriceánaigh go craosach ar thóir na ndollaerí caitheann siad go fial ar son na mbocht is na n-easlán, ar eaglaisí is ospidéil is iolscoileanna. Luíonn an tsaint is an ard-aigne síos san aon-leaba . . . . Ghoill an tost orm. D'fhéachas im thimpeall trín deatach agus chonac go raibh gach súil dírithe orainn. ' Is mithid dúinn imeacht,' arsa mise. Bhí an mheán oíche ann. D'éiríomar. Tháinig fear an tí agus d'íocamar as an mbeoir. ' Go raibh maith agaibh,' ar seisean. ' Tar ar ais arís. Bhí an argóint ar fheabhas.'

An 30ú Aibreán : Washington

Bhíos ar mo chosa ó mhaidin ag siúl ó oifig go hoifig, an t-allas liom agus mo scornach chomh tur le sean-bhróg. B'fhada an turas a dheineas go stáisiún TV atá faoi riaradh nuachtáin laethúil, agus faoi dheireadh ghaibh fuath mé don dath atá ar dhuilliúr na gcrann cois na slí —dath géar miotalach nimhneach—agus don fhéar tanaí dearóil ar na bánta beaga timpeall na dtithe. Stáisiún beag é. I studio amháin bhí clár ait á chraoladh. Tímpeall dhá chéad daoine óga ann, ag rince, ag béicigh agus ag tógaint raic os comhair dhá chamara. Bhí deochanna á soláthar go flúirseach saor agus ainm an déantóra ar fhógra mór os cionn an chuntair. B'é an déantóir ba phátrún don taispeántas. Ní raibh an duine ba shine de na rinceoirí thar seacht nó ocht mbliana déag d'aois, ach b'ainnis an slua iad. Bhí brístí fillte suas go glúna ar an gcuid ba mhó de na cailíní. Iad ag cogaint go gnóthach ar *gum*. Ní raibh slacht ar a gcuid gruaige ná brí ina rinceoireacht ná meidhir ina súile. Mar an gcéanna leis na buachaillí. Ba dheacair a chreidiúint go bhfásfadh siad fós ina gcailíní arda maisiúla agus ina stócaigh mhóra groí.

Bhíos bréan den taispeántas nuair bhuaileas isteach in oifig an stiúrthóra. Fear óg é agus aghaidh thanaí chrón air ar nós Dante sa tseanphictiúir. Saothraíonn sé a pháigh gach lá sa tseachtain, fiú an Domhnach. Tá líne telefóin faoi leith aige óna chrinlín go Nua-Eabhrac. Ceithre telefóin os a chomhair amach. An fhaid a bhíos ag comhrá leis chlingidís gach ra neomat. Sórt seastáin ar gach ceann díobh, i dtreo go bhféadfadh sé an gléas labhartha a chur ina shuí ar a ghuala. Uair amháin bhí telefón ar gach guala leis, iad ag reacaireacht isteach ina chluasa ar nós dhá pharóid. Le láimh amháin chuardaigh sé i measc na bpáipéirí ar an gcrinlín agus leis an láimh eile scríobh sé síos nótaí leis an bpeann ba ghleoite dá bhfacas riamh. Le hais an dorais bhí gléas TV agus clár ó stáisiún eile á thaispeáint ar an scáileán. Gach seans a fuair sé, dhírigh an stiúrthóir a shúil air sin. Bhraitheas go raibh tuirse an domhain air ach go raibh sé á ghríosadh féin gan trua gan taise. Cé an fáth ? Céard a bhí uaidh ? Cheistíos é. ‘ Séard atá uaim ná bheith im cheann ar an stáisiún. Ag an bhfear cinn a bhíonn an t-airgead—agus an chumhacht.’ Bhain a fhreagra preab asam. Is annamh a bhuailim lena leithéid de mhacántacht. Dá ghnóthaí é, bhí sé réidh le uair an chloig a chaitheamh ag áirneáil liom.

Bhraitheas go raibh síocháin bheannaithe in Ambasáid na hÉireann ar Ascal Mhassachusetts. Áit chiúin í an chuid seo den ascal leathan ; tithe maorga ar gach taobh, na crainn go dlúth duilliúrach agus na bánta chomh húrghlas le páirceanna na hÉireann. D'fhanas tamaillín ar chasán na sráide ag éisteacht le cantain na n-éan agus ag baint taitnimh as úire an aeir. Chonac go bhféadaimid bheith maíteach as an áras seo againne mar a gcónaíonn an tAmbasadóir. Tá dignit phrionsúil ann agus a thúisce chuas thar táirseach isteach mhothaíos an ciúnas ann—an ciúnas a ghabhann le daoine ar leo féin fós riaradh a n-anma. Mo léan, bhí an tAmbasadóir tinn ach d'fhear Aodh Mac Canna agus Seosamh Ó Braonáin fáilte romham. Dheineamar mar a dhéanfadh triúr Éireannach in áit ar bith. Dá gcasfaí Éireannaigh ar a chéile i gceartlár Ifrinn, bí cinnte go suífidís síos le cúrsaí an bhaile a phlé.

Ina dhiaidh sin, ba dheas dea-bhlasta an lón a bhí agam le Meiriceánach óg. Tá sloinne Éireannach air—Ó Súilleabháin—agus cé gur shroich a shinsir Meiriceá ochtó bliain ó shin agus nár leag sé cos ar thalamh na hÉireann fós, is mian leis an Ghaeilge a fhoghlaim. B'é a ghearán ná raibh leabhair le fáil arbh fhéidir leis tosnú leo gan cabhair mhúinteora, fiú dá mbeadh múinteoir le fáil i Washington.

I rith an chogaidh bhí sé san F.B.I. ar thóir na spiairí a chruinníodh sna cathracha móra, go háirithe in aice na monarchana móra, ar nós beacha chun na meala. Nuair chualas sin, d'fhéachas níos géire ar a cheannacha. Níl fhios agam cé an saghas aghaidh is cóir a bheith ag ball den F.B.I. ach dearbhaím ná raibh aghaidh an lorgaire ag an Súilleabhánach. Aghaidh an gharsúinín atá aige, súile boga gorma agus an gealgháire ar a bhéal; ach dearbhaím fós go mbainfeadh a éirim aigne geit as aon spiaire a cheapfadh gur garsúinín a bhí ar a thóir. Aigne bhríomhar neamhspleách atá aige, a bhraitheann i gcónaí ar an loighic agus ar an eolas cruinn.

'An mbíodh gunna agat?' arsa mise.

'Bhíodh. Ach ní raibh an t-aimsiú agam. Níor mharaíos éinne riamh. Pé scéal é, is olc an gnó é an gunna a tharraingt. Má bhíonn gunna ag do namhaid bíonn sibh cothrom, gan buntáiste ag éinne. Níor chailleas-sa an buntáiste oiread agus uair amháin. Má thagann tú id bhall den F.B.I. anuas sa mhullach ar spiaire nó coirpeach ar bith, agus fios fátha gach scéil agat, ní scaoilfear piléar leat. Muran amadán amach agus amach an duine raghaidh sé leat go síochánta. Ach ba shólás agus méadú misnigh dom go minic an gunnán im phóca!'

É féin a dhúisigh ceist an Chreidimh. Caitliceach ab ea a shin-sheanathair ach phós sé cailín Preisbitéireach i mbaile beag éigin sa Mheán-Iarthar agus ní ina Chaitliceach a tógadh oiread agus duine amháin den chúigear déag clainne a bhí acu. Ba mhinic a thiteadh a leithéid amach i Meiriceá. Bhíodh na sagairt gann. Bhíodh dúthaí chomh fairsing le hÉirinn gan sagart ar bith. Dúthaí fiáine iad, níos barbartha ná aon áit san Eoraip, mar a mbíodh saol cruógach dainséarach roimh gach lánú a thógadh teach agus a fhéachadh le dlí Dé a chomhlíonadh. B'éigean dóibh creideamh éigin a fhógairt agus a chleachtadh ar eagla go dtitfeadh an saol ba ghnáth leo as a chéile ar fad agus go bhfágfaí iad féin agus a gclann i ngreim ag an saint agus an drabhlas, gan de dhlí acu ach an gunna. Ach níor chloígh na sean-Shúilleabhánaigh leis an bPreisbitéireacht. Ghabhadar leis seo agus ghabhadar leis siúd. Úinitéireach mo dhuine agus níl fágtha aige de chreideamh a shinsear Gael ach an dríodar. Ó ghlúin go céile chuaigh an tobar i ndísc. Creideann sé go bhfuil Dia ann agus gur Dia le dea-thoil É—formhór an ama: ach ní chreideann sé gurb é Críost Dia. Do réir a thuairime ní raibh sárú Chríosta ar an domhan riamh—ach níor dhaonnaigh Dia É féin. Cé an fáth go ndéanfadh? Cé an fáth go gceanglódh Sé É féin le suarachas agus dearóile agus peacúlacht an chine dhaonna?

Leath mo shúile orm. Ní hé an díchreideamh i nDia atá ag cur as don Mheiriceánach seo, ach díchreideamh sa chine daonna. Nach aisteach é. Bunaíodh córas polaiticeach na Stát Aontaithe ar a mhalairt de chreideamh.

D'fhilleas ar an óstán go lua um thráthnóna. Bhí greadadh pianmhar im bholg agus bhí fhios agam céard ba chúis leis. Aréir dhúisíos agus tart an diabhail orm, agus d'ólas dhá ghloine uisce ón mbuacaire. Ar éigin nár chuir sé ag aiseag mé. Ní hamháin go raibh an t-uisce alabhog ach bhí boladh agus blas air nach dual don fhíoruisce. D'aithníos clóirín ann. Shlogas siar é agus dá bhíthin sin fuaireas crá goile ó am go ham i rith an lae. Dúirt an Súilleabhánach liom go mbuaileann an taom sin gach eachtrannach a thagann go Washington, ach ná leanfadh sé thar seachtain.

Lá Bealtaine : Washington

IS RÓ-ANNAMH a bhíonn lá samhraidh againn in Éirinn chomh brothallach leis an Lá Bealtaine seo i Washington. Bhí an spéir go glé glan agus an ghrian ina caor tine. Ní foláir nó tá na púint mheáchain caillte agam le neart allais—agus ní gnáthach liom allas. Thuigeas don tsíorghearán a bhíonn ag muintir Washington i dtaobh brothall an tsamhraidh anseo. Iad ag magadh fúmsa : ' Fan,' arsa duine acu, ' go mbeidh sé ina shamhradh dáiríre ! ' Bhraitheas mé féin ag gabháil, beagnach i nganfhios dom féin, le scáth na gcrann agus na bhfoirgneamh. Ghoill an solas ar mo radharc.

Tá na leathanaigh seo á scríobh agam san óstán, ar an leaba seo mar ar chaitheas mé féin go traochta tar éis an dinnéir anocht. Ar feadh cúig neomaití nó mar sin, sheasas faoin bhfrasaire agus ligeas don uisce leamhfhuar stealladh anuas orm ó bhathas go bonn. Níl de chlúdach orm anois ach an t-aon bhraitlín amháin.

B'fhiú é an saothar. Sílim go bhfuil cuid mhaith den chathair ar eolas agam anois. Ghabhas gach treo, ar bhusanna, i dtaxi, de shiúl mo chos, agus an léarscáil de shíor im láimh agam ; chuas ag caint le daoine in oifigí, daoine fáiltiúla a bhí réidh le uair nó dhó a chaitheamh ag plé cúrsaí dá mba mhian liom é ; ghlacas comhairle le póilíní agus le tiománaithe bus agus le siopadóirí. Oiread agus uair amháin ní bhfuaireas an freagra borb. Dá mhéid í maise na cathrach seo Washington, is mó fós cineáltas na ndaoine. Ach ní cathair í a dtabharfainn grá mo chroí dhi.

Níor fhás sí ar nós bailte na hEorpa. Níor cuireadh teach le teach agus sráid le sráid, gan de phlean leo ach an fhreagairt don riachtanas mar a thagadh. Níor ligeadh do bhóithre agus do shráideanna a gcúrsa féin a ghearradh amach. D'aon-ghnó agus de réamh-bheart a tógadh an áit seo, díreach mar tógadh cathracha na Rómhánach san Iodáil, sa Fhrainc, san Afraic Thuaidh. Tháinig na hailtirí agus na hinnealltóirí, chéimníodar agus mheasadar an talamh seo cois abhann Potomac, chuadar i gcomhairle le huachtaráin stáit agus le seanadóirí agus le teachtaí dála, chuadar i gcomhairle agus in argóint le chéile, leanadar den mharcáil, den líneáil, den tomhas . . . Céard a bhí ina n-aigne acu ? Glóir an náisiúin nua ; príomhchathair a bheadh inchurtha le ceann ar bith. An modh clasaiceach a bhí á dtreorú san ailtireacht. Na fir a bhunaigh an Stát, thugadar ómós a n-anma do na sean-Ghréigigh agus do na Rómhánaigh. Na fir a tháinig ina ndiaidh, thugadar ómós don tseanreacht mar an gcéanna, cé go raibh an tseanscoláireacht ag meath iontu. Ach bhíodar ar aon-aigne maidir le móradh an náisiúin. Agus níorbh í glóir na haimsire a bhí caite ba réalt eolais dóibh, ach glóir na réime a bhí le teacht. Thugadar a gcúl ar ball leis an seansaol ; agus thugadar a n-aghaidh le fís ar thír ná raibh a leath féin faoi áitreabh, ar chathracha ná raibh iontu ach tithe beaga suaracha adhmaid (árais na ndaoine móra !) agus an talamh calcaithe faoi línte, faoi mharcáil, faoi chomharthaí tógála.

Cuimhním anois gur thug Charles Dickens cuairt ar Washington timpeall céad bliain ó shin agus gur cháin sé í go nimhneach magúil. Mhol sé forphlean an Fhrancaigh a bhí i mbun an ghnó ach ní raibh sa mholadh ach cúlú d'fhonn ionsaí. Chuir sé síos ar na hascail leathana a raibh a ndá cheann ar tháirsigh an fhásaigh, ar shráideanna míle ar fhaid a bhí gan tithe, gan ród taistil, gan daoine ; ar fhoirgintí poiblí gan pobal ; ar dhealbha agus ornáidí le haghaidh slite móra nach raibh ann. Dúirt sé fós ná raibh i gcathair Washington ach leac mhór chuimhneacháin do phlean a bhí marbh. Agus ar seisean, ' Is mar sin atá sí agus is dócha gur mar sin a bheidh.'

Bhí breall ar Dickens. Tá cathair mhaisiúil mhaorga ina seasamh cois abhann Potomac, ascail leathana agus mórshráideanna ag gabháil trasna a chéile inti do réir plean éasca sothuigthe, páirceanna go flúirseach glasghéagach inti i dtreo go mbíonn fionnuaire ag cách i dtrátha deargscóladh na gréine. Maidir le dealramh, tá iarracht den Róimh agus iarracht de Pháras i Washington—gan blas seanda cheachtar acu le fáil uirthi. Níl i muintir na cathrach seo brí phreabúil na bhFrancach ná sclóndar gealgháireach na nIodáileach. Státsheirbhísigh a bhformhór. A n-áit oibre, na mílte oifigí ar fuaid na cathrach. Chonac na slóite díobh inniu, am lóin—fir agus mná feistithe dea-chulaith, málaí leathair leo, agus dealramh imníoch an dithnis ar chách. Shíleas orthu go raibh gnó éigin le déanamh gan mhoill ag gach duine díobh—gnó ar a raibh sonas an domhain uile ag braith.

I rith sos an mheán lae bailíonn na céadta díobh sna páirceanna poiblí, agus suíonn siad ar na binsí nó luíonn siad ar an bhféar faoi scáth na gcrann. Shuíos féin ina measc inniu i bpáircín mar a bhfuil scíordán uisce, agus blátha ag fás mórthimpeall air. Bhí triúr cailíní ina suí ar an mbinse chéanna liom, gúnaí ildaite áille orthu. Bean ghorm duine acu. D'éisteas lena gcuid cabaircachta agus mo shúile ar dúnadh agam. Mura mbeadh an tuin Mheiriceánach ar a nguth, cheapfainn gur ag ligint mo scíth i bhFaiche Stiofáin i mBaile Átha Cliath a bhíos, lá samhraidh, i measc na ngligíní as na hoifigí máguaird. Focal dar chualas ó dhuine acu : ' Did ya ever see such bums ? ' D'osclaíos mo shúile agus bhraitheas go raibh an triúr ag féachaint i dtreo binse eile. Ar an mbinse sin bhí beirt fhear, duine díobh ina shuí agus an duine eile ina luí. Bhíodar salach, féasógach, giobalach, ach ní raibh aon rian ocrais orthu. Bhí rian a gcoda orthu. Déarfainn gur mhinicí a chuir easpa biotáille imní orthu ná ganntanas bídh. Bhí mogaill na súl ataithe iontu mar a bheadh súile pótaire tar éis oíche ragairne. B'iad sin an chéad bheirt a chonac agus comharthaí an bhochtanais orthu. Bhíos á n-iniúchadh nuair a stad fear ard tanaí dea-chulaith os mo comhair. ' An bhfeiceann tú iad ? ' ar seisean liom go feargach. ' Níl iontu ach fámairí, leisceoirí, scraistí gan mhaith, meisceoirí.'

Chonac an luisne ar a leicne agus an lasair ina shúile. Shíleas gurbh é mo leas gan focal a rá—ar eagla go n-éireodh eadrainn.

' Ní cóir ligint leo mar sin,' ar seisean ; ' féach orthu : salach, giobalach, ar bogmheisce ! ' D'iompaigh sé ar a sháil.

Bhí na sliúcamaeirí ar a mbinse fós gan aird acu ar éinne. Iad ag stánadh ar an uisce a bhí ag rince go geal-bhraonach ó bharr an scíordáin. I dtuairim an Mheiriceánaigh a labhair liom níorbh fhiú tráinín éinne acu. B'ait iad sa pháirc sin. Ba dheoranta an saghas iad i measc daoine a raibh culaith mhaith agus rian na maoine orthu. San Eoraip, rith sé liom, ina leithéid sin de pháirc nó de ghairdín poiblí is ea is gnáthaí a chífeá bochta agus bacaigh agus fir gan áitreabh. Ach b'fhacthas dom go raibh náire ar an Meiriceánach, gur thug sé fuath don bheirt bhreillic úd. Bhí náire air toisc ná raibh siad ag tuilleamh a slí bheatha ar nós na tíre. Bhí náire air toisc go raibh an bochtanas ann. Ba choirpigh leis an bheirt ; bhíodar ciontach sa bhochtanas. Bhí galar an bhochtanais orthu agus an leigheas faoina lámha féin acu !

Chorraigh taom feirge mé ach bhrús fúm. Tá taithí againne ar an dealús. Áit bhocht ár dtír féin i gcomparáid le tíortha eile. Ní chreidimid gur cúis náire dhúinn é. Braithimid gaol éigin idir an bochtanas agus an Creideamh. Ní hé ceangal an mhisteachais é. Bhí Críost féin bocht. An bochtanas ba rogha Leis ar talamh agus ní ar son aon ríochta saolta a dhaonnaigh sé É féin. Nár mhaolaigh Sé fuaire an bhochtanais le lasair theolaí an charthannais ? Agus dá bhíthin sin, nár chaith na slóite naomh a maoin uathu agus nár thréigeadar pálás agus áitreabh uasal d'fhonn aghaidh a thabhairt ar bhotháin suaracha na dearóile ! Nárbh é Lazarus—Bochtán an tSoiscéil—a fuair an sólás síoraí in ucht sonasach Abraham ? Nach é an bochtanas a mhol San Proinsias Assisi agus nach leis a ghaibh sé ? I ndeireadh thiar, nár náireach an beart é na bochta a cháineadh toisc a rian sin a bheith orthu ?

Céim ar chéim leis na ceisteanna bhí an taom feirge ag éirí ionam ach bhrús fúm é. Ní rabhas ag tabhairt cothrom na féinne do na Meiriceánaigh, adúrt, agus ní ceartú ar an éagóir éagóir eile. Dheineas machnamh ar stair agus ar staid an Domhain Úir. D'fhág na Piúratánaigh a rian ar an gcine seo agus b'fhuath leis na Piúratánaigh an díomhaointeas. Daoine fuinniúla a bhí iontu riamh. Ba shuáilce leo an saothar, cé gur mar phionós, do réir scéal an Bhíobla, a leag Dia an saothar ar Ádhamh agus ar an gcine daonna. Chreideadar go raibh beannacht Dé ar lucht cruinnithe saibhris an tsaoil agus gur i measc lucht díomhaointis ba ghnóthaí bhíodh an tÁibhirseoir. Fearacht na bPiúratánach, creideann na Meiriceánaigh sa tsaothar agus tá siad ina gcónaí sa tír is saibhre ar domhan. Níl a bhac ar éinne a chuid a thuilleamh go macánta má tá an tsláinte aige. Agus an té a bhfuil acn éirim ann i gcúrsaí gnótha nó tráchtála, tá saibhreas mór i ndán dó.

Bhíos ag machnamh mar sin, agus i gcionn tamaillín d'fhéachas suas. Bhí an fhearg tráite agus bhraitheas go rabhas tagaithe níba comhgaraí do chroí na fírinne. Bhí an triúr cailín ina suí ar an mbán go fóill, iad ina dtost agus duine acu ag féachaint ormsa go fiosrach. Níor chúbas ón iniúchadh. Dheineas mionghháire léi.

'Hello! Ar chuala tú céard dúirt an fear sin liom?'

'Hu-hu!' ar sise, agus níorbh fháilteach ar fad an freagra é.

'Raibh an ceart aige?'

'Ná fuil fios t'aigne féin agat?'

'Tá, ach ní aigne Meiriceánach í.'

D'iompaigh an cailín gorm im threo. Bhí an míne dólásach sin ina súile, agus ar a ceannacha, a chím coitianta ansec i measc na ndaoine nár thograigh Dia cneas geal a bheith orthu. Ligeas gáire asam. Tháinig aoibh an gháire uirthise—nó athrú gnúise ba bhunúsaí ná sin, faoi mar bheadh solas geal áthasach ann. Nocht sí an dá dhéad agus bhí báine an tsneachta ina lonradh. Las an dá shúil inti agus níor ghile ná iad drithliú na gréine ar chúrbhraonta an scardáin laistiar di. 'Ní dhéanfadh uisce agus sobal aon dochar don bheirt sin,' ar sise de ghuth mall doimhin. Dúirt a compánach—an duine borb—rud éigin nár chualas. Múchadh an solas úd de phreab agus b'shiúd arís ann an dearcadh dúch dólásach. D'éirigh an triúr ón bhféar agus chuadar trasna an bháin, a gcúl liomsa. Stadadar neomat ag an scardán, i bhfionnuaire an uisce. Thug an cailín gorm stracfhéachaint thar a gualainn orm agus d'imíodar leo. D'fhanas ag machnamh.

Tá sé amuigh ar na daoine gorma gurb é an dea-ghliondar agus aoibh an gháire is dual dóibh go coitianta. Níor chreideas an finnscéal sin riamh—riamh ón lá a chéad-léas scéal na sclábhaíochta i nDeisceart na Stát. Fuair an treabh sin an iomarca den dólás, agus ní ghabh-ann an dólás agus an gealgháire le chéile ach i measc na ngealt. Ní hé an gliondar ná an ríméad atá le sonrú i ndánta diaga, ná saolta, na gciardhuán. Pé áthas atá iontu, is le fágaint an tsaoil seo a bhaineann sé, le trasnú abhann Jordan agus leis an bhfaoiseamh a bheir an bás dúinn i ndeireadh thiar. Dá bhrí sin, sílim go raibh an ceart agam agus Sambo a chur ar aon chéim leis an

'*Stage Irishman.*' Ginte finnscéal iad. Níor rugadh ná níor tógadh iad. Thángadar ar an saol agus acis fir acu, gáire clabach an amadáin ar a mbéal; agus canúin ar a dteanga a cheap an scéalaí agus an rannaire dhóibh as neart aineolais agus fonn grinn. B'fhada an greann ó chroí an chine ghoirm. Ní hé an greann atá ina gcroí inniu. D'fhógair Lincoln go saorfaí iad agus deineadh amhlaidh, ach fágadh séala ré na sclábhaíochta ar dhlithe agus ar bhéasa na ndaoine, go háirithe sa Deisceart. Anseo i Washington, in áit chónaithe an Uachtaráin, i bpríomhchathair na tíre, is líonmhar an dream a chloíonn leis an seandearcadh d'ainneoin díchill lucht dlí agus rialtais. Tá amharclann anseo ar dúnadh le trí bliana anuas toisc ná ligfidh na bainisteoirí aon fhear gorm isteach agus ná fuil aon bhuíon cheoil sásta seinnm ann faid a leanfaidh an cine-chosc. Tá proinntithe agus óstáin sa chathair ná ligtear daoine gorma isteach iontu cé gur ciardhuáin formhór na seirbhíseach. Ach ní mhairfidh an cineál sin. Bhí an t-éag i ndán dó an tráth ba threise é; bhí an bhreith bháis i bhForógra Saoirse Mheiriceá.

An 2ú Bealtaine: Washington

DHEINEAS AN IOMARCA SIÚLÓIDE inné. B'fhearr dom aithris a dhéanamh ar na Meiriceánaigh ina dtír féin. Ní shiúlaid. Dúirt fear san óstán liom gur ina ngluaisteáin a chónaíonn siad agus go gcrapfaidh na cosa fúthu sar i bhfad.

Maidin inniu mhothaíos an brothall ag goilliúint orm

agus d'éalaíos isteach i siopa seanleabhar mar ar chaitheas bunáite an ama roimh lón. Níor cheannaíos ach an t-aon leabhar amháin, *Mark Twain's America* leis an stairí Bernard de Voto. Cheapas go raibh na praghasanna ró-ard, 80 nó 90 cent ar a laghad. Chonaiceas ann dhá imleabhar filíochta le Yeats, cnuasach gearrscéalta le Liam Ó Flaithearta, *Finnegans Wake,* agus dráma le Lennox Robinson. D'fhéachas leathanach anseo agus ansiúd i leabhar De Voto agus thánag ar an ngiota seo :

> *The discovery that Sambo was funny was, in the main, a Northern one ; for the writer of Southern humour preferred the poor white. This observation may account for the atrocity of the negro dialect, or coon-talk, that fastened itself on literature. Mrs. Stowe merely lifted it from Christy's Minstrels, making it more abominable as perhaps a saintly woman must. Christy in turn had got it from Northern broadsides and newspapers where Poe also observed it ; much later it worked back into the south, Nelson Page presenting it with a spurious nicety that passed as realism.*

Taitníonn De Voto liom i gcónaí. Is mór an léargas atá le fáil as a leabhra ar iarthar Mheiriceá agus é á thabhairt chun tíorachais i dtosach an naoú chéid déag. Is saothrach a leanann sé an lorg agus is as meon fileata a dhéanann sé an athinsint. Is beag leabhar staire atá chomh suimiúil leis an gcur síos a rinne sé roinnt blian ó shin ar shaol na bhfear coille sna Rockies—*Across the Wide Missouri.* An té a léann an leabhar sin, bíonn dearcadh úr aige ar stair na Stát. Ní stair do réir modh na hEorpa í. Níl ríthe ná prionsaí inti, Pápaí ná rialtóirí

Níl inti ach na hIndiaigh fhiáine agus na fiagaithe, na sléibhte agus na coillte. B'iad na fiagaithe a ghearr an tslí trí na coillte dlútha agus thar na sléibhte sin. B'iad a chuir eolas ar leath den Mhór-Roinn. B'iad d'fhoghlaim teangacha agus béasa na nIndiach. Chónaídís in aontíos leo: phósadar mná Indiacha agus thógadar a gclann. Bhí Éireannaigh ina measc, daoine a bhí níos oilte ar cheard na fiagaíochta ná na hIndiaigh féin. Ní raibh faic idir iad agus an bás ach an chlisteacht chéanna. Ní raibh fhios ag lucht na sceana agus na ngunnaí gur ag bunú saoil nua a bhíodar; go deimhin ní raibh fhios ag éinne go dtí go dtáinig na stair-scríbhneoirí nua chun tosaigh i Meiriceá. Duine díobh is ea Bernard de Voto.

Um nóin d'itheas mo chuid in éineacht le Seosamh Ó Braonáin as an Ambasáid. Thug sé go proinnteach Spáinneach mé toisc go ndúras leis go rabhas ag éirí tuirseach den bhia Meiriceánach. Bhí an t-ádh linn. D'ólas anraith de phónairí beaga dubha a bhí te spíosratha. Ba bhéile ann féin é. Chuir sé i gcuimhne dhom—ait le rá é—gach gort pónairí dá bhfacas i rith turais seachtaine a dheineas uair amháin i gContae Aontroma. Is cuimhin liom gur shíleas an tráth sin go mbainfeadh na goirt phónairí sin radharc na súl de chuid de na feirmeoirí díomhaoine atá againn sa Deisceart, bhíodar chomh buacach dea-leasaithe. D'inseas an méid sin do Sheosamh. Chuir sé ríméad air—Ultach é féin—agus ansin as go brách linn ag cur síos ar na slite arbh fhéidir le muintir na hÉireann bia níos blasta agus níos éagsúla a sholáthar dóibh fhéin gan mórán stró. Sa chomhrá dhúinn thriallamar

G

Éire ó chósta go cósta agus Seosamh ag radadh ceisteanna chugam i dtaobh an duine seo agus an duine siúd go dtí gur thugas faoi deara go raibh a chuid ag fuaradh ar an mias. Ba mhó aige ná an béile scéalta agus seanchas faoina chairde agus faoina ghaolta sa bhaile. Sin é dúil gach deoraí. Tháinig an fear freastail chugainn le miasa eile de bhia ar an nós Spáinneach. D'itheamar linn agus d'ólamar den chaifé dubh láidir ach níor tháinig aon laghdú ar chraos Sheosaimh chun an tseanchais. Sa deireadh bhíos cinnte ná beadh sé sásta go bhfillfeadh sé go hÉirinn.

Bhí sé déanach nuair scaramar agus tar éis cúpla uair a chaitheamh ar fhleasc mo dhroma san óstán thógas bus go dtí Chevy Chase, fobhaile de chuid Washington, mar a raibh coinne chun dinnéir agam leis an Ollamh Seeger. Cara do Sheán Ó Súilleabháin, fear an Chumann Béaloideasa, is ea an dochtúir agus bhí molta ag an Súilleabhánach dom cuairt a thabhairt air.

Cúis áthais dom gur thugas. Tá teach an dochtúra suite i gceann de na háiteacha is breátha dár shiúlas in aon chathair. Tógadh na tithe i gcoill bheag de chranna beithe, laireoige, giúise, fuinnseoige, geanmchnó, sicea-móirí, leamháin agus cranna canaigh. Bhí crann sirise thall is abhus mar a bhíonn ar gach taobh i Washington, ach fóiríor bhí a mbláth feoite. I measc na gcrann sin tá tithe adhmaid de gach saghas ina seasamh ar bhánta míne dea-bhearrtha, gan claí ar bith eatarthu, póirse ard ag gabháil le gach teach agus ráil timpeall gach póirse. Chuimhníos ar an ní a tharla do na coillte i gcomharsanacht Bhaile Átha Cliath nuair tugadh cead a gcinn do na togálaithe. Leagadh iad ; scriosadh iad ; dódh iad. San áit a bhfuil cónaí orm féin níor fágadh ach iarsmaí de choill seanda mhaorga agus ní fágfaí an méid dearóil sin féin ach gur thóg muintir na háite clampar go poiblí agus gur ghlaodar ar chumhachta an Rialtais. Tá sé amuigh ar na Meiriceánaigh go n-ídíonn siad go diomailteach an saibhreas aiceanta a bhronn Dia orthu. Go deimhin, chum fear dárbh ainm Veblen teoiric faoin ídiú sin agus is minic trácht i leabhra agus in aistí ar an ' Theory of Conspicuous Waste. ' Ach b'shiúd ar thalamh Mheiriceá mé im sheasamh i bhfobhaile nua-aoiseach agus úrchoill álainn ag fás gan bac ina thimpeall.

Níos déanaí san oíche chuireas ceist ar an dochtúir faoin gcoill. D'inis sé dhom go rabhthas chun í leagadh ach gur chruinnigh muintir na háite le chéile á éileamh go bhfágfaí gach crann riamh mar a bhí agus gur achtaíodh dlí chathartha sa deireadh i dtreo nár cheadaithe d'éinne feasta an faobhar a imirt ar aon ghéag sa choill.

Bhí sé ina shuí sa phóirse nuair shroicheas a theach, agus tháinig sé na céimeanna anuas chugam, a dhá láimh sínte amach aige le neart féile. Fear an-ard tanaí aosta é atá pas beag bodhar. Ba thrua liom an bhodhaire ann go mór mór ós ceoltóir é. Dá mb'é a mhac féin a bhí chuige ní fhéadfadh sé fáilte níba chroíúla a fhearadh roimhe. ' Fáilte romhat,' ar seisean, ' ar do shon féin agus fá thuairim Sheáin Uí Shúilleabháin. Tá cead an tí seo agat faid a bheidh tú i Washington.' Ghlaoigh sé ar a bhean, agus tháinig mac agus iníon amach ina theannta, iad go léir ag gáirí. Duine bríomhar ann féin gach éinne acu. Thugas faoi deara tar éis tamaillín gur ina n-ainmneacha baiste a ghlaoidís ar a chéile agus ná deireadh na páistí ' Maim ' ná ' Daid.' Ba léir dom go raibh an líon tí beag beann ar an saol. Tá an dochtúir géarchúiseach agus d'airigh sé an t-ionadh orm. ' Ná tóg orainn é,' ar seisean, ' má chítear duit go bhfuil nós imeachta dár gcuid féin againn. Is fearr linn an tsaoirse ná an t-aontas.' Is é mo thuairim nach ag maíomh as a bhí sé. Go deimhin, níor inis sé ach a leath. Ní hamháin go bhfuil meas ar an saoirse acu, agus dímheas ar an saol caighdeánta Meiriceánach. Tá bunúsacht aigne acu. Tá spiorad na fiosrachta iontu, ómós acu don léann. Is mó acu an ealaín ná an tráchtáil.

Sa tseomra suite tá pictiúirí maithe agus seantaipéisí ar crochadh leis na fallaí, seilpeanna lán de leabhra filíochta agus leabhra ceoil, leabhra staire agus beathaisnéisí, ceirníní ceoil, agus dealbha beaga adhmaid. Chuaigh an iníon agus an mháthair i mbun gnó éigin sa chistin agus thosnaigh an t-athair ag caint faoi dhánta béaloideasa na tíre agus faoin obair atá déanta ag Alan Lomax á mbailiú. Mhol sé Cumann Béaloideasa na hÉireann. Le linn dúinn bheith ag comhrá chualas giteár á sheinnt i seomra eile. Níor aithníos an fonn agus d'fhiafraíos céard é agus cérbh é an ceoltóir. Ghlaoigh an Dochtúir ar a mhac agus tháinig seisean isteach go cúthal, an giteár ina láimh aige. ' Seanphort as Alabama é,' ar seisean. D'iarras air é sheinnt arís ach ní sheinnfeadh sé. ' Níl sé ceart agam fós, sílim. Táim á chleachtadh i gcóir cláir radio a bheith ar an aer sar i bhfad.' Níl ach na hocht mbliana déag aige ach tá féith an cheoil ann. Teach ceoil é an teach sin. Múineann agus cumann an mháthair an ceol.

Ach níor leanadar de chúrsaí ceoil ar fad i rith an dinnéir. Dúirt an mac liom go dtuilleadh sé roinnt mhaith airgid ag déanamh airneáin agus go gcaitheadh sé féin agus a dheirfiúr an t-airgead i rith laethe saoire an tsamhraidh ar mhórthaisteal timpeall na Stát. D'inis an mháthair dom gur mhinic a dheineadar cuairt na tíre ar an gcuma sin. 'Nach mbíonn a leithéid sin agaibh in Éirinn ?' ar sise.

'Ní bhíonn,' adúrt. 'Is beag slí a bhíonn ag na daoine óga againne chun airgead a thuilleamh. Mar sin atá ar fuaid na hEorpa.'

'Ní thuigim,' arsa an mháthair. 'An amhlaidh atá siad leisciúil ?'

Ba dheacair an cheist í. Ach dheineas iarracht. 'Ar an gcéad dul síos,' arsa mise, 'níl an obair ann. Má bhíonn a sáith oibre ag na daoine fásta, bíonn an t-ádh linn. Is í an difríocht is sonraí idir córas eacnamaíochta na Stát agus córas na hEorpa go bhfuil saibhreas gan teora taobh thiar den chóras Meiriceánach.' Fíon maith, fíon ó Chailifornia a bhí á ól againn leis an mbéile agus scaoil sé mo theanga.

'Ní daoine saibhre sinne,' arsa an dochtúir.

'Ar an dara dul síos,' arsa mise, 'is beag am a bhíonn ag an aos óg againne, nó ar an Mór-Roinn, aon obair sa bhreis a dhéanamh. Ní beag de shaothar é an méid a cuirtear orthu sna scoileanna agus sna coláistí.'

'Is maith an bhail orthu é,' arsa an dochtúir.

'Ní aontaím,' arsa a bhean.

Agus siúd argóint ar siúl faoi staid an oideachais

sna Stáit. Mhol sise Meiriceá ; mhol an dochtúir an Eoraip. Níor ghéill éinne agus sa deireadh d'iompaigh an bhean chugamsa agus ar sise, ' Sílim go rabhais ar tí rud éigin eile a rá.'

' Ní fiú faic é.'

' Lean ort, led thoil. Ní minic a castar daoine ón Eoraip orainn, go háirithe ó Éirinn.'

' An fíor,' arsa mise, ' gur cuma leis na Meiriceánaigh cé an saghas oibre a dheinid ach tuarastal maith a fháil aisti ? '

Mhachnaíodar tamall.

' Is cuma liomsa,' arsa an mac, ' an fhaid is ná bíonn an obair míthaitneamhach.'

' Is fíor é,' arsa an mháthair. ' Ach sílim nach chuige sin a bhí tú—taitneamh nó míthaitneamh na hoibre.'

' Ní hea, go deimhin. Rud eile ar fad. Ní ligfeadh an ghalántacht do chuid mhaith dár ndaoine óga gabháil le slí bheatha nár chleachtaigh a muintir riamh. Ceapfaí gur chéim síos é dá ndíolfadh mac feirmeora nó mac siopadóra páipéirí nuachta ar na sráideanna ar son airgead póca, agus ní bheadh meas madra ar iníon stát-sheirbhísigh a raghadh ag ní na ngréithre i bproinnteach. Nílim á gcáineadh. Nílim ach ag cur síos ar an difríocht.'

' Ní mar sin atá sé i Meiriceá,' arsa an mac.

Scaramar go luath. Bhí an mháthair le dul go halla mar a raibh píosa ceoil dá cuid le seinnt.

Dé Domhnaigh an 3ú Bealtaine : Washington

Chuas ar an Aifreann in Ard-Eaglais Naoimh

Maitiú ar Ascal Rhode Island. Eaglais ar an stíl Bhíosaintíneach í, cupola ard ildathach uirthi, marmar agus pictiúirí falla i ngach áit, scrínte ina lasair le lampaí agus le coinnle, agus adhmad buí dara sa troscán. B'é mo chéad Aifreann é ar thalamh Mheiriceá agus d'iarras mar bheannacht ó Dhia orm go bhfaighinn léargas fíor ar an tír seo agus go seolfaí slán abhaile mé sa deireadh ; ach sílim gur bhuaigh an fhiosracht ar an bpaidreoireacht agam, mar gach ra neomat d'airínn mé féin ag scrúdú na bpictiúirí nó ag breithniú an phobail. Ní maith a thaitníonn na pictiúirí falla liom. Tá an iomarca den ghorm agus den ór iontu, ach rud is measa fós, níor aimsigh an t-ealaíontóir cothrom idir an stíl nádúrtha agus an stíl sean-Bhíosaintíneach. Ach thaitnigh an pobal liom thar barr. Bhí a n-aird ar an sagart ; agus bhí leabhra Aifrinn ag a lán díobh. Thugas faoi deara go raibh gach fear agus bean acu, idir óg agus sean, dea-ghléasta gan an rian ba lú den bhochtanas ar éinne. Is dócha gur beag eaglais nó séipéal i Meiriceá a bhfaighfí daoine bochta ann. Roimh an tseanmóin léigh an sagart amach liosta na marbh, agus d'aithníos roinnt mhaith ainmneacha Éireannacha. B'ait liom ansin staid an Chreidimh i Washington, agus sna Stáit le chéile b'fhéidir. Daoine bochta as Éirinn is mó a thug a pobal don eaglais, ach ní raibh aon bhochtán sa tséipéal sin, fiú i measc na ndaoine gorma a bhí ag paidreoireacht sna suíocháin chéanna leis na daoine bána. B'fhéidir go bhfuil séipéil i Washington a bhfeictear na bochta iontu, daoine ídithe go cnámh ag an anró agus mífhortún mar bhíonn ar fuaid an domhain mhóir. Má tá, ní chualas aon trácht orthu.

Chuas amach ar an gcasán os comhair na hArd-Eaglaise ag deireadh an Aifrinn go bhfeicfinn an pobal ag teacht amach. Sheasas faoi scáth crainn, mar bhí an ghrian ag spalpadh ar na leacracha. Sheas fear beag lem thaobh agus hata buí tuí air. Bhíomar tamaillín ag breathnú ar na fir dea-éadaithe agus na cailíní áille faoina ngúnaí éadroma samhraidh, nuair labhair an firín chugam: ' Is dócha go bhfuil an gnó céanna agatsa anseo ! Táim-se ag feitheamh le mo bhean agus lena deirfiúr.' Bhain sé de na spéaclaí agus ghlan gal an allais díobh.

' Dá mbeinnse ag feitheamh le mo mhuintir,' arsa mise, ' is fada bheinn im sheasamh anseo. Thall in Éirinn atá siad.'

' In Éirinn, an ea ? Éireannach ab ea mo shinsean-athair. Ó Mórdha is ainm dom.' Chraith sé lámh liom. ' Ach cé gur Caitilicigh iad mo bhean chéile agus a deirfiúr ní hamhlaidh domhsa ná dom athair romham ná dom sheanathair. B'é mo shinseanathair a d'iompaigh ina Phreisbitéireach ar dtúis agus ní thógaim air é.'

' Cé an fáth go dtógfá ? '

' Is iomaí Éireannach a mhalartaigh a chreideamh an t-am sin.' Bhain sé craitheadh as a ghuaille. ' Mar sin atá ; b'fhéidir nach mar sin a bheidh. Pé scéal é, téimse chun an teampaill timpeall an chúinne, teampall an Uachtaráin.'

' An tUachtarán Eisenhower ? '

' Sea. Uachtarán Stát Aontaithe Mheiriceá, an fear is cumhachtaí ar domhan.' Is poimpiúil a labhair sé. Trua gan droma aige, arsa mise liom féin—nach é bhain-feadh torann as.

'Ní aontaím gurb é an fear is cumhachtaí ar domhan é,' adúrt.

D'fhéach an fear beag idir an dá shúil orm. 'Bhfuilir ag iarraidh olc a chur orm? Nó an bhfuilir ag magadh faoi Uachtarán oirearc na Stát Aontaithe?'

'Níl, nílim,' arsa mise. 'An dtéann an tUachtarán go minic chuig an teampall sin is rogha leis?'

'Gach Domhnach,' arsa an firín go grod. 'Gach Domhnach mar is dual do Chríostaí maith. Bíonn slua ann lena fheiscint. Tar liom go dtaispeánfad an áit duit. Tá sé láimh linn. Tá grá ag gach éinne don Uachtarán, ag gach éinne.'

'Ná fuair éinne eile aon vótaí sa toghchán?'

Stad sé ar an gcasán. 'Mura bhfuilir ag teacht fúm, ní thuigim thú! Féach. Seas thall ag an lampa sin agus beidh togha radhairc agat. Caithfidh mé dul ar ais chuig mo bhean agus a deirfiúr.'

'Go maire d'Uachtarán!' arsa mise.

Ar feadh tamaillín—faid puth nó dó anála—níor chreid sé sa bheannacht sin uaimse. Ansin shín sé a lámh chugam agus an gáire ar a bhéal. 'Abair é, a chara,' ar seisean.

Bhíomar tar éis dul timpeall an chúinne ó Ascal Rhode Island go hAscal Connecticut mar a bhfuil an teampall dúchloiche Preisbitéireach. Ní mór an foirgneamh é. Níl sé mórán níos mó ná aon teampall Protastúnach in aon tsráidbhaile in Éirinn. Tá túr cearnógach air a chuirfeadh túr ar shéipéal san Iodáil i gcuimhne dhuit, ach amháin gur dubh gránna na clocha ann. Bhí slua bailithe ar na casáin, cúpla míle de dhaoine ciúin dea-ghléasta

H

cothaithe ina seasamh go foighneach faoi thréan-teas na gréine. Ní raibh aon ghleo acu. Níor tógadh aon gháir. Bhí an ghalántacht go daingean in uachtar. Shamhlaíos gur mar sin a bhíodh na slóite sa tsean-Róimh nuair a théadh an tImpire thar bráid. Ach bhíodh eagla orthu san, i láthair an té ag a raibh lánchumhacht chun íseal nó uasal a shaoradh nó a dhaoradh. Ar Ascal Connecticut ní raibh íseal ná uasal, eagla ná fáth eagla. Ach is fearr a thaitneodh an slua liom dá mbeadh níos lú den ómós ann. Bhí an t-ómós le haireachtaint fiú sna daoine óga. Bhí gasra beag de chailíní dathúla óga im aice agus iad gléasta ar nós ab fhearr d'oirfeadh do mhná fásta. Taobh thiar díobh bhí falla pas ard. Tháinig beirt mhairnéalach, na brístí agus na seaicéid go teann fáiscithe orthu mar is gnáth. Suas leo ar an bhfalla. Nuair ghoill an feitheamh ar an mbeirt thosnaíodar ag glaoch agus ag feadaíl go bog chuig na hainnirí, gur mhealladar miongháire fuar astu.

Am teacht an Uachtaráin. Stad an chlogaireacht i dtúr an teampaill. Feadshéideadh géar fada ag na póilíní grua-dhearga i lár an ascail. Duine acu á fhógairt ar thiománaí bocht taxi imeacht ar a thapúlacht nó go mbrisfeadh sé an gluaisteán faoi. In iompó boise bhí an áit glanta, gan carr ná gluaisteán le feiscint faid an ascail i dtreo an Tí Bháin. Na daoine ina dtost, gach súil dírithe ar an aird chéanna. Pobal eaglaise a chuireadar i gcuimhne dhom, pobal a bheadh ag feitheamh le teacht Ard-Easpaig.

B'aisteach liom é, mar b'iontuigthe as gach ar chualas agus gach ar léas faoin meon polaiticiúil Meiriceánach nach aon chuid den mheon sin an tÓmós. Ó chéadfhógraíodh, an 4ú Iúil 1776, gurbh ionann do chách mar shaoránaigh, nár dhiúltaigh na Meiriceánaigh do chéimeanna gradaim agus do dheachtóirí ? Agus an daonfhlathas a ghlacadar mar chreideamh polaiticiúil, nach raibh sé préamhaithe i dtraidisiún a sinsear ? Ar a dteitheadh ó ríthe agus ríochta a tháinig na hEorpaigh riamh —rabharta inimirce i ndiaidh a chéile. Agus i measc na bPiúratánach bhí ionannas na saoránach ina airteagal creidimh beagnach. Droim láimhe le poimp agus taispeántas, le síoda agus sról. An lomairt a dhein na Piúratánaigh ar eaglaisí, ar altóirí agus ar scrínte Shasana le linn don tsean-Chreideamh bheith á ruagairt, ba dá iarmhaireacht sin an lomairt Mheiriceánach ar chomharthaí gradaim agus ar chéimeanna uaisleachta. Cé an fáth, mar sin, an umhlaíocht seo agus iad ag tnúth le teacht an Uachtaráin ?

Sílim go bhfuil cuid den fhírinne sa tseanfhocal : is treise dúchas ná oiliúint. Ós anam agus corp é an daonnaí is ar an tsúil agus an chluais agus na céadfaí eile a bhíonn sé ag braith agus é ag cur eolais ar an saol. Ní fheicimid ná ní chluinimid nithe spioradálta nó nithe teibí. Ní fheicimid an Chumhacht. Chímid na daoine, na ceannairí a bhfuil an chumhacht acu, an choróin, na bratacha náisiúnta, an mórshiúl agus Teacht an Uachtaráin. Is den dúchas é—fiú de dhúchas na Meiriceánach—féachaint go sonrach chuig an duine agus na comharthaí a léiríonn cumhacht an Náisiúin. Agus is dual umhlú don Chumhacht.

‘ Seo chugainn é,’ arsa an saoránach ba ghaire dhom agus bhain sé a hata dhe. Suas Ascal Connecticut tháinig póilín ar ghluais-rothar agus fuadar an domhain faoi. Chualas feadaíl ó gach aird. Thosnaigh na póilíní ag guailleáil i gcoinne na ndaoine a bhí ag druidim amach ón gcasán le radharc níos soiléire a fháil. Baineadh gíoscadh as na coscáin nuair a stop an póilín a ghluaisrothar go tobann, agus d'iompaigh sé i dtreo a chúil. Shleamhnaigh an gluaisteán fada dubh thar bráid, gloine daite in aghaidh na gréine ann ; agus i gcúinne an tsuíocháin cúil bhí Mr. President ina shuí, meangadh beag gáire air agus a hata dubh ina lámha aige. Díreach i ndiaidh a ghluaisteáin bhí ceann eile, gan díon, agus istigh ann agus ar an dá chliathán bhí fir mhóra téagartha —lorgairí, ag gardáil an Uachtaráin. Bhain an tiománaí iompó prap as an ngluaisteán sin, agus sara raibh sé ina stad i gceart bhí na gardaí tar éis lingeadh anuas agus carr an Uachtaráin a thimpeallú. D'osclaíodh doras. Tháinig sé amach, a cheann cromtha, agus isteach leis trí bhearna sa tslua. Níor tógadh gáir ná níor bualadh bos. Ach bhraitheas sa chiúnas mór-thimpeall an teampaill sin fórsa thar séideadh trúmpaí nó gármholadh Rí.

An 4ú Bealtaine : Washington

MAIDIN INNIU chuireas aithne ar úrscéalaí Iodáileach darb ainm Eugenio Vaquer, ó chathair Fhirenze, atá ar chuairt séasúir sa tír seo. Ní thig liom gan é chur i gcomparáid le Meiriceánach a casadh orm in oifig i lár na cathrach um thráthnóna. Scríbhneoir an Meiriceánach freisin ach is scríbhneoir é nár lig broid an tsaoil dó a pheann a oibriú leis na blianta. Tá dealramh an scoláire nó an scríbhneora air. Shíleas gur dhócha aghaidh Dante bheith cosúil le haghaidh smaointeach mhín an Mheiriceánaigh sin. Tá sé ciúin ann féin ; ní ardaíonn sé a ghuth choíche ; agus labhrann sé go mall mín agus é ag tomhas na bhfocal. Bhraitheas air gur ghéill sé fadó don tsaol agus go bhfuil lár a anama ina loch fuar uaigneach ag feitheamh le gaethe teo na gréine. Creidim gur cúis dóláis dó an teoilfhéachadh—toisc go dtógann sé é go bruach an locha sin mar a bhfuil an fuacht agus an t-uaigneas. Uair amháin cheap sé gurbh é saol an scríbhneora a bhí i ndán dó, saol gan saibhreas, saol an fhile nó an fhealsúnaí. Léadh sé leabhra le Thoreau, ní nach ionadh. Ná raibh sé i gceantar Thoreau ? I rith an tsamhraidh, an samhradh fada Meiriceánach, chónaíodh sé i mbothán, ar nós Thoreau, cois Walden Pond in aice le Concord ; agus san áit sin (mar adúirt sé liom) b'iad an t-áthas laethúil agus an tsíocháin anama a chuid den tsaol.

Scríobhadh sé aistí is filíocht is drámaí. Tharla go bhfuair sé leabhar ar Roibeard Emmet agus chum sé dráma i gcóir an radio faoi. Mhachnaíodh sé ar scéal na hÉireann agus ar sheanscéalta na Gréige. Mhachnaíodh sé ar chúrsaí polaitíochta agus litríochta a thíre féin, agus scríobhadh sé aistí do na nuachtáin. B'é an saol sin a rogha, ach níor chloígh sé leis. Mhéadaigh ar an dúil sa tsaibhreas aige. ' Is é mallacht ár saoil í an dúil chéanna. Buann Mammon ar na déithe uaisle i gcónaí.' Diaidh ar ndiaidh, thréig sé a rogha ; d'éirigh sé as an scríbhneoireacht. Phós sé. Chuaigh sé le gnótha tionscail.

Deineadh stiúrthóir monarchan de. Cheannaigh sé teach sa chathair agus teach samhraidh sna sléibhte cois locha. Ba mhór le rá é i measc na bhfear gnótha. Thuill sé agus chaith sé na mílte míle dollaer.

D'éist mé leis an scéal gan searbhas. D'aithníos ann an t-oidheadh clasaiceach Meiriceánach—an tóir fhíochmhar ar an saibhreas a fhágann an fiagaí traochta ann féin agus míshásamh an domhain ina chroí. Agus nach traochta ann féin atá an fiagaí seo ! Bhí sé cinnte uair amháin gurbh í an scríbhneoireacht an chinniúin a bhí i ndán do. Ach filleann feall, agus d'fhill ar shlite ná raibh aon choinne aige leo. Anois, agus cúig bliana is caoga slánaithe aige, tá a mheabhair á céasadh aige. Comhairlíonn na dochtúirí dhó gur mithid a scíth a ligint, ach níl an t-am chuige sin aige. Tá imní air ná mairfidh sé go dtabharfaidh sé cuairt ar Éirinn agus ar an nGréig, go bhfaighidh sé greim air féin arís, go scríobhfaidh sé na leabhra a leag sé amach dó féin le linn a óige. Taibhse Thoreau ar a chúl, á cháineadh is á ghríosadh. Tá an fiagaí á fhiach anois agus gan aon éaló aige.

Osclaím ceann de na leabhra a bhronn an tIodáileach Eugenio Vaquer orm. Úrscéal leis féin é, *Il Procuratore*, agus léim an abairt seo atá i mbéal duine chráite ann : '*Un uomo che fugge non puo dirsi che viva.*' Ní féidir a rá faoi dhuine atá ag teitheadh go maireann sé. Bíodh an focal scoir ag Vaquer.

Is breá liom é mar chompánach. Bainim sult as a chaint. Tá an bhrí inti agus an tapúlacht. Cé go bhfuil an Béarla sách cruinn aige nuair labhrann sé go mall cúramach, ní ligeann a intinn dó na focla a thoghadh agus mar sin brúchtann a theanga dhúchais amach ina sruthanna. Is iomaí scéal atá aistrithe aige ón mBéarla, cuid díobh le Proinsias Ó Conchubhair seo againne. Anois tá sé ag tnúth ó lá go lá le filleadh ar Fhirenze. Thaisteal sé Meiriceá ó chósta go cósta agus tá sé tuirseach de. Ní fheadar an mbeidh mé féin tuirseach den tír i gcionn trí míosa agus fonn fillte orm ?

Is é an rud is mó a ghoilleann ar Vaquer ná simplíocht na Meiriceánach. Agus sinn ag caitheamh dinnéir i *gcafeteria* is cosúla le pálás ná le proinnteach poiblí, d'fhéach sé ina thimpeall agus ar seisean : ' Féach orthu, na Meiriceánaigh ! Tá cultacha orthu is fearr ná éinní a bheadh againne sa bhaile i gcóir féasta mhóir. Bochtanas ? Ní thuigid é. Cinniúin an chine daonna ? Ceapaid gurb é an saibhreas é. Ceapaid go leighisfidh an saibhreas gach galar. I Los Angeles chonaiceas daoine a raibh cultacha nua acu ina gcaogaidí ! Tuillid agus scaipid na dollaerí ina gceatha ach níl an sonas acu. Féach ar an mbia seo ! Tá dathanna áille air, idir deirge na dtomáidí agus báine na litíse ach cá bhfuil dea-bhlas an bhídh a bhíonn againne san Eoraip ? Níor itheas greim in aon áit a bheadh inchurtha le bia na hIodáile ach amháin i New Orleans.'

D'alp sé siar a chuid agus goic ar a cheann tanaí. Bhraitheas ná raibh dealramh an scríbhneora air. Dá scrúdódh stróinséir a cheann maol, an cuiméal bearrtha néata, an chulaith fhaiseanta, an tascán agus an mála leathair, déarfadh sé air gur *fonctionnaire* é, duine de na stát-seirbhísigh móra a chítear ina mílte i Washington. Ach scéithfeadh a chuid cainte ar Vaquer in aon áit.

B'é an Scríbhneoir a labhair nuair d'fhiafraíos de conas a chaith sé a shaol le linn an chogaidh. Dhearg sé toitín agus shéid sé puthanna beaga deataigh i ndiaidh a chéile.

'Inseod rud duit,' ar seisean. 'Ní deas an rud le rá é ag aon Chríostaí ach is fíor é. Le linn an chogaidh mhaireamar ar an gcaolchuid. Bhí síorocras orainn, ar na páistí, ar na máithreacha, ar na fir. Sa drochaimsir, agus an fuacht san aer, d'fhulaingíomar na pianta. Bhí na fuinneoga gan gloine ón mbombardáil. Ar feadh bliana amháin bhíomar gan geas gan aibhléis. Ach shaothraíomar go dian i gcoinne an ghanntanais agus an bháis. Na rudaí a bhí in easnamh orainn, chumamar iad. Féach! Tóg canna beag stáin, braoinín ola agus giota sreanga: tá lampa agat, *una piccola lucerna.* Mar sin a mhaireamar. Chabhraíodh cách le chéile. Théadh mo bhean chuig a comharsa. Thagadh an comharsa chuici. Bhraitheamar ar a chéile. Tháinig na hionsaithe ón aer, na bombaí; chualamar na gunnaí; chonaiceamar na mairbh. Ba chosúil gach lá le deireadh an domhain. Ach ba chuma. Bhí aontas eadrainn. Ba chine sinn. Ansin, nuair bualadh cloga na n-eaglaisí go léir á fhógairt go raibh deireadh leis an gcogadh, mhothaíos saghas laige ag gabháil trí mo chuisleanna. D'éag cuid den chroí ionam. "Anois," arsa mise liom féin, "táimid ag fágaint na laethe móra inár ndiaidh. I nganfhios dúinn féin, bhíomar inár laochra i rith na laethe móra sin. Táimid ag filleadh anois ar an ngnáthshaol agus ar na seanduáilcí, ar an éad agus an tsaint agus an easaontas. Tiocfaidh deighilt mhór na bpeacaí eadrainn arís."

'B'fhíor dom,' arsa Vaquer, 'mo léan gurbh fhíor dom.'

An 5ú Bealtaine : Washington

Ar maidin chuas síos chuig an Capitol chun cuairt a thabhairt ar Theach na Dála agus Teach an tSeanaid. Cheapas roimh ré ná cuirfeadh an radharc aon ionadh orm toisc gur rímhinic a chonaiceas pictiúirí den chnoc agus de na foirgintí sin is mó clú i Meiriceá. Ach bhuail an t-ionadh mé mar splanc tintrí. Nuair sheasas os comhair an fhoirgnimh agus nuair d'fhéachas ar an dóm ag síor-éirí thar barra na gcrann agus os cionn na cathrach uile, d'airíos mar bheadh anam beo sna clocha—anam a bhíonn á shíor-ardú féin i dtreo spéire. Samhlaíodh dom go raibh éadroime an aeir féin sna clocha sin agus gur ag snámh orthu bhí an dóm, seachas é bheith suite go daingean ar mhullach an olltí. Bhí an Mhaorgacht sa láthair sin.

Tá a suáilcí agus a n-éirim féin ag na Meiriceánaigh ; ach ní dóigh liom gur áiríodh an mhaorgacht ná an éadroime anama orthu. Tá greann iontu. Tá beocht iontu. Ach ní hionann sin agus an éadroime anama a bhíonn de ghnáth sna hIodáiligh. Tá *gravitas* na sean-Rómhánach iontusan, ach ní shiúlann an mhaorgacht leo. Ach féach : tá an dá ní le chéile sa Chapitol.

Bhí cioth báistí ag titim. Ar bharr na gcéimeanna láir bhí scoláirí coláiste agus ardscol, idir buachaillí agus cailíní, ina seasamh ina ngasraí gruama, súil anairde acu ar na scamaill liath-ghruama fionna-rua. Rian an rath-únais ar an ógra sin, ar a n-éadach, ar a gcraiceann. Bhí camara ag gach duine acu beagnach agus táim cinnte dá gcuirfinn ceist go bhfaighinn amach go raibh gluaisteán ag gach ra duine acu. Ba chóir go gcuirfeadh an ráthúnas seo ríméad orm. Ba chóir go n-abróinn : nach aoibhinn do na Meiriceánaigh. Nach leo atá an t-ádh. Ach fanaim im thost. Chím an saibhreas á ídiú. Cuimhním go gcaitheann na Meiriceánaigh, le craos amhail tine i lár foraoise, na bronntanais a thug Dia dhóibh. Cuimhním go bhfuil a gcóras eacnamaíochta bunaithe ar an ídiú.

Chuas isteach sa Chapitol agus shiúlas trí ghréasán de phasáistí, síos suas céimeanna marmair, idir dealbha agus pictiúirí stairiúla, go dtí gur imíos amú. Ní cuimhin liom go bhfaca riamh cheana oiread sin dealbh neamhspéisiúil agus pictiúirí leamhdhaite le chéile i bhfoirgneamh poiblí. Ach ní cúrsaí ealaíne a bhí ar aigne ag na daoine a chuir an taispeántas le chéile, ach cúrsaí staire. Tá dúil gan teora ag na Meiriceánaigh sa stair. Braithid gur taca don náisiún í.

D'aimsíos póilín a bhí ar garda ag doras seomra phríobháidigh agus threoraigh seisean mé go dtí halla na dála. Bhí gnó éigin ar siúl ann, gnó nár thuigeas chor ar bith le linn dom bheith ann. Thuas i measc na suíochán poiblí mar a rabhas-sa bhí scoláirí coláiste agus ardscol ag teacht is ag imeacht le tormán mór cos. D'fhéachas uaim síos agus chuireas cluas le héisteacht orm ach ní chuala ó na Teachtaí ach dordán dothuigthe, bualadh cos i gcoinne cathaoireach, agus dreasa casachtaigh. Ar éigin a bhí seasca Teachta ann ar fad, iad scaipithe thall is abhus, cuid acu ina suí go compordach, cuid eile ag cogarnaigh. D'airíos mé féin ag éirí codlatach agus tar éis scathaimh d'fhágas an halla le dul go dtí an Seanad. Toisc gur ar an taobh eile den mhórfhoirgneamh a shuíonn an Seanad b'éigean dom dul síos ar an ardaitheoir go bóthar faoi thalamh a ghabhann ó cheann ceann an árais.

Níor dhuine riamh mé a chleachtaigh pluaiseanna ná fothaill talaimh. Taganna scanradh na huaighe orm iontu. Adhlacadh im beatha dhom é. Ar bhóthar an tolláin faoin gCapitol ghlac faitíos thar cuimse mé, faitíos a ghríosaigh mé chun reatha. Le fóirneart tola chuireas cosc leis an dúil mhíréasúnta agus shiúlas go socair, na macallaí móra ag titim orm ó gach taobh. Chualas mo choiscéimeanna féin ag filleadh orm le tormán airm ag máirseáil. Chualas guthanna ag teacht thar a chéile go dtí gur cheapas go mbeadh slua mór le feiscint timpeall an chéad choirnéil eile. Ní raibh slua ann. Ní raibh ann ach seanfhear agus a bhean, agus iad ag argóint le binib i lár chrosbhóthar an tolláin. Cé an bóthar a thógfainn? Léas fógra a bhí daite ar an bhfalla ach ba bheag an treoir dom é. Ar aghaidh liom, le súil go mbeadh deireadh leis an turas uair éigin roimh lá mo bháis. Bhí an t-allas liom go tiubh. Bhí screamh ar mo theanga le tart. Agus ansin, go tobann, shroicheas doras leathan agus bhíos saor arís, amuigh faoin aer agus faoin mbáisteach. Ba ghlan fionnuar liom na braonta ramhra ag bualadh ar m'éadan agus d'fhanas im sheasamh gan fothain go rabhas socair ionam féin.

Isteach liom arís trí phasáistí fada agus síos suas, suas síos, nó gur ghabhas ardaitheoir agus gur bhaineas amach seomra fairsing an tSeanaid. Timpeall trian de líon an tSeanaid a bhí ina suí agus mioncheisteanna á bplé acu. B'fhacthas dom go mba shine iad, a bhformhór, gur fearr a bhí a gceard acu mar chainteoirí. Ní ceart ar fad 'cainteoirí' a thabhairt orthu. Óráidíocht sa tseantraidisiún roinnt mhaith dar chualas, go mór mór ag Seanadóir amháin. Ní cuimhin liom cérbh é, cé go raibh plean na suíochán agam agus ainm gach Seanadóra air. Bhí guth doimhin ceolmhar aige, neart clog eaglaise ann, agus is é bhí in ann labhairt amach ! Labhair sé go héasca líofa ach bhraitheas faoin éascaíocht go léir ná raibh a chroí san óráid. Agus ag féachaint síos ar a cheann liath dhom chuimhníos ar an saghas Seanadóra a bhíodh á aoradh go dtí le déanaí i scéalta magaidh, i mbéaloideas nua Mheiriceá, agus ar na scannáin. Fear mór a bhíodh ann i gcónaí ; slinneáin leathana air ; gruaig a chinn chomh glan bán le hairgead nua ; hata fairsing dubh air ; spéaclaí ar crochadh le póca a bheiste, ar ribín dubh ; mála dlíodóra ina láimh aige ; agus an chaoinchaint go mórfhoclach ar a bhéal. É ina mháistir ar gach ní. É chomh sleamhain do-ghafa leis an eascú. É ag síor-mhaíomh as a mhacántacht. Gan d'aidhm aige ach leas an phobail. Gráin síoraí á fhógairt aige ar bhreabaireacht agus ar uisce-faoi-thalamh. Ach gan an sparán folamh riamh aige. Gan aige i dtosach a réime ach a chlisteacht agus a thaithí ar an óráidíocht ach i ndeireadh a shaoil é go saibhir sócúil, ina thaca mór don mhoráltacht phoiblí. Tá na culaithe dubha agus cuid den bhláthchaint imithe : ach nílim cinnte ná fuil macsamhail an tSeanadóra Mhóir sin ar fáil fós.

Tá Meiriceánaigh ann a déarfadh go bhfuil. Tá, mar shampla, ceist cearta na Stát i gcúrsaí mianadóireachta agus íle. I gceann seachtaine beidh ar an Seanad a bhreith a thabhairt i gceann de na díospóidí is géire agus is tabhachtaí dar tharla anseo le fada. Tá na nuachtáin lán den chonspóid. Toisc gur ag an Uachtarán a bheidh an focal scoir deir cuid de na nuachtáin go ndéanfaidh sé feillbheart ar an náisiún má thugann sé cead a gcinn do na Stáit is mó atá i gceist, .i. Texas, California, Florida, etc. An acusan nó ag an Náisiún atá ceart chun na bhfoinsí ola agus mianaigh atá amuigh faoin bhfarraige fan cóstaí na Muir-Stát ? Deir siadsan, ós Stáit cheannasacha iontu féin iad, go bhfuil ceannas acu do réir dlí idirnáisiúnta ar ghrinneall na mara ar feadh trí mhíle ón trá amach. Ach ní ghéilleann Rialtas Washington—fós. Agus tá breithiúnas ann cheana féin a thug Ard-Chúirt na tíre i gcoinne Texas agus California. Ach is cuma. Is léir an babhta seo go bhfaighidh na Stáit cead a gcinn ; agus gheobhaidh na daoine móra, na bancaerí, na mianadóirí agus lucht na bhfoinsí ola an méid atá uathu. Mar adúirt Meiriceánach liom : ' It's a give-away with special bonuses.'

Dá bhrí sin cuimhním ar an Seanadóir úd sna scéalta. Tá sé imithe, ach maireann an chlisteacht. Agus mairfidh. An áit a mbíonn an saibhreas mór is ann a bhailíonn lucht na sainte.

An 6ú Bealtaine : Washington—Nua-Eabhrac

D'FHÁGAS SLÁN AG WASHINGTON ar maidin agus ba faoiseamh liom é. Ní ag gabháil ar mo shocracht go Nua-Eabhrac a bhíos ach ag éaló ó chathair nárbh fhéidir liom an aimsir a fhulaingt a thuilleadh inti. Tráthnóna inné d'ísligh an spéir anuas ar an gcathair agus thosnaigh an cogarnach toirní. Bhí na scamaill buí le síorlasadh na tintrí. Corruair thiteadh na braonta móra báistí agus chuiridís duilleoga na gcrann ag rince. Bhí an t-aer tais le galú an uisce. Bhraitheas gur gal in ionad aeir a bhí á análú agam agus mhothaíos plúchadh im scamhóga. Bhí mo chuid éadaigh dlúite go fliuch lem cholainn. Diaidh ar ndiaidh mhéadaigh ar an stoirm. Réab na saighneáin tintrí na scamaill ísle buí. Lingeadar go nimhneach anuas ar an gcathair. Ar éigin a bhíodh sos ar bith idir an lasair agus an toirneach agus an athlasair. An t-aer tais ar buanchrith. Bhí sé ina chogadh fraochmhar sna spéartha, gunnaí móra ag ionsaí múrtha iarainn ; túir ag titim ar a chéile trí thine, agus an trúmpa á shéideadh ag an Ard-Aingeal fá choinne Lá an Luain. Mhúch na scamaill sin solas an tráthnóna. Bhí na sráideanna folamh. Theitheas chuig an óstán.

Bhaineas gach ball éadaigh díom agus sheasas nocht faoin gceathán folctha, gur níos an sceamh-allas dem chraiceann síos. Phléasc stoirm bháistí agus cloch-shneachta ar an gcathair agus cheapfá gur ina mheán oíche a bhí, ar dhuibhe is ar dhéine an dorchadais. Chualas coiscéimeanna reatha ar na casáin. D'fhéachas amach. Bhí ribíní agus bratacha báistí á suathadh is á séideadh trí sholas na lampaí sráide. Idir na casáin bhí sruth tréan ina lán-rith, agus na gluaisteáin ag turraic go righin tríd an tuile, dhá sciathán de chúr ag éirí ar gach taobh. Chualas i bhfad uaim olagón adhairce otharchairr ina rás tarrthála ar thruán anaithnid éigin. Ach sara rabhas gléasta i gceart arís bhí an spéir glan agus ciúnas ann athuair. Ar feadh leathuaire nó mar sin d'airíos úire san aer a chuir caoinbhoige lá Earraigh in Éirinn i gcuimhne dhom, ach níor mhair sí. Dá theocht an t-aer roimh an stoirm, ba mheirbhe fós é ina diaidh.

D'airíos arís chugam gal an ghasailín sna sráideanna, gal an tobac stálaithe, an bréantas uile a luíonn idir na tithe arda.

Dá bhrí sin is ea d'éalaíos ó Washington go Nua-Eabhrac maidin inniu. Fear gorm a thiomáin chuig an stáisiún mé agus b'é an chéad duine díobh dar casadh ormsa a bhí meidhreach geal ann féin. Mar is gnáth le tiománaithe anseo, d'fhiafraigh sé dhíom cárbh as dom, agus nuair d'inseas sin dó chuir sé a thuilleadh ceisteanna orm faoi staid na hÉireann. 'Déarfainn,' arsa mise, 'go bhfuilimid níos sásta leis an mbochtanas in Éirinn ná mar atá na daoine anseo lena gcuid saibhris.'

'Creidim é' ar seisean. 'Níor chreideas é tráth dem shaol. Ní fada ó shin a bhí an t-airgead mór á thuilleamh agam. Cheapas go rabhas ar bharr an domhain. Bhí mo thigín beag féin agam. Bhí mo bhean féin agam.' D'iompaigh sé chugam, lig sé fead fada ard as, nocht sé gealachán a dhá shúl agus phléasc a gháire air. 'Bean í de na mná sin a aimsíonn an t-airgead mór, mar a aimsíonn an bheach an mhil. Bhíomar á chaitheamh níos tapúla ná mar a bhí sé ag teacht isteach! Lá breá amháin thug sí droim láimhe liom. Ach tá ciall cheannaigh agam. Le himeacht na mblianta aithním ó lá go lá gur lú riachtanas an duine ná a shaint. Céard tá de dhíth ar éinne ach dea-bhia, leaba thirm, díon os a chionn, agus beagáinín grinn. Sea a dhuine uasail. Is maith liom na hÉireannaigh. Tógadh mé in Indiana agus bhí clann Éireannach sa chomharsanacht. Ceallaigh iad, agus toisc go mb'éigean dóibh iad féin a chosaint ag dul ar scoil dóibh bhí an dornáil agus an iomrascáil ar fheabhas acu. Níor sáraíodh riamh iad mar throdairí.

Mhúineadar an dornáil domhsa agus is iomaí uair a ghuidheas beannacht orthu agus mé i gcruachás. Sea a dhuine uasail. Níl sárú an Éireannaigh le fáil mar throdaire. Ba mhinicí d'fhágaidís ar fhleasc mo dhroma mé ná ar mo bhonna, ach níl aon ghangaid sna hÉireannaigh mar a bhíonn i ndaoine eile. Seo chugat an stáisiún.'

Táim anois im óstán ar an 57ú Sráid Thiar i Nua-Eabhrac, ar an séú urlár d'fhoirgneamh a bhfuil níos mó ná tríocha urlár ann. Tar éis teacht ó Stáisiún Phennsylvania dhom thugas seal ag spaisteoireacht fan na sráideanna agus na n-ascal atá i bhfoisceacht leathmhíle den óstán, agus léarscáil Mhanhattan im láimh. D'fhoghlaimíos leagadh amach an cheantair gan aon dua agus má chaillim an treo as seo amach, ormsa a bheidh an locht. Na daoine a leag sráideanna agus ascail Mhanhattan amach, b'fhuath leo na cuarlínte. Lasmuigh de Cholumbus Circle, mar a bhfuil dealbh an laoich sin, ní fhacas ach sráideanna atá chomh díreach le riail. Ar mo bhealach dom chualas teangacha iasachta ar gach taobh, Spáinnis, Iodáilis, Gearmánais, canúin Bhéarla Mhanhattan agus teangacha nár aithníos. Ar an gcasán ar aghaidh dhoras bainc bhí briathar-chath ar siúl idir cheathrar—duine acu ina dhoirseoir ar an mbanc, éide gorm air agus hata buacach. Fear gorm ab ea é, ach é ar báiní le fearg. Mar sin féin níor lig sé don bhfearg sárú ar an dignit aige, agus ba mhaorga ríúil a dhírigh sé eochair mhór ar dhuine den triúr, á rá : '*Do I understand, Sir, that you think fit to call me a son of a bitch?*' Chúlaigh an triúr go tapaidh agus d'iompaíodar ar imeall an chasáin chun féachaint ar shíor-ruathar na ngluaisteán. Bhí an bhua ag an bhfear gorm.

Táim ag scríobh anois le hais fuinneog mo sheomra. Tá mo chuid ite agam—greim bídh a fuaireas i *gcafeteria* ar dhá dhollaer is fiche cent—agus ní bhuailfead amach arís go dtí maidin amárach. Féachaim amach thar na díonta atá thíos fúm, thar na fallaí arda atá breac le fuinneoga solais, go dtí an t-imeallbhóthar cois abhann Hudson, mar a bhfuil na gluaisteáin ag síor-imeacht ina bhfeithidíní beaga gealsúileacha. Níos faide anonn tá lonradh ar an uisce fairsing ciúin fan chósta New Jersey agus tá a mhacsamhail féin ag gach lampa, gach solas, gach fógra ildaite, ar chaci go bhfeicim dhá chathair, Nua-Eabhrac agus a taibhse. Sa chathair faoi uisce tá an síorchiúnas, an tost nár mhothaigh muintir Nua-Eabhrac riamh. Sa chathaoir mar a bhfuilimse éiríonn tormán agus toirneach na sráideanna chugam agus samhlaítear dom go bhfuil tonnta na Farraige Móire ag pléascadh ar fhallaí an óstáin. Ní bhfaighead codladh ar mo shuaimhneas ach is cuma liom. Ar chodail aon eachtrannach sa tsean-Bhaibiolóin ? An dual d'aon Chríostaí a scíth a ligint i gceartlár na toirní ? Tá fhios agam go rómhaith go mbead im dhúiseacht go dtitfidh suanchodladh na fonnlaige orm, anocht b'fhéidir, nó oíche amárach nó athrú amárach. Amuigh ar an abhainn tógann long mhara búireach a bhaineann macallaí as fallaí Mhanhattan, á fhógairt go bhfuil port sroichte aici, agus ar feadh tamaillín mothaím im aigne an tsíocháin sin a leathann thar bailte beaga na hÉireann le titim na hoíche.

TÁ DAOINE ANN a bhfuil báidh acu le Nua-Eabhrac. Ní thuigimse fós dóibh. Tá amhras orm an dtuigfead go deo. Conas a thabharfadh luichín grá do Charn Tuathail ? Conas a gráítear ollchathair fhathachúil ? An féidir bheith báidhiúil le naoi milliúin daoine as gach treabh ar domhan, Iodáiligh, Gearmánaigh, Spáinnigh, Éireannaigh, Sasanaigh, Gréigigh, Francaigh, Indiaigh, Peirsigh, Arabaigh, Sínigh, Seapánaigh agus cá bhfios cé eile ?

Bhí ceo-bháisteach san aer maidin inniu is mé ag oibriú mo shlí síos an Cúigiú Ascal, príomhascal álainn na cathrach. Ba chóir go mbeadh áibhéil orm roimh an sráid seo a bhfuil clú domhanda uirthi i dtaobh airde agus maorgacht a spéir-áras agus gleoiteacht a siopaí. Ach ní raibh. Saghas díomá a bhí orm. Mar a bheadh seaneolas agam orthu agus taithí agam ar shiúl faoina scáth gach lá den tseachtain. Ní rabhadar chomh lom cruaidh agus a cheapas. Bhraitheas comhbháidh aisteach leis na fathaigh sin a bhí leathbháite sa cheo liathghorm. Samhlaíodh dom gur shúigh an ceo an tsubstaint as clocha na bhfoirgneamh agus gur fágadh ní spioradálta ina hionad. I ngar d'Ard-Eaglais Naomh Pádraig níorbh í an áibhéil a bhí orm ar aon chor ach ionadh roimh sciamhchruth an ascail ; an dá thaobh di ag síneadh uaim amach gur imigh barraí na dtúr ó léargas sna scamaill.

Ar aghaidh na hArd-Eaglaise agus ar an taobh eile den ascal tá Rockefeller Center mar a raibh gnó le déanamh agam le lucht radio i gceann de na spéir-scríobairí. Ach thugas cuairt ar an eaglais ar dtúis. Is do-chreidte an radharc é an Ard-Eaglais seo i lár an Chúigiú Ascail. Ní dóigh liom go bhfacas in aon tír nó in aon chathair eile eaglais is mí-oiriúnaí don tsuíomh, nó suíomh is mí-oiriúnaí d'Eaglais ó thaobh ailtireachta dhe. Ar mhire is ar ghile na tintrí dhein solas dom ar a úire agus a nuacht atá an Domhan Úr. Idir foirgintí arda an ascail agus Ard-Eaglais Phádraig, tá coimhlint doréitithe ; agus maraon leis sin tá coimhlint idir cúis bhunuithe na hArd-Eaglaise agus cúis bhunuithe na scríobairí spéire ; teampall Dé i measc na dteampall sin an airgid. Thart ar an Ard-Eaglais tá stíl na fichiú aoise ina lánréim—fallaí loma arda ilfhuinneogacha ar síneadh go caol díreach chun na spéire le huabhar na Baibiolóine. Cumhacht na cathrach saolta iontu. An eaglais spiorach stuacach Gotach ina lár istigh. Blas na Meánaoise uirthi. Anál ón Eoraip í, mar a mbíodh Tomás d'Aquino ag múineadh na diachta i Páras na Fraince.

Chuas isteach. Bhí Aifreann canta ar siúl agus grondán ceoil orgáin ag baint craitheadh as an aer. I bhfad uaim sa chlapsholas agus i ngar don ardáltóir choinnleach bhí cupla céad daoine ar a nglúna. An chuid eile den fhoirgneamh faoi dhronga learairí agus lucht cuarta ; iad ag stánadh suas ar an díon mar a raibh an dorchadas i measc na n-áirsí ; ag scrúdú na bhfuinneoga daite mar a raibh an gorm is an corcar is an craorag ina lasracha sa ghloine, iad ag siosarnach, ag gáirí os íseal, ag fiosrú is ag freagairt is ag léamh na bhfógraí ar an bhfalla. Níor chuireadar as dom. Bród a bhí orm go rabhadar ag móradh na hEaglaise sin. Chuimhníos conas mar tógadh í le pinginí na mbochtán a theith as Éirinn agus a dhúblaigh faoi sheacht líon tí an Chreidimh san áit seo. Fuil na mairtíreach síol an Chreidimh : iarmairt na daorbhroide fás na hEaglaise. Más fíor féin nach le haon chine faoi leith an Eaglais, tá rian na nÉireannach chomh láidir uirthi sna Stáit gur beag an áibhéil a rá gur rud Éireannach í. Thuigeas an sagart adúrt liom i mBoston gurb é is mó atá de dhíth ar an Eaglais sagairt nach de bhunadh na hÉireann iad, sagairt de gach cine san ollphobal.

Thuigeas níos cruinne é nuair d'fhágas an Ard-Eaglais sin. Bhí ciníocha an domhain ag coisíocht go broidiúil tharm ar chasáin an ascail, idir fionn agus dubh, crón agus buí ; éadan fáirbreach ar na seanfhir, aghaidh na seanbhan ar nós seansparán folamh leathair ; na cailíní ag spaisteoireacht go fadchosach maorga ríonúil agus sciamh na hóige ina gcruth agus ina leicne. Ní fheicim riamh an áille gan taom uaignis a theacht orm, pé acu áille an duine nó sciamh ar bith eile. Déarfainn gur mó daoine uaigneacha a bhíonn i measc na milliún anseo ná i ndufairí na hAfraice. Mhothaíos an seantocht orm agus mé ag trasnú an ascail chuig an spéir scríobaire mar a raibh an gnó agam le lucht radio.

Sa halla mór ar an mbunurlár bhí siopaí—barraíocht siopaí—oifigí agus ardaitheoirí. D'aimsíos an ceann a bhéarfadh suas mé chun an urláir a bhí uaim. Níor airíos mire an taistil gur thosnaigh bualadh cloigíní i mo chluasa d'fhág bodhar mé ar feadh neomait. Dheineas dianslugadh anála agus ropas méar i bpoill na gcluas.

' . . . Thart ar an Ard-Eaglais (ag bun an phictiúra) tá stíl na fichiú aoise ina lánréim . . . "—Rockefeller Center, Nua-Eabhrac (*lch.* 75)

' . . . toradh na hintinne loighiciúla . . . '—Áras Lever, Park Avenue, Nua-Eabhrac (*lch.* 88)

'Is í an airde í,' arsa duine liom agus meanga magaidh gáire air. 'Tuigim,' arsa mise, 'ní haon chompord é.' 'Ní measa ná mar bhíonn ag an ngabhar sléibhe,' ar seisean, 'agus is sláintiúil an beithíoch é.' 'Ach ní gabhair iad muintir Nua-Eabhrac,' arsa mise. Lig sé fead as. 'Hm. Dá bhfeicfeá iad ar thóir na mban!'

B'aoibhinn an radharc a bhí agam ó cheann d'fhuinneoga na n-oifigí thuas. An chathair ar leathadh soir agus ó dheas ina foraois fhairsing túr agus ardtithe. D'ainmnigh duine na príomhfhoirgintí dhom: an Empire State, Chrysler, Daily News, Waldorf ..... ní cathair go dtí í. D'éalaigh caoinghaethe gréine amach trín gceo, gaethe nár theagmhaigh ach le barraí na dtúr agus a d'fhág faoi ghealbhrat órga iad. Siúd lonradh sna díonta, gur gheall le gloine daite iad agus gur thosnaigh na mílte fuinneoga ag spréacharnaigh. Nach amhlaidh a bhíonn cathair an rí, nó cathair na sí, i ngach finnscéal? Ní ar son na háille ná faoi anál finnscéil a tógadh Nua-Eabhrac. Don tráchtáil is don tionscail is don chruinniú airgid í, ach féach—tá sciamh uirthi agus rian na húrshamhlaíochta! D'fhéachas síos go bhfeicfinn an tsráid. Baineadh geit asam. Thíos fúm bhí míoltóga is feithidíní ag gabháil anonn is anall ina mílte; ag trasnú na sráide ina ndronganna faoi chomharthaí na bpóilíní is na soilse, á slugadh isteach is á ndoirteadh amach as busanna agus gluaisteáin ba bhídí liom ná na bréagáin atá ag mo gharsúin sa bhaile. Thuas mar a rabhas ba bheag fuaim faoi leith a bhí le haithint, ach an t-aon dordán amháin mar a dhéanfadh scuaine eitleán i bhfad ar shiúl sa spéir.

Chuimhníos ar an Ard-Eaglais. Cá raibh sí ? D'fhéachas arís. B'shiúd thíos í — colúr beag na sráide ag ardú a sciatháin chloiche, agus gurbh ísle na spuaicí sin ná aon áras sa chomharsanacht. Thosnaíos ag machnamh ar chathracha ársa na sean-Eorpa, mar a bhfuil eaglaisí is teampaill ina seasamh le na céadta blian—-an Róimh, Páras, Chartres, Rheims, Londain, Winchester, Sevilla, Trèves. Teampaill is uasal ar chnoc agus ardán, agus ar léir a spuaic i ngach aird máguaird. Tháinig na cuimhní go tiubh, agus bhí mo sheasamh arís ar bhóthar smúitiúil tamall ón Róimh, agus mé ag stánadh go cíocrach ar dhóm cuarach an Bhasilica ; agus fós shiúlas an bóthar fada díreach ó Chartres amach thar má sheanda La Beauce i measc na ngort buí cruithneachtan agus d'fhéachas siar uaim ar dhá stuaic mhaorga na hardeaglaise ag síoréirí suas chun glóire Dé is na Maighdine. D'éirigh mo chroí tamall, nó gur smaoiníos ar staid na Críostaíochta san Eoraip agus gur thuirling néall cumha orm. Arbh fhada uaithi athréim san Eoraip ? An dtiocfadh casadh taoide ? Nó an fíor gur i bpobal na Stát atá dóchas na hEaglaise ? Tá fhios ag Dia agus tá na fáidheadóirí balbh.

Um thráthnóna ghabhas ar bhus go Washington Square, ag ceann an Chúigiú Ascail le cuairt a thabhairt ar Dháithí Ó hUaithne atá ina léachtaí le litríocht in Iolscoil Nua-Eabhrac. Greenwich Village an ceantar máguaird, áit a gcónaíonn dathadóirí is dealbhóirí, scríbhneoirí is ceoltóirí. Tá na seantithe donn-chloiche a chuir ríméad ar Henry James ina seasamh fós, rian na haoise agus na haimsire orthu. Ar gach taobh castar Iodáiligh agus Spáinnigh ort agus gach cineál eachtrannach a chuireann fúthu anseo d'fhonn freastal ar an iolscoil nó d'fhonn an chiúnais. Mar tá an ciúnas ann. Ag trasnú na faiche dom bhraitheas mar bheinn ar ais i mBaile Átha Cliath. B'fhada uaim tormán na cathrach. Bhí seandaoine ina suí ar na binsí poiblí, ag ligint a scíth go socair nó ag léamh na nuachtán, agus páistí ag imirt liathróide ar an bhféar scáinte feoite. Agus sna cúlsráideanna in aice na cearnóige bhí baill éadaigh ar crochadh ar línte lasmuigh de na fuinneoga. Bhí sceamh smúite agus sú ar gach uile rud, ar na fallaí, ar an bhféar, fiú ar dhuilleoga na gcrann.

Chuas isteach i dtigh tábhairne le Dáithí agus chaitheamar an oíche ag ól beorach buí agus ag comhrá. Deoch éadrom sobhlasta í, gan neart bheoir na hÉireann inti ach í sách láidir lenár dteanga a scaoileadh. Bhí fhios agam roimh ré go raibh tríocha míle mac léinn san iolscoil agus bhí uaim Dáithí a cheistiú faoi shaol na n-ollamh. Ach rud eile a bhí uaidhsin. De bhunadh Éireannach é, ach níor chaith sé ach dhá ghearrthréimhse i dtír a shinsear, ar mhí na meala ar dtúis agus ansin i rith an chogaidh. Tá dúil as cuimse aige i litríocht na hÉireann, go mórmhór i saothar Sheáin Uí Chathasaigh, Yeats, Joyce, Austin Clarke agus a leithéidí. I gcúrsaí litríochta an lae inniu táim cinnte go mbéarfadh sé barr eolais ó aon ollamh iolscoile in Éirinn. Ach ní shásaíonn a chuid léinn é. D'alp sé siar gach blúire eolais dá raibh agam faoi na scríbhneoirí a mhaireann fós in Éirinn. Ní dóigh liom gur éalaigh oiread agus duine amháin díobh air, pé acu file nó úrscéalaí. An raibh an duine seo pósta ? Cá raibh sé ina chónaí ? An raibh aon leabhar á scríobh aige ? An raibh an duine sin ag gabháil don phótaireacht fós ? Cé an fáth gur ligeamar do Bhord na Cinsireachta a rogha rud a dhéanamh le gach scríbhneoir fiúntach in Eirinn ? An fíor go bhfuil na daoine caolintinneach ? Cad a tharla don irisleabhar a bhíodh á fhoilsiú ag an duine úd ? B'fhacthas dom i ndeireadh an cheistiúcháin ná beadh Dáithí sásta go gcaithfeadh sé tréimhse fhada in Éirinn. Ba léir dom freisin ná beadh sé sásta dá gcaithfeadh, mar is iomaí difríocht atá idir réim na saoirse in Éirinn agus a réim sna Stáit. Maidir le tuairimíocht ach go háirithe, tá traidisiún na saoirse i bhfad níos sine agus níos beo acusan ná mar atá againne.

Ag filleadh ar an óstán dom ghabhas suas Broadway. Tar éis an chiúnais is an chlapsholais i Washington Square ba bhodhradh agus ba dhalladh liom tormán na sráideanna agus spréacharnach na soilse. Soilse ildaite ag léimt is ag rith is ag bíogadh im thimpeall, ó airde na spéire, ó bharraí na bhfoirgneamh, ó dhoirse, ó fhuinneoga. Réiltíní ag scinneadh ó dhíonta. Easa de réaltáin ag sleamhnú síos fallaí na spéir-áras. Bhí an oíche ina lá acu. Bhí na casáin plodaithe le daoine, datha na soilse ar a gcraiceann, iad ag guailleáil a slí as na hamharclanna, as na pictiúrlanna, gáire an tsonais ar a mbéal, rian an rathúnais orthu uile. D'airíos gurbh éigean dóibh a nguth a ardú go gcloisfí iad i dtormán na ngluaisteán. Níor labhairt é, ach béiceach. Mhothaíos fuinneamh na Stát iontu, fuinneamh an chine nua a chruthaigh an Domhan Úr.

Nuair shroicheas m'óstán ar an 57ú Sráid Thiar, shuíos síos agus léas roinnt litreacha a bhí tar éis teacht ó Éirinn. Thit mo chodladh orm agus mé ag tnúth le cumha dosh ásta an deoraí. Baois !

An 8ú Bealtaine : *Nua-Eabhrac*

NÍL LE REACAIREACHT AGAM, tar éis an lae seo, ach pictiúirí éagsúla nach mór a mbrí. Chaitheas leathar na mbróg ag siúl Manhattan : thaistealaíos ar an iarnród faoi thalamh ; chaitheas mo lón in automat ; theitheas ó thoirneach na sráideanna ; thugas cuairt ar stáisiún radio de chuid na cathrach ; agus thugas léacht do rang in Iolscoil Nua-Eabhrac. Táim traochta. Admhaím gur thriaileas an iomarca, gur ghéilleas d'fhiabhras na cathrach. Caithfead mé féin a chosaint ar fhuinneamh na tíre seo. An té fheiceann an iomarca, a chloiseann an iomarca, cé an chaoi mhachnaimh a bhíonn aige ? Gan caoi mhachnaimh, ní féidir tuiscint a bheith aige. Gan tuiscint is cuma beo nó marbh é. Dá mbeadh caoi mhachnaimh ag Meiriceánaigh, nach iontach an cultúr a bheadh acu.

In aice le Columbus Circle chonaiceas fear gorm ag tiomáint trucaillín d'uachtar oighre. É ag siúl go mall cúramach le hais an chasáin agus a dhá shúil ar ní éigin i bhfad i gcéin. Gachra neomat gháireadh sé amach focail éigin nár thuigeas ; agus ba lag fann a ghlór ; bhí caipín craorag air agus cóta fada bán. Ar aghaidh leis mar bheadh duine faoi bhriocht suain. Ar chuala nó an bhfaca sé éinní ? Bhí trácht tormánach na cathrach ina ruathar ag gabháil thairis ; adharca á séideadh agus coscáin ag gíoscadh. Ach níor fhéach sé deas ná clé, ná níor chorraigh súil, ná níor staon sé aon tamall ó fhógairt a chuid earraí. Ní fheadar ar chuala sé ceol na gcloigíní a bhí ar crochadh le cliatháin an trucaill, nó gliadar andóigh na n-éan i measc na gcrann istigh i Central Park ; nó an ar bhóthar na síoraíochta a bhí a aird agus é ag stánadh roimhe mar sin ar an ní i bhfad i gcéin ?

Más geall le haingeal i measc maisiní an t-eitleán, is diabhal é an t-iarnród faoi thalamh. A thúisce a théann muintir Nua-Eabhrac síos chuig na traenacha sin imíonn a dtréithíocht. Ní daoine a thuilleadh iad, ach mar bheadh ainmhithe éigiallda ag brú is ag guailleáil síos ina mílte. Ina suí nó ina seasamh sna carráistí dhóibh chítear atuirse an domhain dólásaigh orthu, dearcadh marbhánta ina súile, a gceann ag liobarnaíl ar an gcolainn agus allas leo go léir. Gluaiseann an traen isteach sna tolláin dorcha agus siúd torann gíoscánach cliotarach na rotha ag pléascadh ar a gcluasa. Níl éaló ag éinne ón torann. Ní sna cluasa amháin a airítear an scréachaíl sin ach sna cosa, sna lámha, agus istigh i smior na gcnámha. Is ifreanda an fotharaga é. Míle deamhan agus beithíoch allta ag búirthíl . . . . Agus ansin go tobann, tig athrú radhairc agus stadann an traen sa chéad stáisiún. Soilse geala ann agus daoine daonna ag teacht is ag imeacht. Filleann an bheatha ar na marbháin. Labhraid. Siúlaid an staighre suas agus amach faoi sholas an lae.

Ó leathuair tar éis a sé go dtí a hocht bhíos ag tabhairt léachta do rang Dháithí Uí Uaithne san Iolscoil i Washington Square. Ag bladaireacht leo, ba chirte a rá. In ionad caint leanúnach a scaoileadh chucu, d'iarras ar na mic léinn a rogha ceist faoi litríocht na hÉireann a chur chugam. Fir agus mná óga a bhí iontu uile. Níorbh fhada gur aithníos go rabhadar eolgaiseach ar litríocht ár dtíre ó aimsir Yeats anuas. Níorbh é léann an ollaimh a bhí acu ach an saghas a shaothraíodar dóibh fhéin i measc na leabhar faoi threorú ealaíonta an ollaimh. Bhí údar éigin ar leith léite go mion ag gach duine acu, agus eatarthu sílim nár deineadh faillí in aon údar fiúntach de chuid an Bhéarla. Dearbhaím go bhféadfadh gachra duine a léacht féin a thabhairt ar Frank O'Connor, nó Austin Clarke, nó Bryan MacMahon, nó Mary Lavin, nó Kate O' Brien nó Patrick Kavanagh. Nuair a labhras ar bhorradh na nualitríochta Gaeilge, fuaireas amach gan mórán moille go raibh beirt sa rang a chaith tréimhse fhada in Éirinn ag gabháil don léann, fear óg a rugadh sna Stáit agus cailín de bhunadh iasachta. D'fhoghlaim an fear óg an Ghaeilge go dtí gur fhéad sé filíocht na nGael a léamh agus a thuiscint. Chuir Dáithí in iúl dom gur mhian leis an rang uile dul go hÉirinn uair éigin.

'Tá an t-ádh libh mar Mheiriceánaigh', arsa mise leis. 'Dá mb'acmhainn dúinne in Éirinn teacht chun na Stát ar thóir an léinn dhéanfaimis é. Ach ag comhaireamh na scillingí a bhíonn ár mic léinn. Má bhíonn táillí an choláiste acu bíonn an rath orthu, gan smaoineamh ar tháillí taistil.'

'Ná bíodh aon dul amú ort,' ar seisean. 'Gach dollaer a chaitheann na mic léinn anseo, tuillid é ag déanamh airneáin, ag obair i siopa nó monarcha nó teach ósta—cuma cé acu bocht nó saibhir atá a muintir.'

Ar an taobh eile de Washington Square bhí drong mhór fear meánaosta suite ina mbeirteanna ag boird bheaga ag imirt fichille faoi scáth na gcrann. Ní raibh cor astu. Bhí solas na lampaí sráide ar a gceannaithe agus iad go léir ina dtost. Cad a chuireadar i gcuimhne dom? Mic léinn i leabharlann mhór. Nó manaigh ina bproinnteach ag éisteacht leis an léitheoir sa chiúnas.

An 9ú Bealtaine: Nua-Eabhrac

Aréir thug Dáithí Ó hUaithne leis mé go dtí a theach ar Long Island. Chuir a bhean chéile fáilte romham agus d'ullmhaigh sí suipéar breá dhúinn. D'ólamar a thuilleadh beorach as an oighreatóir tar éis an tsuipéir agus d'fhanamar inár suí ag bladaireacht gur bhuail sé a haon a chlog. Bhí sé ródhéanach le filleadh ar an gcathair agus chodlaíos ar an tolg bog fairsing sa tseomra suite. B'é an greas codlata ab fhearr dá raibh agam ó leagas cos ar thalamh Mheiriceá. Dhúisíos go beo aibidh. Chuir síocháin na dúiche ionadh orm nuair shiúlas amach ar an bhfaiche ghlas faoi sholas úr na maidne ag breathnú ar bhlátha craoraga na n-azalea, agus ar bhlátha bána agus gorma na gcrann coirnéil a bhí thart ar na tithe. Tithe adhmaid a bhfor-mhór agus iad geal bán.

Ag filleadh ar an gcathair dom sa traen bhíos suite taobh le beirt fhear dubh a chaith an t-am ar fad ag caint faoi dhollaerí, *nickels, dimes* . . . Is iad sin na focla is coitianta i mbéal na ndaoine, ó mhaidin go hoíche agus i ngach áit. Ní nach ionadh. Tá na costaisí ag déanamh buartha domsa freisin. Is daor í an mhaireach-taint i Nua-Eabhrac. Íocaim breis agus dollaer ar an saghas céanna bricfeasta a bhíodh agam i Washington ar 80 cents. D'íocas 2.75 ar an dinnéar inniu, agus níor mhór le rá é mar bhéile—píosa turcaí rósta fuar, prátaí, pís, meascán torthaí, gloine bainne. Bíonn an bainne ar fheabhas i ngach áit anseo, an t-uachtar go tiubh milis air—rud ná beadh le fáil in Éirinn ach i dteach feirmeora.

Roimh an dinnéar chuas go Stáisiún Phennsylvania le ticéad a cheannach don turas a dhéanfad i gceann ocht nó naoi lá go Santa Fé i New Mexico via St. Louis i Missouri. Comhairlíodh dom i Washington an ticéad a fháil gan mhoill agus níorbh fhada mé sa stáisiún gur thuigeas fáth na comhairle sin. Bhí na sluaite ann ag feitheamh go foighdeach, ina suí ar a gcuid bagáiste agus tuirse an bhrothaill orthu. Bhí ormsa fanúint go ceann uaire. ' Céard é an táille go Miami ? ' arsa cailín dathúil gorm liom. ' Ní fheadar,' arsa mise, ' stróinséir mé.' ' Ó,' ar sise, d'osna, ' tusa freisin. An bhfuil aon Mheiriceánach fágtha sa chathair seo ? Stróinséirí! Stróinséirí.' Shatail sí go nimhneach ar an toitín leath-chaite a bhí aici. Cad a bhí ag cur as di ? An brothall ? Troime a cuid bagáiste ? An feitheamh fada ? Má ba stróinséir mise níor stróinséirí iad na daoine inár dtimpeall; beirt mhairnéalach faoi chaipíní bána ag síorchogaint gum; fear groí mórshlinneánach a raibh spéaclaí deataithe air agus culaith éadrom liath; cailín Francach i dteannta saighdiúra a choinnigh greim daingean ar a láimh; fear ard órfhiaclach ag béicigh in ard a chinn isteach i ngach oifig. Faoi dheireadh fuaireas mo thicéad. Bhí sé chomh fada le bata siúil agus b'éigean don oifigeach gach céim ann a scríobh amach de láimh—Nua-Eabhrac go St. Louis; St. Louis go Kansas City (cé ná beinn ach ag malartú traenach ansin); Kansas City go Lamy; Lamy go Sante Fé . . . Tá tuirse an bhóthair orm roimh ré. An í seo an éifeacht ghnótha Mheiriceánach? Nó bhfuil mífhoighid na ndaoine seo ag teacht ormsa freisin?

Um thráthnóna tháinig fionnuaire ann agus chuas ag siúlóid. Ba líonmhaire na sluaite ar na casáin agus shíleas go raibh laghdaithe ar thorann na sráideanna. Ag coirnéal idir an 57ú Sráid Thiar agus an 6ú Ascal—'Ascal na Meiricí' mar tugtar air—sheas fear ar an gcasán díreach romham agus lámh leis sínte chugam. Ní fhacas riamh cheana é agus is dócha ná feicfead go deo arís. Bhí téagar bairille ann, bolg mór air agus aghaidh ramhar chairdiúil.

'Hello,' ar seisean. 'Is aoibhinn liom tú fheiscint!'

Chraitheas lámh leis.

'Mise Harry,' ar seisean, 'Cara maith é Harry, cara go brách.'

'Conas taoi, Harry?'

'Cuíosach. Cad is ainm duit, a mhic?'

‘ Tá m’ainm uait ? ’

‘ Cinnte. Is maith le Harry ainmneacha a chairde bheith aige i gcónaí. ’

Níor fhreagraíos.

‘ As Quebec nó Montreal tusa ? ’ ar seisean.

‘ Cinnte. As Quebec nó Montreal nó Timbuctoo nó pé áit is mian leat. Slán agat.’

D’fhan sé ag féachaint im dhiaidh. Ní léir dom fós an ar meisce nó ina ghealt a bhí an duine. Nó an aistíl a tháinig ann le neart uaignis ? Más é sin a chás, tá an chathair lán dá leithéidí, idir fir agus mná. Chonaiceas iad ina suí ar bhinsí Central Park, ag siúl na sráideanna, ag ól gan compánach sna tábhairní, ag scealbhaireacht bídh i *gcafeterias* agus *automats*. Is iadsan, dar liom, na stróinséirí go dearfa, gan cara gan bráthair i measc na milliún.

An 10ú *Bealtaine* : *Nua-Eabhrac*

GHLAOIGH Eugenio Vaquer orm ar an telefón ar maidin agus chuamar le chéile go hArd-Eaglais Naomh Pádraig. Úrscéalaí é atá ar cuairt anseo ón Iodáil. Cé go mbíonn aoibh mhagúil air, is lách cineálta an duine é. D’admhaigh sé go bhfuil fonn cráite air dul ar ais go Firenze—nach fada go raghaidh agus ná beidh sé socair ann féin go mblaise sé leoithní boga na hIodáile arís. ‘ Is é is mó atá de dhíth ar an tír seo,’ ar seisean, ‘ an fhilíocht—an fhilíocht choitianta i saol na ndaoine mar a bhíonn san Eoraip.’ Bhagair sé a scáth fearthainne ar na scríobairí spéire— ‘ Féach! Níl iontu sin ach toradh na hintinne loighiciúil. Cá bhfuil ainglíocht an duine ? Cá bhfuil an misteachas, an mothúchán ? ’ Siúd leis ag fealsúnaíocht go tiubh agus go líofa. Ní foláir nó dhearmad sé nach ar chúngsráideanna Fhirenze a bhí a shiúl, mar scéith caise Iodáilise uaidh agus é ag cur síos ar áille a chathrach is a thíre. Níor thuigeas ach corrfhocal. Faoi dheireadh bhriseas isteach air : ‘ *Scusatemi. Non capisco.* ’ Scairt sé ag gáirí. ‘ Ní ólaim fíon chun bricfeasta,’ arsa mise. ‘ Tá sé róluath sa ló don fhealsúnacht.’ ‘ An mbíonn na hÉireannaigh ag magadh i gcónaí ? ’ ar seisean.

Bhí pobal mór san Ard-Eaglais. Dá mba bean mé, is dócha go gcuirfinn spéis sna cultacha agus sna hataí d’fhaisean Nua-Eabhrac. Bhí rian an rathúnais ar gach éinne. Ní fheadar an bhfeicfí comharthaí an tsaibhris chomh líonmhar sin in aon tséipéal eile ar domhan. I rith an Aifrinn bhí bailiúchán airgid ar siúl agus baineadh geit asam nuair chonaiceas na ciseáin ag cur thar maoil le nótaí. Bhí Vaquer cráifeach aireach ó thús go deireadh ach is ar éigin d’éirigh liomsa paidir a rá. Is dócha go bhfuil taithí aige ar neamhchiúnas na séipéal san Iodáil ach bhíos-sa am bhodhradh ag an macalla a bhaineadh coiscéim na ndaoine as na fallaí arda agus d’imigh an phaidreoireacht amú orm.

Tar éis an lóin chuamar go teach Dhomhnaill Uí Scolaí ag an 75ú Ascal. Duine de thaidhleoirí na hÉireann Domhnall. Dá mbeinn i gcruachás níl éinne i Nua-

Eabhrac is túisce a raghainn chuige, agus bheinn cinnte go bhfóirfeadh sé orm. Dá ghnóthaí é i mbun cúrsaí tráchtála bíonn sé fáiltiúil i gcónaí.

Thug sé mise agus an tIodáileach ar thuras ina ghluaisteán trí fhobhailte Nua-Eabhrac. Sílim gur bhain sé sult as an ionadh a bhí orm faoi na mílte míle gluaisteán ar na bóithre sin. Sárbhóithre iad agus leithead iontu is leor do sheacht nó ocht de línte gluaisteán. Dá fhairsingeacht iad, bhí gach slat cearnach faoi mhótair, iad ag gluaiseacht neomat, ag stad neomat, ag gluaiseacht arís, ar nós sochraidí a mbeadh an treo caillte acu. Bhrisfeadh an fhoighid ormsa murach an radharc breá ar gach taobh —páirceanna faoi chrainn mhaorga agus blátha ar an uile dhath, locha beaga, agus tithe ar léir ar gach díon agus beann díobh rathúnas dochreidte na tíre. Cheapas tráth nach bhfágfadh lucht tionscail aon acra de Nua-Eabhrac gan breacadh le fógraí, ach ní fíor. I gcomparáid le comharsanacht Bhaile Átha Cliath tá limistéar Nua-Eabhrac saor go maith ó na billí móra bolscaireachta. I ngiorracht turas leathuaire do Mhanhattan tá cluanta Flushing ina luí cois locha ciúin glan-uisce a chuirfeadh aoibhneas ar an té is dólásaí. Fan bruach an locha tá crainn mhóra duilleacha agus faoina scáth sin bhí buachaillí agus cailíní ag aeraíocht. D'iompaigh an tIodáileach chugam agus ar seisean : ' Le Watteau an radharc úd. Nach aoibhinn dóibh thall. Dá mbeinnse óg arís ! '

Bhí sé deireannach agus mé ag dul ar ais sa traen faoi thalamh chuig m'óstán. B'éigean dom seasamh mar bhí an carráiste plodaithe go doras. Atuirse an Domhnaigh ar an slua agus iad balbh ag tormán millteach na traenach.

L

Bhí cailín óg Seapánach suite ar m'aghaidh amach agus na súile ar leathdhúnadh aici. Cheapfá ná raibh ach moch na maidne ann, a úire is a shlachtmaire a bhí a pearsa agus a héadach. Ar mo chlé bhí ógánach gorm ina sheasamh agus a chorp ag luascadh le gach suathadh níodh an traen. Bhí allas go tiubh leis agus an mharbhántacht ina dhá shúil. Bhí bláth leathan craorag ar bhrollach a chóta mhóir agus gachra neomat d'fhéachadh sé ar an mbláth, dheineadh sé miongháire agus dhúnadh sé a shúile. Bláth a thug a leannán dó b'fhéidir . . . nó bláth a chuir faoi bhriocht é lena sciamh dhearg féin. Ar mo dheis bhí sagart mílítheach scothaosta ag iarraidh a phortús a léamh cé go raibh creathadh ina lámha le mire na traenach. Feadh an turais ar fad níor ardaigh sé a shúile agus chonacthas dom gur tharraing sé chuige sa traen sin an tsíocháin anama atá de dhíth ar mhuintir Mheiriceá thar aon tsuáilce eile. Tá gach ní saolta acu—talamh, mianaigh, cearda, ealaín, eolaíocht, dlithe córa, cumhacht agus saoirse. Bhronn Dia domhan úr orthu. Saothraíd go díocrach é le fuinneamh cine nár traochadh le cortha crua seanstaire agus cogaí agus anró. Saothraíd go diomailteach é ach dá dhiomailtí iad méadaíonn ar a gcuid, agus níl aon náisiún eile suas, agus ní dócha go raibh riamh, ina bhfeicfí oiread rathúnais ar an gcoitiantacht agus atá ar na daoine seo. Ach ceiltear orthu an tsíocháin anama a bhíonn i measc na seanchiníocha—ag an bhfeirmeoir Iodáileach ar a ghabháltas beag nó ag seanbhean i gcúlseomra in Áth Cliath agus gan aici sa tsaol ach an pinsean.

Bhíos ag fealsúnaíocht dom féin ar an gcuma sin nuair

d'aithníos de phreab go raibh an traen imithe thar mo stáisiúnsa. B'fhada an choisíocht é ón gcéad stáisiún eile chuig an óstán. Shiúlas faid an 9ú Ascail ón 42ú Sráid Thoir go dtí an 57ú. Ach ní gan toradh a bhí mo chuid faillí. Chonaiceas gné de shaol na cathrach ná feicfinn de ló—an bochtanas, an dearóile agus an salachar. Bhí fir ina suí go faonlag ar tháirseacha dorcha, a gcinn lena nglúna, suan na meisce orthu. Bhí lampaí amharclann *strip-tease* ag sméideadh orthu, ag magadh fúthu, ag iarraidh iad a mhealladh as a suan. Ghaibh seanfhear giobalach thar bráid agus is ar éigin a bhí cos faoi. Stad sé i mbéal dorais mar a raibh duine eile caite ina liobar ar an talamh, agus thosnaigh ag eascainí. D'ardaigh an ríste eile a cheann go mall righin agus chonacthas an dá shúil gheilt ar lasadh ann. Bhí a léine stracaithe go com síos leis. D'fhreagair sé an seanduine : '*Are you satisfied now, you big lousy drunken bum* ? ' Ag an gcéad choirnéal eile d'imigh fear scothaosta ón gcasán amach ar an sráid agus na cosa ag lúbadh faoi. Stad na gluaisteáin ina lánrith timpeall air, coscáin ag scréachadh agus na tiománaithe ag béicigh faoi. Ba chuma leis. Bhagair sé a lámh go neamhspleách orthu. Ghlaoigh an bhean ard tanaí chuige agus na blátha ina hata ag luascadh anonn is anall : '*Keep goin'*, *Ed, keep goin'* ! ' Leanas orm. Istigh sna tábhairní bhí fir suite ina n-aonar ar na stóil arda. Lasmuigh de na doirse bhí nuachtáin an Domhnaigh scaipthe ar na casáin agus carnaithe timpeall cannaí an bhrúscair.

SHIÚLAS Broadway inniu ó Cholumbus Circle go dtí an 21ú Sráid Thoir agus is léir dom anois ná fuil aon uaisleacht ag baint leis an sráid iomráiteach úd. A mhalairt. Faoi sholas an lae níl inti ach bealach fada comónta agus é breac le fógraí ag moladh scannán de bhriathra móra áiféiseacha. Ní dada na hamharclanna agus na pictiúrlanna gan a soilse geala daite. Is leis an oíche an tsráid seo. Níl inti ach finnscéal a instear sa dorchadas.

Tháinig brothall marfach um nóin. Caitheadh cótaí ar leathuillinn nó ar leataobh ar fad. Bhlaisfeá an teocht ar an aer. Tháinig cairt ar mo bheola agus ar mo theanga. Mhéadaigh ar an tart orm nuair chonaiceas na saoránaigh ar gach taobh ag slogadh Coca Cola, sú oráiste, sú liomóide. Dhruideas isteach i dtábhairne mar a mbíonn bia ar fáil i dteannta na dí, agus shuíos ag bord beag, áit a raibh beirt fhear gorm ag críochnú a lóin—agus a hataí orthu !

Rud beag tostach ab ea duine acu. Ar éigin a labhair sé i rith an ama, ach é ag éisteacht le gliogaireacht a chompánaigh—gan ligint dó áfach cur isteach ar a bhéile. Fear mór groí ramhar an duine eile. Spéaclaí tiubha air. Gearradh maith cainte aige agus é ag labhairt go doimhin ina ucht de ghuth bog séimh mar a bhíonn ag mórchuid de na ciardhuáin. Cultacha breátha ar an mbeirt, den chéad scoth idir éadach is tailliúireacht. D'airíos orthu go rabhadar muiníneach astu féin, agus rud eile, go rabhadar muiníneach as cumhacht agus rachmas a dtíre. D'inis an fear ramhar scéal, agus chonacthas dom gurbh fhearr de léiriú ar mheon na Meiriceánach é ná aon imleabhar staire.

' Féach, a chara,' ar seisean, ' ar inseas duit go rabhas ag caint lem sheanmháistir an lá faoi dheireadh ? '

Chraith an sceidín a cheann agus rad sé siar spiúnóg d'uachtar oighre.

' Bhuel, tá mo sheanmháistir ar fheabhas. Ar fheabhas ar fad. Cailleadh a bhean anuraidh agus bhfuil fhios agat céard a rinne sé láithreach ? Chuir sé teachtaireacht chuig colseisear dá bhean—agus phós sé í. Fíor-chol seisear dá bhean féin. Ón bhFrainc.'

' Ón bhFrainc ? ' arsa an fear beag. ' An abrann tú é ? '

' Cinnte, a bhráthair, ón bhFrainc ! Fíor-cholseisear dá bhean. Dar fia, ní dhéanfainn a leithéid ar ór an domhain. An bpósfása cailín ná beifeá i ngrá léi ? Ach is deas an bhean í. Ba dheas an duine í an chéad bhean freisin. Agus is ionann iad ina ndearcadh ar an tír seo. Bíonn an bhean nua freisin ag maímh as an áit aoibhinn atá ag a muintir sa bhFrainc, an gabháltas mór atá acu. Is breátha dhóibh thall ná anseo, adeir sí. Níl a leithéid seo ná a leithéid siúd againne i Meiriceá ! An gcreidim í ? Ní chreidim. Chím céard tá laistiar den chineál sin.'

' Chíonn tú ? Conas ? Hu ? '

' An tráth a bhíos in arm na Stát sa bhFrainc bhíomar ag ionsaí Brest, ag iarraidh an ruaig a chur ar na Gearmánaigh. Tar éis tréimhse de sin tugadh sos deich lá dhúinn chun go bhfaighimis taithí ar na gunnaí nua a bhí ag teacht chugainn ó na Stáit. Lá amháin bhíos amuigh ag siúl na tuaithe agus casadh seanbhean orm ; " Hello, a mháthair," arsa mise, " bhfuil fhios agat cá bhfuil Finistère ? "

' " Thall," ar sise agus dhírigh sí a méar soir.

' " Cá fada ? " arsa mise.

' " Timpeall ceithre míle," ar sise.'

D'alp an fear beag spiúnóg eile den uachtar oighre. ' Finistère ? ' ar seisean. ' An dúthaigh nó cathair í ? '

' Is cathair í,' arsan fear ramhar go húdarásach.

' An tráthnóna céanna, chuas chuig m'oifigeach agus d'iarras truc ar iasacht air faoi dhéin an turais go Finistère. " O.K." ar seisean. " Tóg truc leat, ach má fhiafraíonn aon oifigeach eile ar an mbóthar díot cá bhfuairis an truc is ort féin a bheidh an míniú." Bhuel, tógaim an truc agus buailim soir chuig Finistère agus tagaim ar an áit atá uaim gan aon stró. Go bhfóire Dia orainn, is beag an áit í ; is beag bídeach suarach an áit í. Tá na daoine deas lách liom agus tugaid béile prátaí is bláthach is glasraí dhom. Tá fhios agat cé an sórt stuif a bhíonn acu ! Ní dhearna mé ach piocadh air, agus ionadh orm feadh an ama. Ní raibh aon choinne agam le teach beag dearóil mar sin. Os comhair an dorais amach tá na stáblaí, agus i lár an chlóis, díreach in aghaidh an dorais, tá carn aoiligh, carn mór de chac bó agus capall. Cac, adeirim, carn caca chomh mór le cnoc. Ní thiocfadh liom é thuiscint. Cac i gcoinne an dorais. Do réir dealraimh, dá mhéid a bhíonn an carn is ea is fearr. Ní thuigim é. Sin é an gabháltas a raibh bean an mháistir ag maímh as.

' An oíche faoi dheireadh nuair bhí an bhean chéile

nua ag déanamh mórtais arís as an áras atá ag a muintir thall sa bhFrainc, d'fhanas im thost. Sea! D'fhanas im thost. Ba thrua liom í féin is a muintir is a dtír.'

Agus an saoi is an file ag moladh na Fraince—Máthair na Sibhialtachta . . . .

An 12ú Bealtaine : Nua-Eabhrac

BHAIN BROTHALL AN LAE SEO an bhrí asam agus is beag a scríobhfad anocht. Rud eile, mothaím fós ag gluaiseacht im chuisleanna an nimh a chuir Éireannach ionam inniu agus mé ag argóint leis.

Bhíos in oifig ar Broadway nuair dúirt Meiriceánach liom go raibh fíor-Éireannach sa bhfoirgneamh céanna agus post mór aige, agus gur chóir dom dul ag comhrá leis. Ghlaoigh sé ar an bhfíor-Éireannach, gur tháinig. Deoraí le tríocha bliain é, tuin an tuaiscirt ar a ghuth fós. Ar éigin a bhí na gnáthfhocla beannachta ráite nuair thug sé go fíochmhar faoi Éirinn, idir talamh is muintir is rialtas. Rad sé gach focal gangaide uaidh mar a bheadh seile ann agus é ag nochtadh na bhfiacal le feirg. Mhallachtaigh sé an cine fré chéile mar scata ainbhiosán gan léann ; mhallachtaigh sé gach aon rialtas dá raibh againn, mar fhealltóirí. Cháin sé Éireannaigh na cathrach mar "*Stage Irishmen,*" nach n-iarrfadh ach ól ó mhaidin go hóiche sna tábhairní ar an 3ú Ascal. Dhearbhaigh sé ná raibh iontu ach leibidí meata a thuil droch-chlú dá náisiún, gur chúis náire os comhair an tsaoil iad, gur choinnigh siad beo gach seanachrann agus mioscais, go satalódh sé faoi chois iad mar chnumha dá mbeadh an seans aige. Ba chealg ionam gach briathar uaidh. D'éalaíos faoi dhéistean, agus—is cóir dom é admháil—faoi eagla.

An 13ú Bealtaine : Nua-Eabhrac

TÁ A SAOIRSE FÉIN ag na mná i Nua-Eabhrac. I rith an lóin ag an Astor inniu thugas faoi deara dronga ban scothaosta dea-ghléasta ar gach taobh. Clibis chainte acu nár lig dom chairde—beirt Shasanach—ná domsa focal dár gcuid féin a chloisint. Bhí fhios agam roimh ré gur airde labhrann na Meiriceánaigh ná aon Eorpach. Tá fhios agam anois gur treise guth na mban anseo ná aon ghlór cinn eile. Thugas faoi deara freisin gur leithne béal na mban céanna. Nuair a bhíonn gutaí áirithe á bhfuaimniú acu osclaíd a mbéal go fairsing agus nochtaid idir déad agus teanga don tsaol. Is fíor go mbíonn na fiacla go sármhaith acu ach b'fhearr liom gan an radharc sin a fháil siar ina scornach !

Gan aon agó tá údarás agus saibhreas acu nach bhfuil ag an mbantracht in aon áit eile. Is ceannasach ceanndána iad, agus chítear dom gurb é gnás na tíre an lámh uachtair bheith ag an mbean chéile. Ceansa bogéiseach beagnach atá na fir i gcomparáid leo. Agus níl na mná seo gan tuiscint ar a gcumhacht féin. An lá faoi dheireadh dúirt foilsitheoir leabhar liom gurb iad na léitheoirí is dúthrachtaí agus gurb iad a rialaíonn an margadh, maidir leis an úrscéal ach go háirithe. Ar maidin inniu d'inis ceannaire stáisiún radio dhom gur do réir éileamh na mban a múnlaítear formhór na gcláracha a craoltar ó chósta go cósta.

Go deimhin tá scríbhneoir de chumas Aristophanes de dhíth ar phobal Mheiriceá.

Chonaiceas duine de na mná ceannasacha seo i mbun oibre tar éis lóin. Chuas leis an mbeirt Shasanach (a bhfuil baint acu le gnó radio agus cianamharcaíochta) go dtí amharclann phríobháideach mar a raibh ceoldráma le Puccini, *An Bhainrialta Angelica*, le taispeáint ar scannán. Ní raibh san amharclann ach an triúr againn —agus bean bheag bhríomhar scothaosta atá ina headar-ghníomhaí um thaispeántaisí agus fostú aisteoirí. Bhí suim aici i bpríomhamhránaí an cheoldráma agus séard a bhí uaithi an scannán a dhíol leis an mbeirt Shasanach. D'fhéachamar agus d'éisteamar. Tá scéal an dráma chomh leamh baoth le scéal aon cheoldráma eile ach bhí an t-amhránaí, cailín óg, go hiontach idir ceol agus ais-teoireacht. Lasadh na soilse arís. Rinne duine de na Sasanaigh cogar liom : ' Coimeád do shúil ar an duine seo. Tá sí glic.'

Dá ghliocas a bhí sí áfach níor sháraigh sí ar an mbeirt. Ní cuimhin liom anois ach ruball den tsruth blandair a scaoil sí uaithi d'fhonn iad a bhogadh. Labhair sí go focalach fórsach ; labhair sí lena lámha agus lena dá súil. Bhain sí boghaisíní ar an urlár á chur in iúl go raibh sí ar mire le háthas faoin amhránaíocht. Agus cé nár Chaitliceach í d'áitigh sí orainn gur ar mhaithe leis an Eaglais a taispeánfaí an scannán. ' Cailín fíor-intleachtúil í an t-amhránaí. Bhfuil fhios agaibh céard a bhí ar siúl aici lá amháin nuair thugas cuairt uirthi am lóin ? Bhí sí ina suí ar an urlár agus leabhair mhóra ar gach taobh di. Céard a bhí á dhéanamh aici ? Bhí sí ag déanamh staidéir le haghaidh an scannáin seo. Bhí sí ag foghlaim gach a bhfuil le foghlaim faoin Eaglais Chaitliceach. Agus rug sí léi é ! '

Chaitheas an dinnéar i bproinnteach de chuid Schraft in éineacht le Séamus Redington, fear as Baile Átha Cliath atá ar chuairt tráchtála sna Stáit. Ag an mbord láimh linn bhí fear agus bean ag pronnadh le chéile, is é sin le rá : bhí an fear ag ithe agus ag éisteacht, agus ise ag tabhairt íde bhéil dó. Ba léir dúinn tar éis tamaill ná rabhadar pósta, cé go raibh dealramh na lánún orthu. Déarfá go raibh aois na drúise slánaithe go maith acu, ach nochtadh le linn na cainte nár tháinig ciall roimh aois dóibh. Bhí seisean ciúin ceansa tearcfhoclach. Ise á ionsaí. Cheistigh sí go mion é. Cháin sí é le pusaíl is le méileach. Ní fheadar cé acu meatachán nó saoi é, ach d'éirigh leis gan géilleadh. D'fhan sé ina thost, ag ithe is ag ithe. Chualamar í : ' *If you wanna play around with me you gotta get wise to . . . deevorce that faded red-head . . . it's not physical but psychosomatic . . .* ' D'ins-eodh scéalaí mar Graham Greene scéal suarach fúthu, ach dhéanfadh Francach gáire magaidh agus bheadh an ceart aige.

Tar éis an dinnéir rug Séamus leis mé go dtí amharc-lann—Barbazon Plaza Theatre—mar a raibh trí scéalta leis an údar Iúdach Sholom Aleichem á léiriú i bhfoirm drámaí. Bhí an áit lán go doras ach ó thús go deireadh an léirithe bhí gach duine inti faoi bhriocht ag na haisteoirí. Ní cuimhin liom aisteoirí a sháródh iad, agus bhí ionadh agus áthas orm nuair d'airíos orthu ná rabhadar ag iarraidh an lámh uachtair a fháil ar a chéile ach ag obair ar aon aigne ar son an dráma. Labhradar go soiléir ceolmhar agus níor chorraíodar cos ná lámh ach chun míniú éigin a thabhairt ar a raibh á rá acu. Níorbh í an aisteoireacht amháin a chuaigh i bhfeidhm orm. Roimh dheireadh na hoíche bhí sé curtha ina luí orm gur bhain an duine a chóirigh ná scéalta don ardán feidhm as modh scríbhneoireachta a bheadh oiriúnach do scéalta béaloideasa na hÉireann. Nuair ba mhian leis a chur in iúl go raibh athrú ama nó athrú radhairc ann, níor dhein sé ach bratacha a ísliú nó a ardú, agus ba leor dúinn é. Ba leor bord agus dhá chathaoir chun seomra a chur i gcéill ; agus b'ionann siúlóid mhall timpeall an ardáin agus turas fada thar sléibhte agus gleannta. Tá fhios agam gur mar sin a léirítí drámaí fadó ; agus gur mar sin a déantar fós sa tSeapáin agus i dtíortha eile. Ach níor shíleas riamh go bhfaigheadh scúiteacháin Nua-Eabhrac blas ar an simplíocht.

An 14ú-16ú Bealtaine : Nua-Eabhrac

CHUAIGH NA LAETHE AMÚ orm le déanaí. Ní cuimhin liom aon uair ná raibh saothar orm agus mé ag brostú ó oifig go hoifig agus ó dhuine go duine ar fuaid na cathrach. Dá bhfaighinn an domhan air ní fhéadfainn tráchtas ciallmhar a scríobh anois faoi mo chuid eachtraí. Cé acu inné nó athrú inné a bhíos i Washington Square ag féachaint ar thaispeántas ealaíne? Bhí na pictiúirí leagtha amach ar na casáin timpeall na cearnóige—saothar daoine óga a thugann an iomarca ómóis do Phicasso nó Klee nó Dufy. Bhí na dathadóirí ina suí nó ina luí ar fhéar dóite na cearnóige, iad ag comhrá nó ag léamh nó ag ól Coca Cola as buidéil agus ag cogaint ar *hot dogs*. Is beag difríocht a bhí idir a gcuid culaithe agus éadaigh na ndathadóirí bochta i gcathracha na hEorpa; seanbhalcaisí mar an gcéanna orthu, ach dhearbhóinn dar an leabhar ná rabhdar bocht nó gar do bheith bocht. Bíonn a bpurgadóireacht féin ag an lucht ealaíne i ngach tír agus ní hé an bochtanas purgadóireacht na Meireacánach. A mhalairt is fíor. Is mór an triail ar an ógánach an tsaint a shéanadh sa tír seo agus a aigne is a chroí a thabhairt dá ealaín. Má chloíonn sé lena léargas féin agus le bóthar cúng cruaidh an dathadóra téann sé i gcoinne nósa agus slí saoil a mhuintire. Ní hinchreidte leosan an bhua cheart a bheith ann ná an fiúntas ina shaothar mura dtuilleann sé carn airgid. Má shlánaíonn sé an triail sin, tá leis.

Inné nó athrú inné bhíos i gcomhairle in oifig rialtais le fear óg a cheistigh go mion mé faoi na cláir radio a craoltar ó Mheiriceá do thíortha na hEorpa. Nocht mé mo bharúla dhó. Níor lig sé air gur aontaigh nó nár aontaigh sé liom go dtí go ndúras leis ná meallfadh na craolta sin óinseach. Baineadh preab as. ‘Is aisteach an ráiteas uait é,’ ar seisean go tur. Mhíníos dó ansin go bhfuil a mheon féin ag gach náisiún de chuid na hEorpa ar an daonfhlathas. ' Má cheapann sibhse,' adúrt, ' agus má chraolann sibh, gur cóir don domhan uile cloí leis an saghas daonfhlathais atá agaibh i Meiriceá, raghaidh bhur saothar amú. Ní naimhde ná cumannaigh iad na hIodáiligh nó na Sasanaigh má chloíd lena gcóras polaitíochta féin. Agus ná daoraigí iad má cheapaid nach libhse amháin an fhírinne ! ' Stán sé go géar orm. Sílím go bhfuil drochamhras aige orm.

Ag gabháil suas an 60ú Sráid Thoir dom chuas thar doras tábhairne mar a raibh bean ina seasamh ina haonar. Bhí triús uirthi, agus is ar éigin más dlúithe bhí a craiceann léi ná an triús. Buataisí dearga fúithi. B'amaideach greannmhar an t-ardú bréige a bhí faoina cíocha, agus chonaiceas draid mhór gháire ar fhear eile a thug stracfhéachaint uirthi. Bhí aghaidh bhog bhábóige uirthi, daite ó smig go héadan. Níor léi dath a foilt, a bhí chomh geal bán le sneachta. D'ardaigh sí lámh le dual dá gruaig a chóiriú agus bhain an ghrian lonradh as na hingne dearga caola. Ar stríopach í ? Ní fheadar. Ach is cinnte go mba mhór an t-amadán le drúis aon fhear a mheallfadh sí.

Shuíos ar bhinse sa Central Park le nuachtán a léamh. Bhí an ball inar shuíos chomh ciúin le páirc i bhfad ó dhaoine i lár na hÉireann. Bhí crainn go tiubh ar gach taobh agus ba thaitneamh liom an fhionnuaire faoi scáth an duilliúir. Níorbh fhada ann dom gur bhuail an póilín im threo. Shuigh sé lem ais, chaith sé dhe a chaipín agus d'oscail a chóta. Bhí ag cur allais. Lig sé osna agus ar seisean, ' *It's a tough station, brother.*' Dúras leis gur dhócha go raibh an brothall ag goilliúint níos measa ormsa ná air féin ; gur stróinséir mé gan taithí ar aeráid na háite. ' Tá an iomarca feola ort, a mhic,' ar seisean. ' Is baol do dhaoine ramhra sa tír seo. Baineann gach punt feola sa bhreis bliain ded shaol. Féach ormsa. Táim beagnach réidh ! ' B'fhíor dhó. Bhí bolg mór blonaige air. ' Is ar mo bhean a bheidh an locht,' ar seisean. " Tá sí am mharú lena cócaireacht. Tá sí ar fheabhas.' Leag sé a dhá láimh ar a bholg agus thit a chodladh air. Bhíos ar tí imeacht nuair d'oscail sé a shúile. ' An dtagann tú anseo go minic ? ' ar seisean. ' Ní thagaim,' adúirt. ' Glac comhairle uaim, ar seisean. ' Ná tar isteach anseo sa dorchadas. Buailtear agus basctar daoine sa pháirc seo gach oíche. Deintear gach saghas. Réabadh agus ropadh. Is beag is féidir leis na póilíní a dhéanamh. Maidin inniu fuarthas bean dathúil scothaosta ina luí thall ansin i riochta báis. Ní gá dhom insint duit cad a tharla dhi. Seachain tú féin, a mhic. ' Dhún sé a shúile arís.

Is iomaí duine a thug an chomhairle chéanna dhom faoin Central Park. Nach ait nach féidir le saoránaigh na cathrach siúl gan baol sa pháirc is deise i Nua-Eabhrac. Agus nuair ardaíonn na ropairí a gceann tar éis an fhoréigin cad a chíonn siad ach fuinneoga soilseacha na n-olltithe máguaird . . . . Glacfad comhairle an phóilín.

Bhaineas sult mór as an amhránaíocht a bhí ar siúl ag gearrchaile ghorm ar bhus in aice leis an Central Park. Bhí folt cas ciardhubh uirthi agus é dlúth lena cloigeann mar a bheadh caipín ann ; síorgháire ar a béilín ; súile go ngealacáin mhóra ramhra aici. Chan sí an t-amhrán céanna chomh minic gur fhoghlaimíos é—

I went down to Grandpa's farm,
The billygoat chased me all around the barn,
Chased me up in the sycamore tree,
And this is the song he sang to me:
'I love coffee, I love tea,
I love the boys and the boys love me.'

Bhí na daoine eile sa bhus ag gáirí. Bhain sí cian díobh. Tháinig saghas náire ar mháthair na gearrchaile agus ar sise, 'Éirigh as anois.' An roimh na daoine bána a bhí náire uirthi? Pé scéal é, dhún an ghearrchaile a béilín. 'Lig di, led thoil,' arsa mise. Stán an mháthair go duairc orm: 'Is olc an siota beag í,' ar sise. 'Á, ní hea, ní hea,' arsa mé. Phléasc a gáire uirthi. 'Can arís don duine uasal,' ar sí. Thosnaigh an páiste arís go bog cúthal:

'I love coffee, I love tea,
I love the boys, and the boys love me.'

An 17ú Bealtaine: Dé Domhnaigh: Nua-Eabhrac

SCARFAD LE NUA-EABHRAC AMÁRACH agus ní bheidh brón orm. Táim traochta ag an síorthaisteal agus an tormán. Ní bhfuaireas codladh oíche gan briseadh ó thángas agus cé gur iomaí cara nua atá sa chathair seo agam, ní aontaím le Thornton Wilder gur cathair chairdiúil í. Tá sí rómhór chuige sin. Ní comharsanacht í ach áitreabh i gcóir na slóite daoine iasachta ná fuil ach an t-aon cheangal amháin eatarthu: is é sin, mian saibhris.

An grá úd do Nua-Eabhrac atá le haireachtaint i ngearr-scéalta O. Henry, níl ann ach rómánsaíocht.

Maidin inniu agus mé ag dul chuig an Aifreann, chonaiceas arm mór ban lasmuigh d'Ard-Eaglais Phádraig. Ag ceann na slua bhí an brat náisiúnta á iompar i measc buíon cheoil. Bhí na mná ag feitheamh leis an gcéad bhuille droma, ag iniúchadh hataí agus gúnaí a chéile, agus ag comhrá go séimh. Chuir na cipí eagraithe sin focail John Knox i gcuimhne dhom: '*The Monstrous Regiment of Women.*'

Bhí bean mheánaosta ina seasamh léi féin ag an bpóirse thuaidh den Ard-Eaglais, agus d'fhiafraíos di cad chuige an t-arm.

Rinne sí gáire. 'Bhíos chun an cheist chéanna a chur ortsa,' ar sise, agus blas na hÉireann a bhí ar a caint. 'Stróinséir mé sa chathair seo. As Toronto dhom. Máire Ní Dhomhnaill is ainm dom.'

'As Éirinn?'

'Ní hea. Éireannach m'fhear céile. Casadh orm é i mBaile Átha Cliath tríocha bliain ó shin agus mé ann ar mo laethe saoire.'

'Tá tuin chainte Thuaisceart Éireann agat.'

'Tá breall ort,' ar sise. 'Is í seo tuin Chanada. Muran miste leat raghad isteach leat chuig an Aifreann.' Rug sí greim ar uillinn orm. 'Ach féach,' ar sise, 'ní fios dúinn fós cad faoi ndear an slógadh ban sin thall. Fág fúmsa é.' D'iompaigh sí chuig fear a bhí ag dul isteach sa phóirse. 'Gaibh mo leathscéal, cé an fáth go bhfuil na mná cruinnithe san ascal?'

Bhí an t-uisce coisreactha ar a mhéara aige ach

chosc sé a lámh agus d'fhág in airde í ar nós easpaig a bheadh ag beannú an phobail. 'Cumann cráifeach éigin. Táid tar éis teacht amach ón Aifreann agus anois raghaid chuig óstán thíos ar an ascal le bricfeasta mór a chaitheamh. Beidh óráidí acu. Go bhfóire Dia orainn, beifear ag caint go nóin.' Agus ghearr sé comhartha na Croise air féin.

Bhí mo chompánach ar crith le gáirí.

'Is aisteach an bhean tú,' arsa mise. 'Chuireas ceist ort faoin slua sin agus d'insis leath do scéil féin dom. Ní fhaca tú riamh cheana mé agus rug tú greim ar láimh orm. Agus ansin . . .'

'Nach Éireannach tú?' ar sise go magúil. 'Ná fuil aghaidh chairdiúil ort? An furasta teacht ar a leithéid sa chathair mhallaithe seo? Siúl leat, a mhic ó, nó beimid déanach.'

Ard-Aifreann Pointificiúil a bhí á léamh agus an Cairdinéal Spellman i gceannas. Tógadh gach céim go han-mhall agus go cruinn cúramach. Bhí an cór ar fheabhas. Dúirt mo chompánach de chogar liom go maithfeadh sí a bpeacaí do na Meiriceánaigh as ucht na hamhránaíochta. Ach nuair thosnaigh an tseanmóin chualas osnaíl uaithi a bhogfadh an chloch. Rud ná tógaim uirthi. Seanmóin ar an sean-nós a thug an sagart groí scothaosta uaidh. Bhí guth uchtúil tréanmhar aige a bhain macalla as na fallaí. Ba léir go raibh sé oilte ar an urlabhraíocht, ach bhí sí róchruinn, róchúramach aige. Ba léir freisin gur chleachtaigh agus gur athchleachtaigh sé gach cor láimhe agus gach craitheadh cinn go dtí go raibh an rud uile de ghlanmheabhair aige. Ní raibh a chroí ann. B'fhéidir gur faitíos a bhí air go ndéanfadh sé botún i láthair an Chairdinéil!

Tar éis an Aifrinn chuas ag spaisteoireacht le Bean Uí Dhomhnaill agus d'ólamar caife i n*drug store*. Níl fhios agam cad a bhain di i rith an Aifrinn; ach ní raibh sí chomh hanamúil agus a bhí i dtosach. D'inis sí dhom gur sheanmháthair í agus gur tháinig sí ar cuairt go Nua-Eabhrac i dteannta dathad ban eile as Toronto. Chuir an chathair ionadh agus déistean uirthi. B'iontach léi fairsinge agus saibhreas na háite; agus ba scanradh léi a bhfaca sí den bhochtanas sa Bhowery: seantithe ag titim as a chéile; sráideanna faoi charna salachair agus brúscair; ainniseoirí aosta caite ar na céimeanna, fir ina gcodladh ag bun fallaí; páistí a raibh aghaidh chríonna na dearóile orthu ar seachrán sna cúlsráideanna.

Táim suite ag an bhfuinneoig oscailte ag iarraidh faoiseamh ón mbrothall. Níl orm ach na fo-éadaigh. Tá an t-aer marbh trom agus tút an ghasoilín air. Os mo chomhair amach tá foirgneamh ard a bhfuil seacht n-urláir déag d'árasáin ann. Ar an díon cothrománach tá fear agus bean ag iarraidh gairdín a chur le chéile. Boscaí fada cúng acu, lán de chré, agus blátha is crainn bheaga iontu. Cá bhfuaireadar an chré? Í cheannach b'fhéidir i gceann de na siopaí móra a sholáthraíonn gach éinní faoi choinne gairdín, ó shíolta go faichí réamh-dhéanta. Is luachmhar í an chré i Nua-Eabhrac. Is dócha go bhfuil an lánú sin thíos lánsásta le toradh a saothair. Dá shuaraí an spás beag sin, is ann a thig leo ligint orthu ná fuilid i lár na Baibiolóine. Nuair a shuíd ar dhá chathaoir mhiotail faoin scáth gréine mór atá acu, bíd i measc na mbláth agus na gcrann beag. Is leo an tsaoirse.

Tá mo mhálaí ullamh agam don turas go St. Louis. An mbeidh an tsaoirse agamsa ?

B'FHADA TUIRSIÚIL an feitheamh é i stáisiún Phennsylvania, ag fanacht leis an traen go St. Louis. Im shuí dhom go mífhoighdeach agus an t-allas lem cholann bhíos ag iarraidh línte áirithe filíochta a thabhairt chun cuimhne. Ní thiocfaidís . . . ná ní thiocfadh fiú ainm an údair. Arbh é Eliot ? Dante ? Vergil ? Bhí baint éigin ag na línte sin le feitheamh agus le taisteal agus le himeacht an duine ón saol seo. Cé an fáth a mbeadh T. S. Eliot ag rith lem aigne ? Toisc gur scríobh sé faoi Dante agus Vergil ? Nó toisc gur i St. Louis a rugadh é ? Pé scéal é, ba de mheon a chuid fhilíochta an radharc sin os mo chomhair.

Bhí na daoine ag feitheamh ina ndronga faoi áirsí arda an stáisiúin. Ba bheag comhrá a bhí eatarthu. Anois agus arís thógadh fear a chiarsúr amach leis an allas a ghlanadh dá éadan. Bhí tút ar an aer, boladh daoine i mbrothall marbh na cathrach. Bhí fear gorm ag gluaiseacht i measc na ndronga agus scuab mhór leathan aige chun an brúscar a ghlanadh ón urlár; toitíní, lasáin, giotaí páipéir, paicéidí folamha, seanticéidí. Ó am go ham labhradh tréanghuth cruaidh srónach ón gcraolachán, á fhógairt go raibh traen éigin ar tí imeacht, agus d'éistimis le liodáin logainmneacha agus uimhreacha. Ba gheall le heaglais mhór an stáisiún agus ba gheall le glór seanmóiní an guth cruaidh sin ag baint macalla as na stuanna arda os ár gcionn.

Faoi dheireadh glaodh uimhir thraenach St. Louis agus chuas ar bord go dithneasach. Bhí an tart am mharú agus bhaineas an carráiste suite amach, áit a raibh beirt fheaı ag ól uisce beatha ar a sáimhín só. Thugadar cuireadh dhom suí leo agus leanamar ag ól go raibh mo dhóthain den bheoir shearbh tanaí im bholg agamsa. An aon-tslí bheatha a bhí ag an mbeirt agus nuair a fuaireadar amach ná raibh aon bhaint agamsa le hárachas ná aon taithí agam ar gholf fágadh bearna eadrainn. Níor imigh den chairdiúlacht ach laghdaigh ar an gcaint. Ní raibh ina mbéal ach cúrsaí golf agus árachais agus b'aït liom sin. Ní dream tearc-fhoclach iad na Meiriceánaigh ; agus ní gnáth leo bheith gann faoi bharúla. Cleachtaíd an tsaorthuairimíocht agus ní leasc leo a dtuairim faoi gach uile rud a nochtadh go poiblí. D'fhágas an chaint faoi mo bheirt chomh-phótairí agus d'ólas licm go breá réidh. Gachra neomat d'iompaíodh duine díobh chugam leis an gceist : 'An aontaíonn tú leis sin ? ' D'aontóinn cé nár thuigeas focal de.

Um an taca sin bhí New Jersey fágtha inár ndiaidh. Go tobann, de phreab adéarfá, tháinig an dorchadas. Amhail is dá múchfaí an ghrian mar chuirfí solas aibh-léise as, d'iompó láimhe. Níorbh é teacht na hoíche áfach, ach stoirm mhór toirní, agus faoi cheann tamaillín bhí an t-aer ar crith le splanca tintrí agus le tuilte báistí. D'imigh an spéir agus an talamh ó léargas agus níor fágadh den domhan againn ach an doirteadh uisce a raibh an traen ag tolladh tríd. A bhuí le Dia, chrom an bheirt ar chaint faoin drochaimsir. Bhí eolas acu ar gach Stát san Aontacht agus scéalta acu faoi stoirmeacha agus sí-ghaoithe agus anaithe an doininn. Ach ní fada gur milleadh an seanchas. Tháinig sciúirse orainn, i bhfoirm scaothaire de na scaothairí síorchainte úd nach n-iarrann de thaitneamh ar domhan ach a nglór baoth féin. Sara raibh ' fáilte ' ráite againn bhí sé faoi lánseol. D'inis sé dhúinn gur smaointeoir libearálach é agus go raibh sé dílis don Bhunreacht Meiriceánach—' *the most wonderful and the wisest document ever put together by the hand of man.*' D'imir mo bheirt chompánach feall orm. Shlugadar siar dríodar na dí, d'fhágadar slán againn agus thréigeadar mise agus an cabaire. Ní raibh éaló agam uaidh. Níor thug sé caoi chainte leathneomait domsa, agus nuair bhuaileas mo dhá láimh ar mo chluasa ag iarraidh faoisimh d'fhiafraigh sé dhíom an raibh tinneas cinn orm ? Go maithe Dia dhom, dúras go raibh. Ach ba chuma. Dhruid sé níos gaire dhom agus chogair gurbh é Voltaire a mháistir sa bhfealsúnacht ; rud nár chreideas, mar dúirt sé go raibh drochmheas ag Voltaire ar Napoleon. ' Thuig Voltaire,' ar seisean, ' céard a bhí cearr leis an saol. Is é an t-achrann creidimh bunús na tubaiste go léir. Dá bhféadfadh an cine daonna an t-easaontas creidimh a . . . . " D'éiríos agus theitheas chun na leapan.

Leaba chompordach ab ea í, ach ba bheag mo thaithí ar liongadán agus suathadh luastraenach. Ní fhéadfainn codladh. Luíos ar mo dhroim agus d'osclaíos leabhar a bhí agam, ach theip orm mo shúile a choimeád ar na leathanaigh. Bhí mo chorp á luascadh ó thaobh taobh, tormán na rothanna agus caolfheadaíl an innill ag cur mearbhall meabhrach orm. Mhúchas an lampa, dhúnas mo shúile agus luíos gan cor asam. Céard a chloisfinn ón gcarráiste amuigh ach guth an ghliogaire ghránna. Bhí fuinneamh fós ann. Tharraingíos na héadaí os mo chionn agus lcagas mallacht air féin agus ar Voltaire, ar an saorthuairimíocht agus ar Bhunreacht Mheiriceá. Beag nár scréachas sa dorchadas.

Um mheán oíche d'ardaíos dallóg na fuinneoige. Bhí rud éigin mar bheadh falla abhal-mhór ina sheasamh in aghaidh na spéire réaltógaí. Thíos fúinn bhí lampaí beaga ag drithliú agus ag gluaiseacht uainn go mall réidh. Tar éis tamaillín d'airíos go rabhamar i measc sléibhte arda agus go raibh tithe agus bailte thíos fúinn sna gleannta doimhne. Níor ghá dhom léarscáil a chuardach mar bhí pictiúir d'éadan na tíre daite ar m'aigne. Tháinig ríméad orm nuair d'aithníos go rabhamar ag gabháil thar na sléibhte sin ba teora don Aontacht nuair ná raibh ann ach trí Stáit déag. Taobh thiar díobh sin a bhí dúthaí fiáine na nIndiach, na foraoiseacha, na tréada beithíoch allta ar fúthu féin amháin na machairí do-imeallta, na cruacha ceannasacha faoi chaipín sneachta ó cheann ceann na bliana. Ag trasnú na seanteorann a bhíomar, agus bhíog mo chroí nuair smaoiníos ar mhíorúiltí na tíre seo, ar scéal iontach an domhain úir a chuir athshaol ar fáil do dhonáin na hEorpa, gan umhlú roimh rí ná tiarna talún ná bochtanas. Samhlaíodh dom im leaba chúng gur bholaíos aer glan na machairí agus cumhracht na seanchoillte nár shiúil cos fir riamh iontu ; agus níorbh é aghaidh na nathrach sin ó chianaibh a chonacthas dom a thuilleadh, ach pictiúir de Daniel Boone, an treoraí d'aimsigh na bealaigh siar. Agus go deimhin bhí fionnuaire tar éis teacht san aer ar an traen. Luíos siar arís agus thit codladh sámh orm.

Bhí an ghrian go hard nuair dhúisíos. Ní raibh aon radharc ar na sléibhte, ach machairí glasa ar gach taobh agus iad breac le coillte beaga dlútha, le sciobóil is le tithe bána feirme. B'iad machairí Ohio. Bhí ba ag iníor ina dtáinte ar an bhféarach. Lochán anseo is ansiúd go lonrach glan faoi sholas na gréine, ach na haibhnte beaga is na srutháin ina dtuilte buí tar éis bháisteach na stoirme sin aréir. Ghabhamar go tapaidh thar sráidbhailte mar a raibh na bóithre folamh ciúin agus gan an deatach ag éirí fós ó aon tsimné. Bhí an áille agus an tsíocháin ina mbrat ar an dúthaigh. D'airíos an rachmas is an rath ar na tithe, ar na sciobóil, ar dhealramh na ngabháltas, agus dúras liom fhéin ná tréigfinn an tír sin dá mba liom í.

Níor thuirsíos feadh na maidne de bheith ag breathnú amach. Thugas mo chúl leis an aon-chabaire a bhí sa charráiste; leagas mo leabhair ar leataobh agus dheineas iarracht aghaidh na tíre a léamh. Ag gabháil trí Indiana dhúinn bhraitheas malairt chló ag teacht ar éadan na dúiche. Bhí na coillte beaga le feiscint fós, tamall ó chéile, iad ag breacadh an mhachaire amach go bun na spéire agus liathghlas an duilliúir á mheascadh le liathghorm an aeir i dtreo nach n-aithneofá spéir seachas talamh. Bhí an talamh cothrom gan ísliú gan ardú. Ní cothroime ná é a bheadh léinseach locha lá samhraidh. Thuigeas don sclóndar a bhíodh ar na fir cinn riain ar fheiscint na má seo dhóibh tar éis chruatan an taistil thar muir agus tír. B'fhairsing rompu an domhan úr agus a rogha féin den talamh saibhir le déanamh acu. Gearmánaigh, Sasanaigh agus Albanaigh a chuir fúthu anseo agus tá an rath ar a muintir fós. Rinneadar leagadh agus tógáil agus treabhadh. Thógadar tréada agus táinte. Bhíodar sásta saothrú leis an gcéacht agus leis an tua ghéar Mheiriceánach. Trua nach bhféadfadh na hÉireannaigh cloí leis an saol céanna in ionad bheith ag plodú isteach sna cathracha ar an gcósta thoir. Ach bhí gá róphráinneach acusan leis an airgead, airgead ar an toirt, chun a thuilleadh dá muintir a thabhairt slán ó uafás an ghorta.

Mhéadaigh ar an mbrothall agus thit néall codlata orm. Nuair d'osclaíos mo shúile chonaiceas go rabhamar i ngar do St. Louis, rud a chorraigh mé. Ná rabhas ar tí mo chéad radharc a fháil ar abhainn Mississippi? Dá scríobhfainn imleabhar mór téagartha ní dóigh liom go bhféadfainn brí na habhann sin, domsa, a mhíniú. B'ionann liom riamh an abhanntrach céanna agus Meiriceá féin. Im óige ná téinn ag snámh is ag bádóireacht ar an mórshruth buí le Huckleberry Finn agus Tom giobalach Sawyer? Sinn ag eachtraíocht ó oileán go hoileán ar an mbealach a ghabhadh na galtáin mhór-rotha ó New Orleans suas go Hannibal nó síos go St. Louis. Athair na h-abhann a tugtaí ar an Mississippi agus ní holc an baisteadh é. Ar a bruacha a thosnaigh stair an Iarthair agus ní raibh le déanamh agam chun radharc a fháil ar na laethe sin ach mo dhá shúil a dhúnadh. Ba léir dom na hIndiaigh, na Francaigh, na Spáinnigh, ag gabháil an tsrutha ina gcoití; Hernandez de Soto a tháinig ar lorg an óir; an Cavalier de la Salle i mbun gnó a mháistir, rí na Fraince ; an tAthair Jacques Marquette d'Ord Íosa, ag teagasc na n-alltán i gcoillte Mhississippi.

Shroicheamar St. Louis timpeall a haon. Ghluaiseamar go mall thar droichead mór iarainn ó Illinois go Missouri. Thíos fúinn bhí an abha leathan ag sní idir na bruacha ísle gainmhe, í buí clábarach agus gan oiread is coite amháin sa tsnámh uirthi. Agus cá raibh na coillte ? In ionad na n-ardchrann bhí simnéithe monarchan ag síneadh go huaibhreach i dtreo spéire. Shleamhnaigh an traen go réidh isteach i gceann de na stáisiúin is mó i Meiriceá agus ghabhas amach ar lorg taxi. Bhuail an brothall tais mé, go raibh allas liom ó bhathas go bonn. ' Fáilte romhat i gcathair St. Louis,' arsan fear taxi go séimh leisciúil. D'fhéachas mórthimpeall. I lár cearnóige móire bhí scíordáin ag stealladh cúr uisce chomh héadrom bán le sobal galúnaí. Ghoill gile chloch na bhfoirgneamh ar mo shúile. ' Go raibh maith agat,' adúrt. ' Tá cathair bhreá agaibh anseo.' ' Níl a sárú sna Stáit,' ar seisean. ' Cá raghaimid ? '

' Hotel de Soto, Locust Street.'

Cheapas ná raibh sé ag éisteacht liom, mar ar seisean : ' Ní fhágfainn St. Louis dá dtabharfá Nua-Eabhrac dom i gcóir mo bhricfeasta.'

An 19ú Bealtaine : St. Louis

CHODLAÍOS GO SÁMH óna seacht p.m. go dtí a seacht ar maidin. An turas d'fhág traochta mé is dócha. Níorbh aon dóithín é míle míle, beagnach, a chur díom tar éis mo thréimhse dhian i Nua-Eabhrac. Ach nár bheag é mo ghaisce i bhfianaise na bhfear (agus na mban) a ghaibh an bealach sin sara raibh na bóithre iarainn ann ? A thúisce dhúisíos chuala an fheadaíl a bhíonn de shíor le cloisint i St. Louis. Feadóga a bhíonn ag na póilíní ag stiúru an tráchta, agus le linn uaireanta na broide shílfeá gur as a meabhair a bhíd, ag síorshéideadh leo ag gach acomhal sráide.

Samhlaíodh dom tráthnóna inné go raibh an chathair seo inchurtha le cumasc de dhá cheann eile : Luimneach i rith seachtain na Páise, agus an chuid is faiseanta de Pháras. Cathair chráifeach í St. Louis agus daonra mór Caitliceach inti. Tá an tsean-Ard-Eaglais, i ngar do bhruach na habhann, ar cheann de na foirgintí is ársaí sa chathair, agus fiú sna Stáit. Chonac beirt bhan rialta ag aoireacht tréad páistí isteach i ndá bhus. Agus mé ag féachaint orthu dhruid fear bocht im threo agus d'iarr déirc. An rud is annamh . . . . Tá cló Phárais ar chuid de na siopaí, go mórmhór cuid na seodóirí agus na n-éadaitheoirí.

Cé gur mó an daonra i St. Louis ná i mBaile Átha Cliath, sílim gur lú an áit í. Déarfainn go bhfuil an chuid chathartha dhi sách beag, ach í scaipithe amach go mór ina fobhailte.

Níl fíorlár inti mar atá i bPáras agus i mBaile Átha Cliath. Bhíodh fadó áfach agus thugas cuairt ar maidin ar an gceantar sin mar a bhfuil an tsean-Ard-Eaglais agus an sean-Teach Cúirte ina seasamh fós i bhfoisceacht cúpla céad slat don abhainn.

Áras mór clasaiceach agus dóm air is ea an sean-Teach Cúirte. Bhíodh eolas maith air tráth ag gach éinne bhí ina chónaí san abhanntrach. Mar is anseo os comhair an dorais mhóir a bhíodh na sclábhaithe gorma ar ceant. Le linn dár muintir féin bheith ag fógairt deireadh a ré ar na tiarnaí talún, agus níos deireannaí ná sin, bhíodh an t-aonach mallaithe faoi lánseol anseo ar chéimeanna Theach na Cúirte ag bodairí móra na bplandála. D'imigh sin, ach maireann iarsmaí na daorbhroide. . . . Is beag cúram a déantar den Teach Cúirte anois, agus is ionadh gur fágadh ina sheasamh é sa tír seo, mar a leagtar na foirgintí is ársaí a thúisce bhíonn deireadh lena gcuspóir. Tá an ghrian agus an bháisteach ag oibriú leo ar an dóm agus ar na fallaí sin ba gheal bán aimsir na sclábhaíochta.

Seodlann anois ceann de na seomraí móra. Chaitheas dhá uair an chloig ag déanamh staidéir ar phictiúirí, culaithe, páipéir agus uirlisí ó ré na hImirce Móire siar. Léiríd stair chéad bliain, ó aimsir Washington go dtí Cogadh na Stát. Muscaed fada ann a bhíodh ag Daniel Boone, an fear cinn riain d'oscail an bealach siar do na mílte ; agus an tua Mheiriceánach, uirlis iontach na cuarchoise, a leag na coillte agus a thóg na tithe don

' . . . Tá cathair bhreá agaibh anseo . . . '
—Memorial Plaza, St. Louis (*lch.* 114)

' . . . Seasann an *adobe* na céadta blian san aer tirim seo . . . '—Pálás na gCeannairí i Santa Fé (*lch.* 131)

náisiún óg. An gunna agus an tua: chríochnaíodar an obair laistigh de chéad bliain. Tá a n-eachtra thart. Is beag rómánsaíocht a bhí san eachtra sin, cé go bhfuil finnscéalta á gcumadh fós—agus beidh—faoi na daoine a cheansaigh na fiáin-chríocha agus a d'imir dearg-ár ar na hIndiaigh. Ní raibh blas ar bith acu ar an rómánsaíocht. Dúr cruaidh a bhíodar mar ba dhual do dhaoine a chreid go raibh anam an duine lofa peacúil ann féin. Bhreacas síos ceist amháin as Teagasc Críostaí le John Cotton as Massachussets, atá ar taispeáint anseo:

Q. *What is your corrupt Nature?*

A. *My corrupt Nature is empty of Grace, bent unto Sin, only unto Sin and that continually.*

Beannacht leo. Is dearfa gur mó trua bhí ag Dia do mhuintir Chotton ná mar a bhí acu dhóibh féin. Má bhíodar dúr cruaidh, bhíodar meanmnach. Shiúlas amach faoin spéir agus thángas ar leacht cuimhneacháin i bhfaiche bheag dhóite. Cuimhneachán ar an gcéad imirce mhór a rinneadh ón áit seo siar, thar na machairí amach go bun na sléibhte. An raibh faitíos orthu ag tabhairt a gcúl le Mississippi? Caithfidh go raibh. Ach b'é a rogha féin gluaiseacht. Fir cinn riain!

Ghabhas an fána síos le bruach na habhann go dtí láthair chothrom na sean-Ard-Eaglaise. Tá sí ina haonar anois, mar leagadh na foirgintí ina timpeall d'fhonn fairsingeacht a dhéanamh do pháirc chuimhneacháin in onóir do Jefferson. Dealramh séipéil Fhrancaigh atá uirthi, mar a chífí i mbailte na Normainne. Bhíodh na Francaigh i réim anseo fadó. Níor imíodar gan rian a n-aigne a fhágaint ar an gcathair, idir suíomh agus logainmneacha. Aonarach anois an eaglais a thógadar, mar a bheadh seanmháthair ar scaipeadh a clann agus clann a clainne. Láimh léi tá áit bheannaithe eile: léigh Francach an tAifreann ann i 1764, an chéad Aifreann a léadh riamh ar bhruacha na habhann móire. D'éalaíos isteach sa seaneaglais ó ghile bhán na gréine agus bhí sé ciúin fionnuar istigh.

An 20ú-22ú Bealtaine: St. Louis

SHÍLEAS AR DTÚIS go mbeadh cead mo chinn agus saor-am réasúnta agam sa chathair seo, ach bhí breall orm. Is ar éigin a ligtear chun na leapan mé. Casadh fear orm a bhfuil spéis mhór aige in Éirinn. Cathal Ó Braonáin is ainm dó ach d'ainneoin a shloinne ba Ghearmánaigh formhór a shinsear. Ní raibh sé riamh in Éirinn. Ach is cuma; thabharfadh sé an domhan dúinn dá mbeadh sin ina chumas. Ceapann sé, fóiríor, go mbeidh stuaic ormsa má ligtear dom bheith díomhaoin ar feadh uaire amháin! Caithfidh mé cosc a chur leis an rabharta féile nó maróidh sé mé. Inné thug sé leis mé go taispeántas ar son na misiún Caitliceach, agus go lón mór ina dhiaidh sin. Tar éis an lóin, thiomáin sé timpeall na cathrach mé agus um thráthnóna mheall sé isteach i stáisiún radio mé go gcraolfainn cuid de mo bharúla faoi Mheiriceá. Agus inniu, dá ligfinn dó, bheadh sé am sheoladh ó áit go háit mar an gcéanna. Níor ligeas, ach gheallas dul chuig féasta mór éigin ina theannta anocht. Mar sin níl uain agam a bhfuil im cheann a scríobh anois. Ní thig liom ach altanna beaga dhe a bhreacadh síos.

Chuas ar an mbus go Forest Park, an pháirc phoiblí, mar a bhfuil seodlanna, taispeántais ealaíne, leabharlanna, gairdín na n-ainmhithe, locha bádóireachta agus faichí imeartha. Ghabhamar bóthar leathan díreach idir chrainn arda agus tithe maisiúla cónaí. Mar bheadh boulevard i bPáras, cheapas. Fear faidleicneach cainteach ab ea an tiománaí, ach dá chaintí é, nuair chuireas cúpla ceist chuige faoi chúrsaí i gcoitinne ní raibh coinne agam le freagra mar seo : 'Tá dhá bhliain is caoga agam anois. Má leanann an saol mar atá beidh an rath orm. Bhuail an dá bhriseadh mór mé, i 1929 agus roimh an chogadh. Scriosadh mé. Thréig mo bhean mé nuair casadh fear eile uirthi a raibh na dollaerí aige. Ach táim pósta arís. Tá bean bheag dheas agam agus beirt mhac—agus madra. B'éigean dom airgead a fháil ar iasacht le haghaidh an tí. Má tharlaíonn briseadh eile, beidh deireadh liom. Ní éireod arís. Cuirfead gunna lem éadan agus puth ! slán leis an saol ! ' Chuir sé dhá mhéar leis trasna a chéile. 'Coimeádaim mo mhéara crosáilte.'

Ní dearmadfar Charles Lindberg sa chathair seo go brách. Tá taispeántas seasamhach in onóir dó i seomra mór i Seodlann Jefferson agus na céadta bronntanas ann a fuair sé as ucht a thurais éachtaigh thar an bhFarraige Mhór. Is beag tír nár bhronn rud éigin air, idir eochracha óir, pinn, gunnaí, uaireadóirí luachmhara, compáis, lampaí, hataí, culaithe, gréithre, agus eitleáin bheaga d'ór agus d'airgead. Fuair sé níos mó ná an churadh-mhír. Thug an náisiún adhradh dhó. Maith an bhail air é nár ghlac sé go fonnmhar leis. Nár tugadh fealltóir air i rith an chogaidh, nuair thug sé comhairle chríonna don Rialtas faoi chumhacht na Gearmáine ?

I seomra eile léas fógra a cuireadh amach i St. Louis i 1857 faoi bheirt sclábhaithe a bhí tar éis éaló óna máistir. Ní fada ó shoin 1857. Is gearr an tréimhse í i saol náisiúin. Ag smaoineamh mar sin dom shiúlas amach sa pháirc agus bhuaileas fúm ar bhinse faoi scáth crainn. Bhíos ag baint taitnimh as siansán na gaoithe sna duilleoga agus as radharc an mhachaire mar a raibh fir agus mná ag cleachtadh golf nuair stad beirt imreoir i ngar dom. Bhíodar ag argóint go fíochmhar faoin gcluiche a bhí críochnaithe acu. Chuadar isteach i ngluaisteáin bhréatha geala. Fir ghorma ab ea iad !

D'iarr seansagart ar an mBraonánach mé chur in aithne dhó agus chuas go dtí a theach amuigh sna fobhailte. Níor thuigeas cé an gnó a bheadh aige dhíom, ach ní túisce suite ina sheomra mé ná nocht sé a rún. Scríobh mise baslach aistí fadó faoin úrscéalaí Henry James agus an filleadh ródhéanach a dhein sé ar a thír dhúchais, Meiriceá, tar éis dó í thréigint. Ar chuma éigin fuair an sagart seo greim ar na haistí. Nuair thosnaigh sé ag caint ar dtúis shíleas gur fearg a bhí air. Duine ramhar é, folt chomh bán le sneachta air, malaí dubha os cionn a dhá shúl donna doimhne agus béal leathan bríomhar air. Bhraitheas ann an tsimplíocht, agus rud eile, an chráifeacht.

Chaith sé na haistí chugam agus dhein sé gáire.

'Tréaslaím do chuid stuif leat agus dearbhaím. . .'

'Fan neomat, a athair, ach nílim cinnte. . .'

'Tá sé agat. Tá sé agat idir aigne agus anam. Tuigeann tú é níos géire ná. . .'

'Ach féach, a athair, ní cuimhin liom na. . .'

'Nach mór an fonn trasnála atá ort! Éist liom. Tá fhios agam ná rabhais i Meiriceá cheana, gur stróinséir inár measc tú. Ach san aiste seo faoi Henry James thaispeán tú go bhfuil tuiscint agat ar na Stáit agus ar shibhialtacht na Stát. Táimse im chónaí sa tír seo ón lá a rugadh mé agus cheapas gur thuigeas mo thír agus mo mhuintir ach chuir tusa do mhéar ar chroí na fírinne. Tá an Meán-Iarthar id phóca agat. . . .'

Níor chuireas isteach air arís. Bhí fhios agam go raibh sé am mholadh ach níor thuigeas cé an fáth. Ba bheag baint a bhí ag aigne Henry James leis an Meán-Iarthar. Ba ghaire do Pháras nó Londain é ná do Chicago nó St. Louis. Ba le New England a mheon i leith sibhialtacht Mheiriceá agus nuair a tháinig fíorsheanchaí an Mheán-Iarthair ann—an fear as Hannibal dar leasainm Mark Twain—níor bheannaigh Henry dhó. Níor thuig sé an domhan úr a bhí á chruthú taobh thiar den Mhississippi agus chuir gairbhe agus fuinneamh agus comóntacht an tsaoil sin faitíos agus déistean air. Ach ní raibh na smaointe sin san aiste a léigh an sagart, ná focal díobh. Thaitnigh an moladh liom cé gur dhóigh liom ná raibh bunús leis. Pé scéal é, ligeas leis agus d'fhanas im thost. Níor mhiste sin, fuaireas amach.

D'inis sé dhom gur saghas comhairleora é, go háirithe do lánúna óga a thagann chuige nuair a bhíonn na fadhbanna crua á mbuaireadh. Tagann lucht gach creidimh chuige—bhí meanga gáire air á insint seo— agus deineann sé a dhícheall iad a chur ar a leas. 'Teipeann orm go minic,' ar seisean. 'Ní aingeal mé. Tagann mífhoighid orm uaireanta. Ach sílim go dtuigim rud tábhachtach amháin faoi na Meiriceánaigh. Is treise eatarthu grá na colla ná an cairdeas anama. Pósaid. Bíonn ceangal coirp eatarthu ach sin a bhíonn. Ní céile anama a bhíonn ón bhfear, ach bean i mbun a líon tí, bean is maisiúla ná bean a chomharsan. Ní bhíonn uaithisin ach oibritheoir a thuillfidh dóthain airgid agus a thabharfaidh teach di níos fearr ná mar tá ag na comharsain, agus gluaisteán níos daoire. An bhfaca tú an scannán úd, *The Quiet Man*? Thaitin sé leis na Meiriceánaigh, go mórmhór an troid idir an lánú phósta. Bhí an grá colla sa choimhlint sin ach ba láidre an cairdeas anama inti. Sin an bheannacht atá de dhíth orthu anseo.!'

An 23ú Bealtaine: St. Louis

IS BEAG OIFIG a bhíonn ar oscailt idir an Aoine agus an Luan i Meiriceá. Cé go mbíonn cuid de na siopaí i mbun gnótha bíonn an Satharn, i gcoitinne, ina lá saoire: na sráideanna beagnach folamh, sluaite sna páirceanna agus sna gairdíní, na póilíní díomhaoin ag na crosairí. Gúnaí geala agus culaithe nua ar taispeáint; ceol á sheinnt; uachtar oighre á shlugadh; spaisteoireacht i nGairdín na nAinmhithe; croí na cathrach fágtha faoin gciúnas agus an brothall.

Dúirt an sagart liom inné gur chóir dom cuairt a thabhairt ar Campbell House, teach stairiúil atá ina sheodlann anois. Dúrt go rabhas bréan de sheodlanna, ach ar seisean, ' Más mian leat teach a fheiscint díreach mar a bhí sé céad bliain ó shin, gan malartú troscáin ná aon athrú laistigh nó lasmuigh, imigh leat go Locust Street. Uimhir a 1508, Locust Street.' Tá áthas orm anois gur ghlacas a chomhairle. Fuaireas scéal ann a chuir ionadh orm.

Ní mór le rá é an teach ó taobh déanamh de. Is de chineál é a bhí coitianta sna Stáit, chomh maith le Sasana, le linn Victoria. É compordach i ngach seomra de na trí urláir, fiú sna seomraí beaga ar bharr an tí. Gach rud ann mar a raibh agus mar a bhí. D'fhéadfaí bualadh isteach agus cónaí ann. Ní raibh éinne ann ach mé féin agus an doirseoir. D'fhan seisean ag míogarnaigh ar chathaoir sa halla, agus d'imíos féin ó sheomra go seomra. Ní raibh fuaim le clos ach m'análú agus bualadh bog mo chos ar na cairpéidí tiubha doimhne. Sa tseomra suite tá cuirtíní fada lása agus iad ag scagadh solas an lae i dtreo go mbíonn sé ina chlapsholas i gcónaí. Ar na cathaoireacha uilleann agus ar na tolga móra clúdach dearg de chlúmh-éadach ná feictear ach go rí-annamh anois. Ornáidí beaga ina scórtha ann agus pictiúirí leamha faoina bhfrámaí móra órtha. Clog d'ormolu ar an matal — ón bhFrainc sílim — agus é ag oibriú leis mar a bhíodh céad bliain ó shin, nuair ba luachmhar le huaisle an tí seo é. Eisean an t-aon ghuth de chuid an teaghlaigh úd ná fuil ina thost. D'imíos go ciúin as seomra na dtaibhsí agus suas an staighre cúng. Bhí na doirse ar leathadh ach níor fhéadas dul isteach. Tá téadán síoda trasna gach dorais. Leapacha boga fairsinge istigh agus iad cóirithe go néata. Boird mharmair níocháin ; lampaí glana ola ; pota geal bán faoi gach leaba—agus bláth-ornáidí timpeall air. Bhíogas. Ar chuala guth páiste ? . . . Ní raibh ann ach rotha gluaisteáin ag scréachaíl amuigh ar an sráid. Síos liom chun na cistine. Tá sí leathan dorcha. Ar an mbord trom bán tá leabhar nótaí ar oscailt. An scríbhinn ag tréigint go tiubh. Ag bean an tí a bhíodh agus í i mbun na cócaireachta. D'osclaíos an cúldoras agus shiúlas amach sa luibh-ghort beag. Tá sé ina fhásach griandóite gan dada beo ann ach plandaí crapaithe tíme. Sa stábla ag bun an ghairdín a tháinig an ghruaim orm, nuair chonac an cóiste breá dubh a bhíodh ag triall ar an teampall, ar an mbanc, ar an gcaladh, nuair ba theann údarásach é fear an tí seo i gcathair St. Louis. Tá fuaranál an bháis ann.

Cé arbh é an fear úd ? Éireannach. In Achadh Leathan i dTír Eoghain a rugadh Robert Campbell timpeall 1800. B'fhéidir gur de shliocht Albanach é. Tá sé de nós ag Meiriceánaigh ginealach Albanach a bhronnadh ar gach Éireannach ón tuaisceart. Pé scéal é, tháinig an Caimbéalach go dtí St. Louis timpeall 1824. Ó bhí galar éigin ar na scamhóga aige—eitinn nó múchadh—chomáin sé siar dála Parkman thar na mánna amach chun na sléibhte i 1825. Fuair sé a shláinte ansin agus chuir sé faoi i measc na bhfiagaithe agus na gceannaithe fionnaidh. D'fhoghlaim ceard na gaisteoireachta agus théadh sé ar thóir na mbéabhar i dteannta Thomás Mac Giolla Phádraig as Éirinn, agus Séimí Bridger agus Kit Carson. B'aisteach an cheard í. San am sin chaitheadh fir ghalánta an domhain hataí béabhair agus bhí margadh maith tairbheach ann don fhiagaí agus go háirithe don cheannaí. Tráchtálaí fionnaidh béabhar ab ea an milliúnaí John Jacob Astor. Tá a scéal sin, agus scéal a chamthaí gnótha, scríofa ag an stairí Bernard De Voto sa sárleabhar *Across the Wide Missouri*. Ba gharbh groí an dream iad, faoina gculaithe fiachraicinn, a lámha de shíor ar an ngunna. Bhíodh na hIndiaigh cairdiúil leo de ghnáth, agus bhídís sásta na mná cróna a phósadh d'fhonn áit chónaithe a fháil sa champa. Dhein an Caimbéalach amhlaidh.

Níorbh fhada gur aithin sé an difríocht idir fiagaí agus tráchtálaí. Chuaigh sé i gcomhar le ceannaí darbh ainm Sublette agus fuair scair mhaith den airgead a bhí le déanamh as an mbéabhar, gur fhill ar St. Louis ina fhear saibhir agus an tsláinte aige. Rud eile, bhí a ainm in airde mar fhear a raibh cumhacht aige i measc na nIndiach. Thuig sé iad. Bhíodh sé ag síormholadh do na fir gheala bheith daonna leo ach fóiríor níor tugadh aird air.

Chuir sé faoi i gcathair St. Louis i 1836. Ba ghearr go raibh sé ina uachtarán ar dhá bhanc. Thóg sé óstán mór agus fuair seilbh ar lear fairsing talún. Ansin thóg sé an teach ar Locust Street. Thug an Chathair urraim dó, agus ba mhór an onóir é cuireadh a fháil go Teach an Chaimbéalaigh. I rith an chogaidh idir na Stáit agus Mexico chruinnigh sé dhá bhuíon airm, ar a chostas féin, le haghaidh ionsaí an Ghinearáil Kearney ar Santa Fé, agus dá éis sin arís bhí sé ar an gCoimisiún do na hIndiaigh a chuir an tUachtarán Grant ar bun. Fuair sé bás i 1879.

Trí bliana ina dhiaidh sin d'éag a bhean. Bhí beirt mhac aige a mhair go sicréideach sa teach i Locust Street gan baint ach ar éigin leis an saol lasmuigh. Sa deireadh d'fhanaidís istigh ar fad, ina n-aonar, go tostach, gruama, caillte. . . . Ní ligfidís d'éinne ball den troscán a aistriú ná fiú cos a leagadh thar táirseach. Fuair an ciúnas réim sa teach do réir a chéile . . . agus san uaigh in am tráth. Fada an bealach é ó Achadh Leathan i gContae Thír Eoghain.

Is fada go deimhin. Tar éis dom an scéal sin a bhreacadh síos shíneas ar an leaba, thit mo chodladh orm agus tharla drochthaibhreamh dom. Bhíos i dteannta an Chaimbéalaigh, cheapas, im luí faoi scáth crann ar thaobh sléibhe agus sceon ionam féin agus im bhuíon fear roimh ionsaí fíochmhar Indiach. Go tobann bhíodar sa mhullach orainn, agus chualas a mbéicíl allta agus cnagadh na sceana ar a chéile ag poll mo chluaise. Dhúisíos de phreab—agus siúd im sheasamh ar an urlár mé agus gasra fear lasmuigh den doras ag caint is ag gáirí in ard a ngutha '*Hiya, Al* ! *Gee, it's good to see ya* ! *Hello, Ed* ! *How ya makin' out* ? *Where's the little woman* ? *I must be gettin' along, Al* ! ' Agus bhí cloigín an telefóin lem ais ag clingeadh go mífhoighdeach. Mo chara, an Braonánach, ag glaoch. An raghainn ag ól leis ?

An 24ú Bealtaine: St. Louis

Is don óige an ragairne! Timpeall a trí a chlog ar maidin d'fhilleas ar an óstán, báite le hallas agus an t-ocras ag píobaireacht im bholg. Bhí mo dhóthain ólta agam ach ní ligfeadh an tuirse dhom codladh. Dá mbeadh fhios agam cad a bhí i ndán dom nuair a ghlaoigh an Braonánach . . . .

Thug sé leis mé go céilí d'ealaíontóirí i halla mór sna fobhailte. Bhí slua mór ann, idir óg agus aosta, agus éadach grinn ar gach éinne ach orm féin is mo chompánach. Bhí cailíní dathúla ann—agus is beag ná rabhadar lomnocht. B'fhiú féachaint orthu ag damhsa agus ag cleachtadh geáitsí a chuirfeadh as do naomh. Ach bhí mná scothaosta ann freisin nár leasc leo tabhairt faoi na gothaí céanna. B'ait liom iad agus an bhlonag ag preabadh orthu. Bhí fraoch chun an phléisiúir ar chách. Chailleas an Braonánach, ach bhíos sásta suí i gcúinne ag ól gloine i ndiaidh gloine d'uisce beatha na hAlban. Ag bun an tseomra bhí buíon cheoil ag seinnt ar a ndícheall do na rinceoirí, ach is ar éigin a chloisfeá iad mar bhí drong ag cantain timpeall an dorais, agus drong eile ag imirt cluiche éigin nár thuigeas ar an urlár. Bhuail bean óg fúithi in aice liom agus gloine folamh ina láimh. D'iarr sí orm deoch a fháil di. Dheineas amhlaidh. Dá mba lú, aon phioc, a raibh d'éadach ar a colann, d'fhéadfaí a rá ná raibh tada uirthi. Cheap sí gur casadh ar a chéile sinn cheana agus gur ' Bill ' a bhí orm. Le tormán an tseomra níorbh fholáir di a béal a leagadh ar mo chluais beagnach chun go gcloisfinn í. Dúirt sí go raibh sí bréan den tsaol agus ná raibh sí ag baint aon taitneamh as an scléip. Le déanaí bhí deighilt éigin nár thuig sí idir í féin agus a fear agus bhí sí cinnte go mbeadh droch-chríoch ar an bpósadh. ' Fear maith é, tá fhios agat, Bill ' ar sise in ard a gutha. ' Tá aithne agus seanaithne agatsa air. Ná féadfá rud éigin a dhéanamh dúinn ? Ní thuigim é a thuilleadh. Tá sé fuar liom. Is cuma leis mé. Deinim mo dhícheall chun mé féin a mhaisiú, ach fágann sé im aonar sa leaba mé mar bheadh seanbhean ghránna. Féach orm, Bill.' Rug sí greim ar smig orm agus thiontaigh m'aghaidh chuici. ' Nílim ródhona fós. Ná fuilim chomh dathúil is a bhíos riamh ? Bíonn súil ag fir eile orm. Ach thréig m'fhear céile mé. Ní labhraimid ach briathra béasacha gan chiall . . . . Bill, nílir ag éisteacht liom. Táim ag braith ortsa, Bill. Bhí tú mór linn riamh, agus féach, má . . . ' Chomáin sí léi. Chuimhníos ar an méid adúirt an sagart liom, agus shíleas dá mba mise Bill go bhféadfainn ábhar dóchais éigin a thabhairt di. Lean an ceol. Thóg seanfhear liath amhrán grinn, agus hata mór dearg ina láimh aige. Bhuail smaoineamh mé. ' Éist neomat,' adúrt. Bhaineas an gloine dhi. ' Tá do dhóthain agat.' Thugas seoladh an tsagairt di, agus dúrt léi dul i gcomhairle leis, ach gur chóir di paidir a rá ar a son féin agus ar son an fhir. ' Paidir ? ' ar sise. ' Ach, Bill, ní Caitliceach mise ! Ní cuimhin liom cathain adúras paidir. Bheadh náire orm.'

' Ná bainfeá triail as. Céard tá le cailliúint agat ? '
' Tada,' ar sise. ' Bhuel ? ' arsa mise. Tháinig mion-gháire ar na beola craoraga. Níor thuigeas déine a buairimh go bhfacas an mionghháire sin. B'é an chéad faoiseamh é, dar liom, a fuair sí le fada. ' An ndéanfaidh tú rince ? ' ar sise. Ach ar eagla go bhfaigheadh sí amach nár mé ' Bill ' ghabhas mo leathscéal agus d'éalaíos go seomra a raibh a thuilleadh dí le fáil ann. Go maithe Dia dhom, d'ólas is d'ólas . . . .

D'éisteas Aifreann sa tsean-Ard-Eaglais. Bhaineas taitneamh as úire na maidne. Bhí lár na cathrach folamh agus shiúlas go haerach síos go bruach na habh-ann. Bhí ceo órga os cionn an uisce bhuí a bhí ag gluais-eacht chomh mall leisciúil le sroth ola.

Bhí an eaglais chomh meirbh le cró capall lá samh-raidh, cé gur suarach an pobal a bhí istigh. I rith an Aifrinn bhí dhá ghaothán aibhléise ag crónán leo ach níor dheineadar ach an t-aer te a chorraí go raibh an t-allas linn uile. Tar éis tamaillín bhí cóta an duine romham ag teacht tais ach níor bhog sé cos ná lámh. Dá dhéine a thugas faoin bpaidreoireacht theip orm srian a choimeád ar na smaointe. Bhí dúil agam riamh sa stair agus bhí stair na háite sin ag líonadh chugam ina pictiúirí. Céard a bhí ar a n-aigne ag an dream a chruinnigh anseo, roimh tógáil na heaglaise, lá an chéad Aifrinn i sean-St. Louis. Ar choimeádadar súil ar na coillte ? An raibh na gunnaí lena n-ais ? Ar mhór an fuascailt anama dhóibh an tAifreann sin ? Ba dheacair an chráifeacht a shamhlú leis na fir gharbha úd ar a mbealach siar céad bliain ó shin. Ór, tráchtáil, talamh: ar son na nithe sin bhíodar sásta dearg-ár a fhógairt ar chách, idir crón agus bán. Anseo láimh leis an Eaglais a bhíodh an tiomsú trucail agus capall agus múl faoina n-ualaí, ag ullmhú chun bóthair siar nó siar ó dheas. Ba leis an tréan an lá. '*I am an alligator, half man, half horse. I can whip any man on the Mississippi, by God.*' B'fhada baolach é an ród go Santa Fé, thar mánna gan tobar ná sruthán, thar aibhnte lúbacha seisceacha a shlugadh idir beithígh is trucailí, thar garbhchnoic mar a mbíodh na hIndiaigh ag feitheamh sna bearnaí. Fuair na céadta bás le tart agus le hocras agus le saigheada na bhfear dearg. Bhí an seancheacht cogaidh foghlamtha ag an lucht imirce: an slua ná saighdeann saightear! De ló agus d'oíche bhidís ag súil leis an ngáir chatha a chuireadh sceon sa té ba mhisniúla; i mochuaire na maidne dhúisíodh glamaíl is tafann na madraí allta iad.

Agus céard a bheadh rompu sa deireadh i Sante Fé? Ní raibh fhios ag a bhformhór. Ach bhí na finnscéalta cloiste acu faoin gcathair ársa iontach. Agus chreid siad—nó gur shroich na truacailí mullach an chnocáin deireannaigh agus go bhfuaireadar radharc ar mhian a gcroí.

Tráthnóna inniu gabhfad féin an bóthar céanna beagnach go Santa Fé. Beidh ceithre uaire is fiche de thaisteal orm. Ní fheadar an mbeidh an díomá céanna orm ag ceann scríbe is a bhíodh orthusan fadó?

An 25ú Bealtaine: Santa Fé

FAOI DHEIREADH THIAR táim i gCathair Ríoga Chreideamh Beannaithe Shan Proinsias Assisi—*La Villa Real de la Santa Fé de San Francisco de Assisi.* Labhraim an seanainm is mé ag gabháil thar lárphlás na cathrach. Tá seandaoine donna dúshúileacha ina suí ar na binsí, agus ag bun falla Phálás na gCeannairí tá beirt Indiach ina luí ar an talamh, gruaig fhada chomh dubh le pic síos leo agus blaincéidí ildaite umpu. Tá blátha beaga ag síorthitim ina bhfrasa ó na crainn chadhain. Labhraim an seanainm Spáinneach. Dán molta é. Tá ceol trúmpaí glóracha sna focla sin. Suím ar fhalla íseal in aice leis an gCloch Chuimhneacháin a chomharthaíonn deireadh an Róid go Santa Fé. Tá an baile chomh ciúin le clochar. Scata colúr ag siúl go huaibhreach i lár na sráide. Pálás na gCeannairí ar thaobh amháin den chearnóg—*El Palacio,* a bhí ar a bhonna sarar tógadh aon chloch de Nua-Eabhrac. Ann a bhíodh na taoisigh Spáinneacha nuair a bhí Mexico uile faoi smacht acu. Níl ann anois ach fallaí, de láib nó de dhóib. Seasann an *adobe* na céadta blian san aer tirim seo atá chomh glan le criostal. Ar an taobh thall tá áras dóibe eile, óstán mór maisiúil *La Fonda.* Is ársaí go mór an t-ainm ná an foirgneamh atá anois ann, ach is cuma! Nach é seo an t-óstán a bhí ag deireadh an Róid? Ann a bhíodh an scléip agus an ragairne gan srian nuair shroicheadh na fir chruadha an chathair b'aisling leo gach míle fada ó bhruacha Mhississippi siar. Ní dócha go mbíodh díomá orthu roimh áille bhéithe na Spáinne. Pé scéal é, níl aon díomá ormsa. Tá beirt chailín suite lem ais faoi scáth crainn chadhain. Na bláthdhuillí bána ag titim go mall, mar bheadh sneachta, ar a ngruaig shnasta dubh. Cinn mhaorga ríonúla orthu agus iad ag labhairt go séimh sa chanúint Spáinnise atá acu. Na lámha ina luí ar a nglúna, gan cor astu ; na súile chomh bíogúil le réiltíní i spéir na hoíche. Ní thuigim focal uathu ach is cosúil le laoithe sonais a gcomhrá.

Sara múchtar a bhfuil im aigne faoin aistear anoir ó St. Louis breacfad síos é.

A thúisce bhuaileas cos ar an traen d'aithníos go raibh an só romham. Níor thraen go dtí í. Gach compord inti agus an bia ar fheabhas. Luíos siar sa tsuíochán bog go bhfaighinn léargas ar an olltír seo a bhféadfaí Éire uile a chur i bhfolach i gcúinne beag inti.

An chuid is mó den tslí leanann an bóthar iarainn an seanród go Santa Fé. Níorbh fhada go rabhamar ag gabháil faoi luas trí abhanntrach Mhissouri. Talamh saibhir crannach cnocach ar gach taobh. Solas órga an lae á dhoirteadh isteach san abhainn leathan mar a raibh na coillte is na tithe feirme athdhaite go cruinn, bun-os-cionn. Is iomaí dathadóir a dhein iarracht na radharcanna sin a phéinteáil—ach theip orthu, agus teipfidh. Éalaíonn an solas úd uathu ; sáraíonn na dathanna míne orthu. Gachra neomat cruthaítear domhan nua ná féadfainnse, ná aon fhile, a thuairisciú.

Tharla an t-athchruthú os comhair mo dhá shúl le titim na hoíche. Neomat amháin bhí an abhainn ina scáthán órga. In iompó baise bhí an dorchadas tar éis léimt as an spéir anuas agus bhí an scáthán sin imithe. Bhailigh na réalta os ár gcionn. Agus bhailigh soilsí cathracha i bhfad uainn san uaigneas, ag cur cogaidh ar an uaigneas. Fearann na Meiriceánaigh síorchogadh ar an namhaid céanna. Is fuath leo uaigneas agus dorchadas. Bhí an traen soilsithe go geal glé. Ba dheacair a thuilleadh a fheiscint trí na fuinneoga. Mhúchas na lampaí ar gach taobh agus ba mhaith an bhail orm é. Stad an traen ag stáisiún beag. Ar m'aghaidh amach ar an ardán bhí ainm na háite le léamh : ' Independence : The Home of Harry S. Truman.' Níorbh é ainm an uachtaráin ach ainm an bhaile a chuir ríméad orm. B'áit tábhachtach idirbhealaigh í ag lucht imirce ar a slí go Santa Fé.

Chodlaíos go sámh. Nuair dhúisíos bhí sé ina fhásach inár dtimpeall ar gach taobh, ó bhun spéire go bun spéire. Na mánna ag síneadh amach go fuar fairsing gan ardán ná ísleán. Mílte uainn bhí crann, ina aonar. Dá mbeadh an traen ina stad is dócha go gcloisfeadh duine glafarnach na madraí allta roimh éirí na gréine.

D'éirigh an ghrian d'obainne dochreidte. Léiríodh dom an féar liath tanaí garbh, na torthaí seirgthe agus na ba anseo is ansiúd ar an machaire. Chuirfeadh an radharc uafás ar fheirmeoir a mbeadh taithí aige ar acraí glasa féarmhara na Midhe. Ní nach ionadh. Ní raibh lochán ná sruth le feiscint, ach muileann gaoithe thall is abhus. ' Táid ag pumpáil uisce aníos, i bhfad aníos,' adúrathas liom sa phroinncharr.

B'fhaoiseamh é nuair tháinig athrú cló ar an tír. Bhí an latrach oscailte fairsing ann fós, agus na brobhanna garbhfhéir go scaipithe scáinte air. Ní bheadh iníor bó ar chaoga acra dhe. Bhí an talamh scoilte ag claiseanna is doimhneoga—*arroyos*—agus iad go léir i ndísc ag an ngréin. Mar a mbíodh an t-uisce ní raibh le feiscint ach screamh de shalann bán éigin. Tháinig ailltreacha arda i radharc agus crainn ghiúise is iúinipéir go tiubh ar a mbarr. Dath fionndearg i ngach áit, ar an gcré, ar na carraigeacha, ar na hailltreacha. Thagadh leoithne gaoithe agus scuabtaí an smúit dearg ina scamaill anairde.

Bhíodh ciarsúr ceangailte trasna a mbéal ag an lucht imirce chun an deannach sin a choimeád ón scornach ; bhíodh an tart á gcéasadh ; thiteadh capaill is múil isteach sna doimhneoga ; ní chuiridís thar cúig míle déag díobh in aghaidh an lae. Ach chídís faoi dheireadh an tuar dóchais ar imeall na spéire—na sléibhte.

Chonaiceas féin iad agus thuigeas don gháir shuilt a ligeadh na triallairí astu. Bhí rud ba chosúil le scamall, ach ba ghile ná scamall, ag síneadh go leathan in imigéin. D'aithníos an sneachta buan a luíonn ó shaosúr go saosúr ar bheanna *Sangre de Cristo*. Agus thíos faoi ghile an tsneachta bhí fionndeirge na gcreaga agus iomad gné den ghlas ar an duilliúr.

Shuigh bean lem ais. Turaire cruthanta. D'fhiafraigh sí an bhfaca mé an teitheach óg ón arm agus an bheirt gharda air. Dúras go bhfaca. Dhruid sí níos gaire dhom agus fuaireas boladh bréan tobac agus biotáille uaithi. ‘ Nach náireach,’ ar sise, ‘ go bhfuil sé faoi gharda mar sin ! ’

‘ Cé an fáth gur náireach ? ’

‘ Dá mba fear mé léimfinn amach trín bhfuinneoig,’ ar sise. ‘ Ní chuireadh na gunnaí faitíos orm. B’fhearr liom bheith marbh ná bheith gafa ag an mbeirt úd. Fear gorm duine acu agus ní cóir fear gorm a bheith ina gharda ar fhear bán. Tá sé in aghaidh spioraid na tíre seo, agus mholfainn an fear óg sin dá lámhachfadh sé an garda gorm. Bheadh an ceart aige. Bheadh sé . . . ’

‘ Ach nár thréig sé an t-arm ? ’

‘ Is cuma. Dá mbéitheá féin san arm theithfeá chomh luath is a bheadh caoi agat. An ligfeá d’fhear gorm lámh a chur ort agus. . . . ’

‘ Gabh mo leathscéal,’ arsa mise. ‘ Cloisim cloigín an lóin.’

Níor bhuail mórán dá sórt liom, buíochas le Dia. Chuas ag comhrá leis an mbeirt gharda tar éis an lóin. Saighdiúirí macánta ab ea iad a thuig cás an phríosúnaigh i bhfad níos fearr ná mar thuigfeadh an bhean sin. ‘ Tá trua agam dó,’ arsan ciardhuán. ‘Chuaigh sé ar a theitheadh ó Shan Diego nuair ná raibh aon litreacha ag teacht cuige óna bhean. Thángamar suas leis tar éis dhá mhí i mbaile beag in oirthear Oklahoma, agus ag an am sin bhí an drochscéal faighte aige. Bhí a bhean imithe. Thréig sí é. Fuaireamar é mar atá sé anois, gan cóta gan caipín. Is cuma leis anois cad déantar leis agus ní féidir liomsa ná lem chara é mhealladh chun bídh.’

Lena linn sin bhí an traen ag gabháil suas go mall trí na sléibhte go Bearna Raton, mar a bhfuil an teora idir Colorado agus New Mexico. Le hais an iarnróid bhí an seanbhóthar go Santa Fé ár leanúint suas thar carraigeacha agus fothracha seantithe a bhíodh ina n-óstáin agus ina dtithe feirme anallód. Lig an traen fead aisti ag dul trasna na teorann di trí thollán fada dorcha agus i gceann tamaillín bhíomar ag cur na taoibhe eile síos dínn ar luas a bhain liongadán as na carráistí. Leag an aimsir lámh chruaidh gharbh ar an tír seo. Réab sí na sléibhte óna chéile mar a scoiltfeadh páiste baslach brioscaí. Ghearr na srutháin agus na tuilte báistí doimhneoga chomh fairsing le coiréil. Bhí an chré ina smúit mhín, nó í calcaithe ina dóib. In abhainn Phecos ní raibh ach srutháinín caol uisce, agus locháin ná tabharfadh ach deoch in aghaidh na seachtaine do thréad bó. Siúd mé ag taibhreamh arís faoi na seantriallairí dochloíte. . . .

Shroicheamar Lamy go moch um thráthnóna. D'ainmníodh an baile beag in onóir don Ard-Easpag calma a tháinig ag riaradh cúrsaí Eaglaise céad bliain ó shin. Ba mhithid a theacht. Bhí an pobal ag meath, idir Spáinnigh is Indiaigh is Meiriceánaigh—nó, mar adeirtear anseo, idir *Hispanos* agus *Anglos*. Thóg sé agus d'athchóirigh sé séipéil agus eaglaisí ; bhunaigh scoileanna ; chuir an ruaig ar na drochshagairt. Ar dtúis bhí daoine ina choinne ach sháraigh sé orthu, agus ní le lámh láidir é ach lena mhíne agus a naofacht. Ar múl a thaistealaíodh sé a dheoiseas, ó cheann ceann, agus ba leithne an deoiseas sin ná Éire ar fad. Chuir sé aithne ar na hIndiaigh sna bailte beaga—*Pueblos*—mar a raibh an seanchogadh ar siúl i gcónaí idir an Phágántacht agus an Chríostaíocht. Bhí sé mór le fiagaithe agus treoraithe ar nós Kit Carson. Is faoi Lamy a scríobh Willa Cather an t-úrscéal cáiliúil *Death Comes for the Archbishop*, agus níor inis sí ann ach leath na fírinne.

Thóg bus an chuid eile den tslí mé go Santa Fé. Thugas iarracht faoi chomhrá a dhéanamh leis an tiománaí, fear beag donn dreoite a raibh blas na Spáinnise ar a chaint. Ach ní cheadódh an bhean ard bhríomhar é! Bhriseadh sí isteach orainn i ndiaidh gach dara abairte. Maidir le beocht choirp agus meoin, níor casadh a leithéid riamh orm. Níor fhan sí socair ina suíochán aon leathneomat, ná níor stad sí ach ag stealladh cainte. Thomhais mé im aigne go raibh sí tuairim caoga bliain d'aois, agus b'fhada ón gceart mé. D'inis sí dhom go mórálach go raibh cúig bliana agus seachtó slánaithe aici ; gur tógadh i New Orleans í ; gur Shasanach a máthair agus *cajune* a hathair ; gur chuimhin léi an t-am a dtéadh na páistí cosnocht fan bruacha na habhann. Chomhairligh sí dhom súil a choimeád anairde, go bhfaighinn mo chéad radharc ar Shanta Fé. ' Féach anois,' ar sise. 'Chífidh tú Santa Fé i gceann neomait. Níl radharc is áille ar domhan.' D'fhéachas, agus b'fhada leadránach an neomat é. Chuamar thar tithe dóibe, bán is buí, agus crainn *piñon* nó iúinipéir mórthimpeall orthu. Thugas faoi deara an díon cothrom agus an póirse leathan a raibh cinn na bhfrathacha ag gobadh amach aisti ar an sean-nós Mexiceach. Féar scáinte agus crainn chraptha gann ar an talamh dearg dóite. Scáth na gcnocán ag síneadh. Bhíos ag tnúth leis an radharc iontach. . . .

Ghabhamar thar mullach cnoic agus bhagair an

tiománaí ar an machaire leathan réidh thíos fúinn. Dar leis an seanbhean óigeanta ba chóir dom bheith ar mire le háthas um an taca seo. Ní rabhas. Is é chonac uaim síos lear mór tithe dóibe, iad scaipithe amach ó chéile i measc crann agus torthaí. Sa tsolas glé glan bhíos in ann gach gné díobh a fheiscint chomh léir is dá mbeimis buailte suas leo. Céad míle uainn bhí beann sléibhe le feiscint go soiléir cruinn i gcoinne goirme na spéire. Ní sclóndar d'fhág an radharc ionam ach ciúnas.

Chonacthas dom go raibh cosúlacht éigin idir an chathair sin agus radharc a fuaireas ó bhóthar sléibhe, lá fómhair, ar an duthaigh soir ó Livorno san Iodáil. Samhlaíodh dom, agus ní fheadar cé an fáth, go rabhas athuair i dtír a tháinig faoi anál na Romhánach. Bhíos ag áireamh mionrudaí: bhí póirsí na dtithe cosúil le póirsí Iodáileacha ; nár den tsíol Romhánach iad na *conquistadores*, Spáinnigh, a chuir an tír seo uile faoi smacht ? Dá bhféadfadh an tiománaí a ghinealach a ríomhadh ná raghadh gabhal sleachta dhe siar go ball éigin i seanríocht na Spáinne ? Nach Spáinnis na hainmneacha anseo ar chnocán is sliabh, ar bóthar is doimhneog thirim, agus ar an gcathair—*La Villa Real de la Santa Fé de San Francisco de Assisi.*

Fanaim im shuí sa chearnóg. Tá an bheirt chailín imithe. D'éiríodar nuair bualadh clog na hArd-Eaglaise, chraitheadar na blátha as a gcuid gruaige, agus d'fhéachadar go claon cuthail ormsa ag imeacht dóibh. Tá an chearnóg folamh anois. Litir ó Éirinn anseo agam.

Scéala óm mhuintir féin. Dea-scéala é. Níl imní ná uaigneas orm. Athléim ; ach tá an solas ag imeacht is an spéir á bánú. Tá an fhionnuaire ag teacht.

Suas an tsráid chúng liom agus trasna droichid gur shroicheas proinnteach beag dóibe. An béile ba bhlasta dá bhfuaireas fós i Meiriceá. Níor fhágas braon den anraith inniún . . . ach sháraigh na gliomaigh orm. Amach liom arís. Os mo chomhair amach bhí lampa mór ar lasadh os cionn doras séipéil—Séipéal San Miguel—agus chuas ag léamh an fhógra ar an bhfalla. Bhí an séipéal ann sar ar sheol an *Mayflower* amach . . . . Foirgneamh dóibe é, ach cheil an dorchadas an milleadh atá déanta ag an aimsir ar na fallaí. Tá cláracha an dorais spallta scoilte ag an ngréin. Ní úsáidtear an séipéal anois, ach deir an fógra bualadh ar an doras más mian leat dul isteach. Dá mbualfainn cé thiocfadh ? Go deimhin ní thiocfadh an té b'ansa liom—bráthair d'Ord San Proinsias, a labhradh faoi ríocht Chríosta nuair bhí Impireacht na Spáinne i réim.

An 26ú Bealtaine : Santa Fé

BHÍ AN DRÚCHT AG LONRADH ar fhéar an chlóis nó an *patio* nuair bhuaileas isteach i bPálas na gCeannairí maidin inniu. Bhí blátha na gcrann cadhain ag titim ina gceatha tiubha fós. Iad ina mbrat bog bán faoi mo chosa. Bhí leisce na maidne orm. Ba mhian liom luí síos faoi scáth an chrainn ársa sailí ag ceann na faiche.

Seodlann an *patio* anois. B'í príomhionad rialtais na Spáinneach i New Mexico tráth agus is inti chónaíodh na ceannairí a mbíodh údarás an rí féin acu. Nuair bhris na Meiriceánaigh, faoin nGinearál Kearney, greim na Spáinne ar New Mexico, tháinig lá na gceannairí nua, ach níor thuig cuid acu ársacht agus stairiúlacht an Pháláis agus bhí moll mór de sheanpháipéirí luachmhara dóite ag duine amháin díobh sarar aithnigh oifigeach léannta éigin an díobháil a bhí á dhéanamh. Ní mar a chéile iad agus Meiriceánaigh an lae inniu anseo. Eisiompláir don domhan Seodlann New Mexico. Tá scéalta na dtrí gciníocha le léamh sna hiarsmaí ann. Cé gur iomadúil iad na hiarsmaí d'fhág na Spáinnigh ina ndiaidh, idir nósa agus teanga, uirlisí, pictiúirí, séipéil agus tithe, tá a ré caite. Labhartar canúint den Spáinnis fós agus go deimhin tá formhór na siopadóirí dhá-theangach, ach deirtear liom nach fada go mbeidh Béarla na Meiriceánach i réim. Tá na hIndiaigh ann fós. Baineadh a gcuid talún díobh ; maraíodh iad ; deineadh creach is léirscrios orthu ; leagadh is dódh a mbailte ; tiomáineadh isteach i limistéirí teoranta iad ; ach mairid. Chreideadh na Meiriceánaigh tráth gur dhrochdhuine gach Indiach beo agus ba laoch acu an fear a mhairbh Indiaigh ina gcéadta. Ach bhí a laochra féin, agus a n-insint féin ar an scéal, acusan. Ag cosaint a dtailte ar shladairí bána a bhíodar. Throideadar go mb'éigean dóibh geilleadh do na slóite saighdiúirí, do na gunnaí nua, agus don ghorta. A thúisce a bhí na hIndiaigh faoi smacht acu tháinig na Meiriceánaigh ar mhalairt aigne, ach níor mhalairt é a thug a gceart do na hIndiaigh a bhí fágtha.

Cad d'fhéadfaí a dhéanamh ? An bhféadfaí an ceart a dhéanamh gan an saol a thiontó bun os cionn ? . . . Aithníonn na Meiriceánaigh anois go raibh cultúr tábhachtach ag na fir dhearga.

Bhí cultúr faoi leith ag Spáinnigh New Mexico freisin. Níor den Spáinn é. Sa tír nua sea d'fhás sé, i bhfad ó thionchur Mhadrid. Thug na céad-imirceoirí nósa agus canúintí, cearda agus ealaíona na Spáinne leo amach san iargúltacht ach b'éigean iad a chur in oiriúint don dúthaigh nua. B'éigean don dream sin braith orthu féin. D'fhídís a gcuid éadaí ; chumaidís na huirlisí ; agus dhealbhaídís agus dhathaídís don tséipéal agus don eaglais. *Santero* a tugtaí ar an ealaíontóir, agus tá a shaothar le feiscint i ngach séipéal. Ní bhíodh aon léann ar a leithéidí, ach bhídís cliste diaganta agus tá sin le haireachtaint go soiléir ar na híomhátha—na *santos*. Tá dhá shaghas *santo* ann, *retablos* agus *bultos*, agus chonaiceas na céadta samplaí. *Bultos* na dealbha d'Íosa Críost, den Mhaighdin Muire agus de na naoimh. As adhmad an chrainn chadhain nó an chrainn ghiúise a gearrtaí iad, nó iad a mhúnlú den chré chailceach. Cuirtí datha geala is culaithe ornáideacha orthu, agus is minic a chítear San Antóin agus hata leathan dubh Spáinneach air agus cóta mór fada. Ní cuimhin liom anois cé hí an bhan-naomh a gcuirtear gúna fada bán uirthi mar bheadh ar chailín óg ag gabháil chuig rince. Táim cinnte ná taitneodh formhór na *mbultos* le muintir na hÉireann, mar is beag ár meas ar an macántacht i gcúrsaí ealaíne. B'fhearr le sagart paróiste nó le máthair-ab dul chuig ceann de na monarchana ina ndeintear dealbha cré ina mílte.

Agus ní thaitneodh an dara shaghas *santo* leo ach oiread. Is iad sin na *retablos*, pictiúirí daite ar phíosa adhmaid. Tá dealramh casta mínádúrtha ar na pictiúirí, ach ná féadfaí an rud céanna a rá faoina raibh de dhealbha agus de phictiúirí ann sa Mheánaois ?

Fear darb ainm Albert Eli a threoraigh trí Phálás na gCeannairí mé agus mura mbeadh a chuid léinn ní thuigfinn puinn dá raibh le feiscint. Mhínigh sé dhom conas mar scaradh na Spáinnigh amach do réir a chéile ó thionchur na hEorpa, nó gur threabhadar a gclais féin. Mar sin, thugaidís onóir do naoimh a ligeadh i ndíchuimhne i ngach tír eile. Thaispeáin sé dhom *retablos*, dearg agus gorm agus glas agus órbhuí, de naoimh a fuair bás i gcatacóim na Róimhe. Ní bheadh a n-ainm ag éinne ach na scoláirí anois. Cladrán agus latrach is mó atá sa tír seo. Fíorghann an talamh arbhair. Bhí díomá i ndán do na *conquistadores* a tháinig ar lorg an óir. Ach d'fhanadar, agus maireann a gcreideamh.

Má sea, tá nósa na seanphágántachta ann fós i measc na nIndiach. Cleachtaíd rincí agus gnása diagantais a sinsear. Chuirfeadh cuid acu déistean ar mhoncaí ach chuirfeadh roinnt eile, go mórmhór na rincí, ríméad ar éinne. Gníomha onóra iad don Spiorad a chuireann ann an t-arbhar agus an lá, an teas, an samhradh agus an t-uisce. Caitheann na rinceoirí adharca, cinn, agus seithí ainmhithe áirithe. Deintear chuile shórt do réir rialacha a bhí ann roimh theacht na Spáinneach. Dúirt Albert Eli liom gur sár-rinceoirí iad toisc gur sárealaíontóirí iad. Chítear dom gur fíor dó. Gach pictiúir, crios, pampúta, crúiscín, pota cré agus súsa dá bhfaca, ba den ealaín é.

Ba gheall le saothar máistir trí phictiúirí áirithe d'fhianna allta. Cé dhathaigh iad? Garsúin as *pueblos* cois na hAbhann Móire—Rio Grande na scéal.

Tá seodlann eile tamall amach ón gcathair agus árthaí cré ina gcéadta ann. Mhínigh Eli rud ina dtaobh nár chualas riamh. Tá cuid de na heascraí chomh beag leis na crúiscíní bainne a bhíonn againne, agus tá cuid de na potaí chomh mór go seasfadh fear iontu. Iad donn nó dubh agus figiúirí línithe nó daite ar a bhformhór. Gheibhtear na datha as sú plandaí áirithe agus deintear an deannadh le scuaibíní de phlanda eile. Ar éigin d'fhéadas é chreidiúint nuair d'inis mo chara dhom ná bíonn aon roth criadóireachta ag na hIndiaigh don phota is airde ná don eascra is lú. Casaid an chré fhliuch idir basa na lámh go ndeinid téadán fada dhi. Ansin cornaid na téadáin ar a chéile, agus diaidh ar ndiaidh sa tslí sin tógtar falla an árthaigh. Leatar na datha as sú plandaí air, agus cuirtear i bpoll tine é go mbíonn sé spallta cruaidh.

Tá cearda eile acu seachas dathú is fí is criadóireacht. Sárghaibhne iad, go háirithe na treabhchaistí Zuni agus Navajo. Chonaiceas gabha geal ag obair agus gan d'uirlisí aige ach casúr, siséil bheaga, seantairní, agus múnlóg chré dá dhéantús féin. Ornáid airgid do chóta mná a bhí á dhéanamh aige, agus isteach ina lár chuir sé clocha turcóis a bhí ar ghoirme spéir an tsamhraidh. Ba fear tostach é. Gruaig fhada dhubh air agus glib lena éadan. D'airíos go raibh sé am iniúchadh go mion faoin nglib amach, as na súile doimhne geala. Bhí crios ildaite uime. Dúras le duine dá raibh liom go raibh an crios an-chosúil le cuid Árann, im thír féin. Chuir an gabha cluas air. 'An fíor sin?' ar seisean i gcionn tamaill. D'inseas dó an déanamh a bhíonn orthu. D'fhág sé an casúr i leataoibh agus dhruid sé chugam. 'Inis dom a thuilleadh faoi na daoine sin,' ar seisean. D'inseas. Sheas sé go righin, amharc a dhá shúl sáite im éadan, go raibh deireadh ráite. Ansin, chrom sé a cheann go béasach. 'Go raibh maith agat,' ar seisean.

Bhí blas an Bhéarla ar fheabhas aige agus cheistíos duine de lucht na Seodlainne faoi. 'Cé an fáth ná beadh?' ar seisean. 'Nár múineadh i gcoláiste é? Nár chaith sé tréimhse san arm i rith an chogaidh? Sár-fhoghlaimeoirí na hIndiaigh. Foghlamaíd teangacha gan aon stró. Dá mbeadh aontas eatarthu fadó agus airm thine acu, bheadh na mánna móra fúthu fós. Nó pé scéal é, ní bheidís mar atáid.'

Ag Dia atá a fhios cé an deireadh a bheas lena scéal. Ní fada ó ghéill siad—seasca bliain nó mar sin—agus is cuimhin liom mar a labhair taoiseach acu nuair briseadh air féin agus ar a chine: 'Táim tuirseach den chogadh. Tá na taoisigh uile básaithe. Tá na seanfhir uile marbh. Níl treoraí ag na fir óga. Tá an fuacht ann, agus táimid gan brat. Tá na páistí beaga ag fáil bháis. Tá mo mhuintir ar teitheadh sna sléibhte, gan dídean gan cothú. Ní fios cá bhfuilid. Is mian liom dul ag cuardach mo chuid páistí. B'fhéidir gur marbh atáid. Éist liom a thaoisigh. Tá mo chroí briste. Táimse réidh.'

Bua na bhfear geal!

An 27ú Bealtaine : Sante Fé

ISTOÍCHE atáim ag scríobh. Ciúnas sa chathair. Dordán eitleán amuigh i dtreo Los Alamos, mar a ndeintear na bombaí adamhacha. Ceol cloigín áit éigin.

Chuir bean as Texas ag gáirí inniu mé ag doras Phálás na gCeannairí. Bhí spéaclaí móra ar a sróin agus seoidíní geala sa bhfráma. Hata buí ard uirthi, léine ildaite, bríste fada agus buataisí móra. Chrom sí síos le rud éigin a cheannach ó Indiach a bhí ina shuí ar an talamh. Fuair an domhan radharc ar thóin chomh leathan ramhar le tóin bhó.

Labhras le múinteoir ealaíne i gCeardscoil na nIndiach ar maidin. Thaispeán sé a thuilleadh creasa, blaincéidí, ornáidí airgid agus pampútaí leathair dom. Agus ina dhiaidh sin cófraí móra lán de phictiúirí. An raibh na méara chomh haiclí cliste ag aon chine eile riamh ? Ní raibh sa domhan thiar. Ní mór dul soir, chun na Seapáine, chun teacht ar a leithéid eile. Ar éigin a chreideas an múinteoir—Indiach—nuair d'inis sé dom ná bíonn aon eisiompláir os comhair a súl agus iad ag líniú nó ag dathú capall nó fia nó crann nó fionnán garbh ard an fhásaigh.

'Tá sé dochreidte,' adúrt.

Chraith sé a lámha.

'Indiach tú féin,' arsa mé. 'Tuigeann tú an scéal. Cá bhfaighid an chlisteacht, an tsolúbthacht aigne ? '

‘ Ní thuigim.’

‘ Is gá eisiomapláir éigin do dhathadóir. Deirir ná bíonn aon chuspa os a gcomhair sa scoil seo. Ní foláir nó bíonn eisiompláirí ina n-aigne. Cá bhfaighid iad ? ’

‘ Tuigim anois. Féach. Is beag rud a bhíonn againne. Na crainn. An féar. Na capaill. Na potaí. Na figiúirí ar bhlaincéidí. Na rincí. Is iad sin na nithe a chímid ón gcéad lá. Bíonn na foirmeacha breacaithe ar an gcuimhne. Is eol dúinn iad mar is eol dúinn na focla is coitianta inár gcanúint.’

Saghas urlabhra is ea ealaí na nIndiach. Bíonn sí acu ón gcliabhán beagnach. Foghlamaíd an *habitudo* i nganfhios dóibh féin, i dtreo go mbíonn urlámhas acu ar na datha agus ar an gcré sara mbíonn aois a hocht nó a naoi slánaithe acu. Ach ní hionann an bhua ghliocais seo, dá éachtaí, agus an fhíorealaín. Is ceard í, abraimis, agus is ceard í trína bhfaigheann siad a léargas féin ar an saol. Ar an slí sin éiríonn na sárdhathadóirí nó na sárchriadóirí suas ; agus táid éirithe i measc na nIndiach cheana. Cé gur rud nua ina measc an dobhar-dhathaireacht is beag dream a sháródh anois iad.

Casadh gabha geal eile orm in oifig sa Phálás inniu. Bhí lán mála d’ornáidí airgid agus turcóise aige. Folt fada righin garbh chomh dubh le pic air. Leicne arda. Súile doimhne dubha. Craiceann ar dhath *café au lait*. É ag rolladh toitíní dhó féin idir méara na láimhe clé. Donn agus glasgeal datha a chóta ; léine ghlas ; bóna dearg ; carabhat corcra ; bríste salach buí ; pampútaí ornáideacha. Bhíomar uair a chloig le chéile, ach theip orm níos mó ná cúpla focal a bhaint as. É chomh ciúin le deilbh chloiche.

An 28ú Bealtaine : Santa Fé

Tá an tádh liom na laethe seo. Thug duine ón gceardscoil ina theannta mé ar chuairt go *pueblo* San Ildefonso ; agus ar an slí dhúinn mhínigh sé mórán dom faoi stair agus faoi shaol na *pueblos*. Tá an-tóir agam anois ar an eolas seo. Thosnaigh an múinteoir ag magadh fúm, á rá go rabhas ar lorg mo shinsear.

Focal Spáinneach *pueblo*. Tá a bhformhór suite in abhanntrach an Rio Grande. Dhá ainm orthu, Spáinneach agus Indiach, mar seo :

San Lorenzo — Picuris
Isleta — Fuei
San Juan — Oke'onwi
San Ildefonso — Poqwoqe'onwi.

Is é a mhíniú sin nár ghlac na hIndiaigh riamh le cultúr na Spáinneach ach gur choimeádadar greim daingean ar a nósa féin. Tá dhá ainm freisin ar gach Indiach beagnach —ceann a fuair sé nuair baisteadh ina Chríostaí é, agus an ceann a thug a chine féin air. Rafael a baisteadh ar an ngabha geal a rabhas ag iarraidh comhrá leis inné, ach ní inseodh sé an t-ainm Indiach dom.

Bhreacas síos na logainmneacha seo ar *pueblos* san abhanntrach ; Taos, Picuris, San Juan, Santa Clara, Jemez, Santa Ana, Cochite mar a ndeintear dromaí móra, agus San Ildefonso mar a bhfuil na sárchriadóirí. Tá a rialtas féin ag gach *pueblo* agus bíonn cúram an bhaile ar an gCeannaire. Ach is é an duine is tábhachtaí an *cacique*, saghas sagairt nó draoi a mbíonn air gach ní a bhaineann le seanchreideamh págánach na nIndiach a rialú—na paidreacha le linn an síol a chur nó an t-arbhar a bhaint, na rincí coisreactha, etc. Bíonn cúntóirí aige agus is acusan a bhíonn rincí na saosúr go cruinn ceart gan céim ná gluaiseacht amú. B'ionann an dearmad ba lú agus mallacht Dé a tharraingt anuas ar an áit. Bíonn *sacrista* ag an draoi mar a gcoimeádann sé na balcaisí, na haighthe fidil, seithí, adharca, cleití. Caitheann sé féin agus a chúntóirí tréimhse fhada istigh ann, gan bia gan deoch, roimh gach ócáid rince nó paidreoireachta. *Kiva* a gairmtear ar an seomra seo. Bíonn a bharr le feiscint gan fuinneog gan doras i lár an *pueblo* : ach bíonn an chuid is tábhachtaí go doimhin faoi thalamh. Bíonn poll sa díon agus téitear síos isteach ar dhréimire. Ní fios d'aon fhear bán céard a deintear istigh i *Kiva*. Rúndiamhar é nár scaoil aon Indiach riamh agus theip ar bhráithre beannaithe agus ar *conquistadores* a réim fhada a bhriseadh. Mar sin atá fós cé go mbíonn séipéal nó eaglais ina sheasamh i ngach *pueblo*.

Uaireanta tagann an dá chreideamh i gcomhar aisteach le chéile. In áit amháin—San Ildefonso sílim —tar éis Aifreann na meánoíche um Nollaig bailíonn na rinceoirí isteach sa séipéal, faoina lánghléasadh págánach, agus deintear na seanghothaí mórthimpeall an mháinséir, le ceol agus cantan.

Is é a chiallaíonn an t-ainm Indiach ar San Ildefonso (*Poqwoqe'onwi*) ' an pueblo a ngearrann an t-uisce a shlí síos ann.' Ar an taobh thoir d'abhanntrach Rio an

Grande atá sé, timpeall fiche míle amach ó Santa Fé. Áitreabh daoine é riamh ó 1300 A.D. Ar an mbóthar dúinn ghabhamar thar machaire a bhí breacaithe le toir chraptha agus paistí den gharbhfhéar speathánach. Tá cuid de na cnocáin caite ídithe ag an aimsir, go háirithe ag an ngaoith, ionas ná fuil iontu ach lomthúir nó galláin. An chré bhuí ina luaithreach mhín ag an ngréin agus an ghaoth ag séideadh scamall di ar fuaid na tíre, gur múchadh na sléibhte orainn faoin gceo órga. D'ardaigh an múinteoir fuinneoga an ghluaisteáin ach d'éalaigh an smúit isteach orainn agus mhothaíos idir na fiacla í. Fiche míle amach ó Santa Fé scaramar leis an mbóthar mór agus ghabhamar ar bhóthar cré go dtí an *pueblo*.

Ag geata an *pueblo* is gnáthach an séipéal a bheith, agus díon iarainn air. Mór idir an tír seo agus an Eoraip, mar a seasann an eaglais i lár an bhaile á fhógairt gurbh é an Creideamh dúnphort na ndaoine tráth éigin, murab ea fós.

Tá dhá phlás nó cearnóg i San Ildefonso mar atá i bhformhór na sráidbhailte seo ; agus tá baint ag an deighilt sin leis an gcráifeacht phágánach. Roinntear an bhliain ina dá leath—samhradh agus geimhreadh—agus ar an gcuma chéanna bíonn dhá aicme cúntóirí ag an draoi mór—buíon an tsamhraidh agus buíon an gheimhridh. Bíonn rincí agus paidreacha ar leith ag an dá dhream. Toghtar lucht an gheimhridh i measc muintir an phláis thuaidh agus an dara bhuíon ón bplás eile.

D'fhágamar an gluaisteán sa phlás theas. Ní raibh ann ach beirt leanbh agus seanfhear suite i lár slí faoi scáth an chrainn chadhain. Ar thaobh amháin tá trí soirn agus cuma chruiceoige orthu. Iontu a bhácálann na mná an t-arán. Tá tithe dóibe ar thrí shleasa den phlás agus iad geal slachtmhar, na fuinneoga is na doirse daite go breá gorm nó glas.

Shuíomar ar fhalla íseal. Bhí an múinteoir ag feitheamh le duine éigin. D'ardaigh cuaifeach gaoithe an smúit leis timpeall an phláis. Shílfeá ar an sioscadh i nduilliúr an chrainn mhóir gur cois farraige bhíomar.

Faoi dheireadh, d'éirigh an múinteoir, agus ar seisean: ' Ní thiocfaidh mo chara. Ar mhaith leat bualadh isteach chuig ceann de na criadóirí is mó clú i New Mexico? Díoltar a cuid potaí i San Francisco, Nua-Eabhrac agus Páras. Tá an chriadóireacht dubh aici.'

' An í Maria Martinez í? ' arsa mise.

' Is í go deimhin. Tá a scéal agat? '

' Cuid de. Chonaiceas roinnt dá saothar sa tseodlann thuas. Ní fhacas a leithéid riamh in aon áit. D'inis Albert Eli dhom gur cailleadh ceard na dúchriadóireachta i measc na nIndiach blianta ó shin ach gur aimsigh Maria agus a fear céile an modh arís. Cá bhfuil an fear anois? '

' Marbh. Eisean a chumadh na gréasáin. Ní raibh agus ní bheidh a shárú le fáil. Tar liom.'

Chuamar go dtí an plás thuaidh agus ghabhamar thar an *Kiva* go teach na baintrí. Bhí an doras dúnta. Chnag an múinteoir ach ní raibh éinne istigh. Bhíos ag féachaint timpeall ar na fallaí cloch agus ar na seantithe, á rá liom féin gur chosúil an áit le baile beag sa Ghaeltacht thiar, nuair ghlaoigh an tseanbhean ramhar orainn ó dhoras cró tamall anonn. D'aithníos í láithreach ó phictiúirí atá sa tseodlann.

Tháinig sí chugainn go cuirtéiseach. Bean bheag í agus neart fir inti. Scríobh an saol na céadta líne soléite ar a gnúis ach níor sháraigh an cruatan ná an dólás ar an gcroí inti. Bhí aoibh an gháire uirthi feadh an ama, mar a bheadh ar sheanbhean rialta agus bhí an mheidhir sna súile geala faoin nglib aici. Ghlan sí a méara ar a haprún agus shín sí lámh chugainn. ' Fáilte,' ar sise, ' fáilte romhaibh. Tagaigí isteach.'

Threoraigh sí isteach sa teach sinn agus ghlan sí cathaoireacha cistine le hearball a haprúin, mar a dheineadh mo sheanmháthair do stróinséirí. D'iniúchas an áit go tapaidh. Chífeadh duine ar leathshúil go raibh iarsmaí dhá chultúr ann agus fós gur bheag an bhaint a bhí idir an dá chultúr in aigne na seanmhná. Ba dheacair a chreidiúint gurbh í an aigne chéanna a thogh na pictiúirí is na baill troscáin seo agus a chum na gréithre cré a bhfuil clú orthu ó cheann ceann Mheiriceá. Línó ar an urlár. Lear mór dealbh naofa ar na seilfeanna. An Teaghlach Beannaithe agus San Antóin agus roinnt eile nár aithníos. Ar an bhfalla bhí liaghrafa den déanamh is gránna. Cérbh é an naomh bocht a raibh an choróin de bhlátha fiáine air agus an pus leanbaí? D'aithníos an drochealaín cheanann chéanna atá faoi réim i dtithe na hÉireann agus i mórchuid de na séipéil. Ach bhí a mhalairt le feiscint sa chistin. Ar an mbord fada bhí crúiscíní is eascraí is potaí cré, iad úr ó láimh na seanmhná, ullamh don tine ; agus bhí gach ceann riamh ar fheabhas.

Shíneas mo mhéar i dtreo árthaigh a raibh crot

amphora Ghréigigh air. 'A Mharia,' adúrt, 'tá sé gar do bheith ina mhíorúilt. Conas a chumann tú iad gan roth criadóra.'

Phléasc a gáire uirthi, agus b'shiúd na súile dúnta go teann aici le racht na meidhre. 'Ní raibh rotha riamh againn,' ar sise. 'Níl againn ach ár lámha. Ár lámha.'

'Táir gnóthach ?'

'Mhuise tá. Ní fheadar cá n-éalaíonn an t-am, ó mhaidin go hoíche.'

'An mbeadh aon rud le díol agat ?'

Mhachnaigh sí agus a lámh ramhar, bán le cré thirim, ar a smig aici. 'Is mór an trua é, ach níl tada agam.'

'Féach, Maria,' arsa an múinteoir, 'an mbeifeá i ndon sreath d'árthaí a dhéanamh don rialtas i Washington ?'

Chuadar ag comhrá le chéile. D'aithníos ná cuirfeadh aon duine ná dream dithneas uirthi. Dhéanfadh sí a cuid oibre do réir a tola. Chuala an múinteoir á rá gur chóir di dul chuig iolscoil éigin an tseachtain seo—duais atá le bronnadh uirthi de bharr a saothair.

Ag imeacht dúinn chraitheas lámh léi agus arsa mise, 'Go mbeannaí Dia do lámha.'

'Ní dúirt éinne a leithéid riamh liom,' ar sise, agus rug sí barróg orm.

Ghabhamar trasna an phláis go teach ina raibh criadóir mná eile, Rosa Gonzales. Tá sise níos óige ná Maria agus níl an anamúlacht chéanna inti ach mar sin féin shílfeá gur deirféaracha an bheirt. Thug sí isteach sa phárlús sinn agus d'fhanamar ag comhrá gur cheannaíos babhla maisiúil dubh ar thrí dhollaer go leith. Bhí níos mó dealbh agus pictiúirí naofa aicisin ná ag Maria. Dhá dheilbh den Teaghlach Beannaithe, agus ní fheadar an mó ceann de Shan Antóin ar aon seilf amháin.

'Cé hé an naomh is ansa leat?' arsa mise.

'Ní thuigim, a dhuine uasail.'

'Cé leis is mó adeirir do phaidreacha?'

'Ó,' ar sise, 'an Teaghlach Beannaithe.' Bhuail sí a basa ar a chéile. 'Sea, an Teaghlach Beannaithe.'

'Cé eile?'

'San Antóin,' ar sise, agus d'fhéach sí i dtreo an chúinne mar a raibh scata dealbh den naomh sin. Bhí sí mar a bheadh páiste ag tnúth le focal geana óna hathair.

An 29ú-30ú Bealtaine: Santa Fé

Go nAIMSÍ San Antóin m'uaireadóir atá caillte!

Inniu an Satharn. Fuaireas beart litreacha ó Bhaile Átha Cliath agus shuíos ar bhinse i lár an Phlaza á léamh. Ní raibh drochscéala in aon cheann, ach mar sin féin chuireadar an ghruaim orm. Orm féin an locht. Chromas ar mhachnamh ar na mílte míle de thaisteal atá idir Santa Fé agus an baile. Ba mhian liom bheith i measc mo mhuintire. Amaidí! Amaidí! Ach sílim gur fearr a thuigim anois cad is cumha dheoraí ann. Agus tá brí na deoraíochta fite fuaite i scéal Mheiriceá. Ó thosach riamh tá an dá shaghas duine anseo: an dream a thugann grá iomlán a gcroí don tír nua, agus an dream ná scarann a gcuimhne riamh le tír a sinsear. Is aoibhne don chéad sort.

Ní bheadh féile na Meiriceánach inste agam dá scríobhfainn fiche leabhar! Thug Bean Uí Cheallaigh, as an seodlann, cuireadh dhom dul léi féin agus lena dearthàir go dtí an baile beag Spáinneach Chimayó i measc na sléibhte, cois sruthán Santa Cruz. Beidh áthas orm feadh mo shaoil gur ghlacas leis. 'Ní thuigfidh tú aigne na Spáinneach i New Mexico,' ar sise liom, 'mura dtagann tú linne.' B'fhíor di.

Ghabhamar ó thuaidh trí na sléibhte gur shroicheamar an dúthaigh ard arúil sin. Samhlaíodh dom gur i measc na nAlp san Eilbhéis a bhíos, mar a bhfuil na feirmeacha beaga slachtmhara agus na beithígh bheathaithe. Bhí an sneachta ag leá ar na sléibhte agus na srutha is na haibhnte beaga lán go bruach. An t-uisce fuar glé ag sní trí na díoga ó ghort go gort agus trasna na mbóithre cúnga. Anseo is ansiúd bhí sé tar éis briseadh amach as na páirceanna. Bhí rian an ratha ar na garraithe is na húllghoirt is na tithe dóibe feirme. Chonaiceas finiúna ag fás go tiubh os cionn póirse amháin mar a raibh seanfhear liath ina shuí faoi scáth an duilliúir agus hata dubh leathan Spáinneach air. Ba dheacair a chreidiúint gur de thír Mheiriceá an radharc.

Daoine cráifeacha iad sa ghleann seo Santa Cruz. Tá peannadóirí—*penitentes*—an Treas Oird de Bhráithre Shan Proinsias in ardréim ina measc agus is dócha gur amhlaidh a bhí riamh ó tháinig na Spáinnigh. Glacaid pionóis orthu féin a chuirfeadh uafás ar dhaoine cráifeacha na hÉireann, fiú ar oilithrigh Locha Deirg. Seachtain na Páise sciúrsálaid a gcorp féin agus deinid troscadh iomlán in onóir do Chéasadh Chríosta. Tá sé curtha amach orthu go ndeinidís duine den ord a shíneadh ar chrois Aoine an Chéasta agus go bhfágtaí an fear bocht ar crochadh ann go mbíodh sé i mbaol báis. Ní fheadar an fíor, ach tá fhios agam go raibh dímheas ag Ard-Easpaig Santa Fé orthu go dtí le déenaí. Tá scrínte nó séipéil na bPeannadóirí le feiscint ar fuaid na tíre. *Moradas* a tugtar orthu. Chonaiceas ceann ar mhullach cnoic ar an mbóthar go Chimayó. Teach beag bán adhmaid é agus cros mhór in aice leis. Seachtain na Páise bailíonn na Peannadóirí isteach ann agus deinid aithris ar Pháis ár dTiarna. Bíonn mórshiúl acu ina dhiaidh sin. Caithid málaí dubha ar a gceann ach bíonn a ndroim nochtaithe don sciúrsálaí, agus na slata *yucca* ag baint fola astu. Iompraíonn duine acu an chros. Seinntear ceol mall dólásach ar an *pito*, gléas ceoil atá cosúil le feadóg.

Faoi dheireadh shroicheamar Chimayó. D'éiríomar as an ngluaisteán agus shiúlamar síos go dtí an áit is mó clú sa bhaile, an *Santuario*. Ghabhamar idir dhá chrann ársa thar díog nó *acequia* gur bhuaileamar isteach sa reilig bheag agus sa chlós atá díreach lasmuigh de dhoras an tséipéilín. Bhí an spéir glan agus leoithne fhonnuar ag séideadh ó na sléibhte gorma agus ó mhullaigh an tsneachta. Fuaim an uisce ag titim síos le taobh na díge agus tafann madra i bhfad uainn sa ghleann. Ach istigh sa *Santuario* bhí ciúnas an bháis.

Tá fallaí feidín ar an séipéal agus tiús trí troithe iontu. Os cionn an dorais tá dhá thúr cearnacha agus cloigín i gceann acu. Tógadh an séipéal i dtosach na naoú aoise déag in onóir do Chros Bheannaithe *Nuestro*

Señor de Esquípulas, el Cristo Negro, i.e. Críost Dubh bhaile Esquípulas i ndeisceart Ghuatemala. Conas a tháinig an deabhóid ón áit sin go Chimayó agus dhá mhíle míle slí eatarthu ? Nuair chuir na *conquistadores* Guatemala faoi smacht, chuireadar baile Esquípulas ar bun agus craoladh an Soiscéal do na hIndiaigh máguaird ach ba leasc leo glacadh leis. Bhí drochamhras acu ar an gcine geal a smachtaigh iad le dúnmharú is dóiteán, slad agus céasadh. Ach chum dealbhóir éigin *bulto* d'adhmad rua—*bulto* maisiúil d'Íosa ar chros ghlas—agus toisc go raibh an t-adhmad ar dhath a gcraiceann féin, ghlac na hIndiaigh leis an gcomhartha. Cuireadh suas an chros i séipéal nua ar bhall ina mbíodh seanscrín phágánach, agus nuair a slánaíodh a lán othar go míorúilteach leath clú na Croise ar fuaid Mheiriceá na Spáinneach. Dhubhaigh ar an íomhá le deatach na gcoinnle agus faoi dheireadh bhí *el Cristo Negro* i mbéal cách. Tá nós aisteach ag gabháil fós leis an deabhóid seo. Tógtar cré mhín bhán—saghas *Kaolin*—ó na sléibhte in aice Esquípulas, deintear cístí beaga dhi, stampáltar pictiúirí den Mhaighdin Muire agus de naoimh eile orthu, beannaítear iad, agus díoltar leis na hoilithrigh iad. Itear na *benditos* seo nó leátar in uisce agus óltar iad le haicídí áirithe a leigheas.

I dtosach na naoú aoise déag chuaigh duine éigin ó Chimayó ar thuras fada. Ní fios d'éinne cérbh é. Ach tháinig sé ar ais agus eolas na deabhóide aige. Gearradh amach cros cosúil le ceann Esquípulas, tógadh séipéal agus cuireadh tús leis an naomhsheanchas atá ann fós. Tá a scéalta féin ag Hispanos agus Indiaigh—scéalta faoi naoimh agus eachtraí iontacha agus míorúiltí. Theipfeadh ar an stairí is géire aigne na gráinní fírinne a scagadh astu anois. Ní léir dúinn ach gur dhein Chimayó aithris ar Esquípulas. Tá poll acu i seomra den *Santuario* agus baintear cré as mar leigheas ar ghalair ar nós dathacha agus múchadh.

Ní fhacas an poll ná an seomra sin, ach chonaiceas an séipéal féin agus thuigeas ann cad a tharlaíonn don chráifeacht nuair ligtear léi gan srian i measc daoine atá beag beann ar an intleacht agus a bhíonn ag síorthnúth le míorúiltí. Blátha i ngairdín an Chreidimh is ea na deabhóidí misteacha, agus mura mbíonn a bpréamha in ithir atá slán folláin, fásann siad fiáin. Táid fásta fiáin go maith timpeall *Santuario* Chimayó.

Bhí an séipéal ag cur thar maoil le dealbha. Bhíodar ina seasamh ina scórtha faoi sholas na gcoinnle is na lampaí. D'éirigh na lasracha suas go righin san aer ciúin brothallach agus d'airíos boladh na céire agus an ola. Laistiar den altóir bhí cros *Nuestro Señor de Esquípulas* ar crochadh, dath glas uirthi agus í ornáidithe le duilleoga órtha. Ar an altóir féin bhí cros eile i mbosca gona dhoras gloine, agus ar dhá thaobh an bhosca bhí ocht ndealbha den *Santo Niño de Atocha*—Naíonán Naofa Atocha. Níor leor sin do dhaoine cráifeacha Chimayó. D'áiríos dhá dhealbh déag den Mhaighdin Muire. Aghaidh bhábóige orthu, bróigíní ornáideacha, agus gúnaí geala síoda. Ar an taobh dheas den tséipéal, i lár an fhalla, bhí dealbh d'ár dTiarna ar muin chapaill, agus é gléasta ar nós *caballero*, fuip ina láimh, hata tuí ar a cheann, spoir agus buataisí ar a chosa. Os a chomhair amach, ar an taobh eile den tséipéal, bhí dealbh ard d'Íosa, clóca corcra air, folt fíorghruaige ar a cheann, deora dearga fola ar a leicne, agus a dhá láimh ceangailte le píosa téadáin. Tháinig mearbhall orm. Dá scríobhainn liosta trí leathanach de na dealbha, dealbh in aghaidh gach líne, ní bheadh a n-áireamh déanta. Bhí na haingil ann, Rafael agus iasc aige, Gabrael agus trúmpa aige, Micheál agus claíomh aige ; Antóin, Proinsias, Seosamh, Ieróm, Gertrude, Rosalie de Palermo, Treasa d'Avila, Stanislaus de Kostka, Eoin de Nepomuceno ; agus a thuilleadh nach aithnid.

Thuirling an ghruaim orm agus mé ag gabháil timpeall sa bhreacsholas. ' Tá Críost agus Muire agus na naoimh uile ina ndraoithe acu. Beag idir na dealbha seo d'adhmad agus cré, d'ór agus d'airgead, agus na híola amhlabhra a bhíodh ag na sean-Indiaigh. Nach cúis scannail iad don bheirt atá im theannta, an bhean lách agus a deartháir ná fuil an Creideamh acu ? Cad déarfadh aon Phrotastúnach, nó págánach, a thiocfadh isteach anseo i measc na gcoinnle agus . . . ' Bhíos ag machnamh mar sin nuair a baineadh geit asam.

Bhí clár leathan adhmaid, cosúil le clár fógraí, ar an bhfalla in aice an dorais agus páipéir greamaithe ina gcéadta air. D'iniúchas iad. Cártaí, grianghrafa agus litreacha d'fhág na hoilithrigh ina ndiaidh, á fhógairt don domhan go bhfuaireadar a raibh uathu agus gur deonadh a n-achainí. An raibh breall orthu ? Nó an raibh breall ormsa ? Ní dom is ealaí breith a thabhairt.

Ag dul síos bóthar an tsléibhe dhúinn d'fhiafraíos den bheirt an raibh aithne acu ar aon duine a chuaigh go dtí an scrín faoi aicíd agus a d'fhill slán folláin.

'Tá aithne agat ar Mharia Martinez?' arsa Bean Uí Cheallaigh liom.

'Tá.'

'Bhuel, tá scrín eile san áit seo, i seomra eile sa *Santuario*. Scrín an Naíonáin Naofa. Tá poll cré istigh ann. Nuair bhí Maria ina páiste bualadh breoite go holc í de ghalar éigin, agus gheall a máthair go ndéanfadh sí oilithreacht chun na scríne dá leigheasfaí an leanbh. Leigheasadh í. Thug an mháthair an páiste léi agus chimil sí an chré bheannaithe dá corp.'

'An cuimhin le Maria é?'

'Is cuimhin.'

Bhí an ghrian ag dul faoi laistiar de na sléibhte. Leath na scátha fuara ar fuaid an ghleanna. Casadh cailín donn orainn ag tiomáint na mbó clár-adharcacha abhaile agus í ag canadh dhi féin. Thíos fúinn ar an má spallta dóite bhí iardhatha an chlapsholais sa tóir ar a chéile agus an ceo buí smúite á ardú le gaoith.

An 31ú Bealtaine: Santa Fé

TÁ NA COSA AG LÚBADH fúm agus is ar éigin fhanaim im dhúiseacht. Chuireas turas trí chéad míle dhíom inniu go sléibhte Jémez agus ina dhiaidh sin go cathair Albuquerque i dteannta Albert Eli agus a chlann.

Ghabhamar an mórbhóthar leathan ó dheas go habhanntrach an Rio Grande. Tá na machairí breac le cnocáin bheaga mar a bhfuil gach tor agus crann suarach casta as a riocht ag an ngaoith. Ach is borb fhásann an garbhfhéar agus an fhiáinsáiste cumhra. Bhrisfeadh an tír seo croí mór misniúil. Ach níor bhris sí croí na Spáinneach a thaistealaíodh na machairí nuair ná raibh bóthar ná casán ann. Tá sí gan uisce gan fothain. Cé an craos a bhí ar na Spáinnigh céanna ? Níor ghéilleadar don tsíon ná don Indiach. Lonnaigh siad san áit seo agus bhunaíodar bailte ar nós Bernalillo. Anseo d'éag an *conquistador* Don Diego de Vargas tar éis an tír a chur faoi smacht in ainm a mháistir Rí na Spáinne. Níor stadamar i mBernalillo. Ar aghaidh linn thar an abhainn bhuí agus trí na coillte glasa. Chonaiceamar na *pueblos* i bhfad uainn, dath cré fionndeirge orthu. Cé go rabhamar ag dul suas isteach sna sléibhte bhí an bóthar go leathan cothrom fúinn fós. Ailltreacha dearga ar gach taobh, crainn ghiúise ar a mbarr agus carraigeacha chomh mór le teach ag a mbun. Srutha agus easa ag titim síos le haill is le creaga, chomh righin sin, dar leis an tsúil, nár léir aon ghluaiseacht iontu ; snátha airgid iad á sníomh síos ar éadan na n-ailltreacha.

Leath na gleannta amach romhainn gur shroicheamar machaire fada cúng mar a bhfuil *pueblo* Jémez cois srutháin. Bhí doras gach teach dóibe dúnta. Ní raibh duine romhainn ach sean-Indiach ina shuí sa smúit bhog doimhin, a dhroim le falla agus é ina chodladh.

'Téimis síos go dtí an séipéal,' arsa Albert, 'go bhfeicfimid an sagart.'

'An sagart ? '

'Sea. Tá Proinsiasach anseo i mbun an *pueblo*. An tAthair Chávez, Fra Angelico Chávez, is ainm dó.

File agus stairí é.'

Tamall síos ón mbaile atá an séipéal agus teach an tsagairt. Ar a n-aghaidh amach tá an scoil. Déanamh an tseanmhisiúin Spáinnigh ar an séipéal. Is oiriúnaí ná aon déanamh eile é don tír agus don aeráid seo.

Tháinig an tAthair Chávez amach agus a aibíd donn air. Fear beag tanaí gealgháireach é gan pioc feola air, a aghaidh agus a lámha dóite ag an ngréin agus tuirse an tsaothair ina shúile.

'Cá bhfuil gach éinne sa *pueblo*, a athair?' arsa mise.

'Istigh. Istigh. Ní fhaca tusa iad ach bí cinnte go bhfuil bhur dtuairisc i ngach teach sa cheantar cheana féin. Éist leis sin.'

Chuireamar cluas orainn agus chualamar dromaí á mbualadh go bog i bhfad uainn sa *pueblo*.

'Bhfuilid ag déanamh comhrá?'

'Ní fheadar,' ar seisean. D'éist sé arís. 'Ní dóigh liom go bhfuil. Sílim go bhfuilid ag cleachtadh i gcóir na rincí. Tagaigí isteach faoin gcrann liom nó maróidh an ghrian sibh.'

Leanamar siar é go clós feirme. Bhí na sciobóil folamh ach thaispeáin sé cliabhán mór lán den mhin Indiach dúinn, é buí agus dearg agus dubh. 'Seo an grán a choimeádann na hIndiaigh beo. Bhí sé acu na mílte blian ó shin agus le cúnamh Dé beidh i gcónaí. Ag gabháil bhuíochais le Dia i dtaobh an ghráin seo a bhíd le linn an rince.' D'fhanamar ag comhrá timpeall an chliabháin ar feadh tamaill gur chuir na beacha a bhí sa ngairdín an ruaig orainn. Bhí teas na gréine ag sú an nirt as mo ghéaga.

Bhuaileamar isteach sa tséipéal. Bhaineas taitneamh as an bhfionnuaire laistigh agus shuíos ag déanamh moille gur airíos an t-allas fuar faoi mo léine. Bhí *bultos* de Thuras na Croise ar na fallaí agus táim cinnte ná facthas nithe níos áille in aon eaglais riamh. Adhmad buí snasta a bhí iontu, é dealbhaithe go healaíonta agus go simplí. D'airigh an sagart an t-ionadh orm. 'Dealbhóir fánach ó Mhexico a ghearr amach iad. Tháinig sé is d'imigh sé. Sin a bhfuil d'eolas againn. B'iontach an dealbhóir é.'

Scaramar leis an sagart agus ar aghaidh linn isteach sna sléibhte. Chaolaigh na gleannta orainn arís go raibh na stairricí carraige go díreach ard os ár gcionn. Bhí dath an deargfhíona ar na sléibhte agus ar an gcré. Is le rialtas an stáit nó rialtas na Stát uile an chuid is mó den tír seo. Tá páirceanna poiblí agus foraoisí anseo ná beadh ann in aon chor dá dtugtaí cead a gcinn do dhaoine santacha áirithe. Ar mhaithe leis an gcoitiantacht a deintear áille na tíre a chaomhnadh agus bhí an choitiantacht romhainn nuair bhuaileamar isteach i gceann de na coillte lenár mbéile a ithe—as an gciseán. Bhí suas le dhá chéad duine idir sean agus óg ansin i measc na gcrann, agus iad ag ullmhú bídh nó ag ithe, ag cantan nó ag súgradh nó ag iascaireacht sa tsruthán sléibhe. Bhí bord garbh anseo agus ansiúd faoin scáth, agus tinteáin nó fulachta cloiche. Áit faoi leith ar leataoibh do na gluaisteáin. Ní heol dom aon choill in Éirinn a bhféadfadh fear a chlann a thabhairt isteach inti chun lá a chaitheamh. Is fada atá 'deireadh na gcoillte ar lár.'

Ach céard tá á dhéanamh againn do na glúnta seo romhainn? Chuas ag spaisteoireacht le hAlbert tar éis an lóin. Tá seaneolas aige ar an tír seo agus ar a coillte dara agus giúise mar is mó tréimhse a chaith sé anseo ar lorg iarsmaí na nIndiach agus na Spáinneach. Tá eolas aige ar na pluaiseanna agus na clóiséadaí cónaithe agus ar fhothracha na mbailte. Thaispeáin sé fothrach amháin dom. *Unshazi*, is é sin, ' an áit a bhfuil na crainn aon-tsíolacha den iúinipéar.' Chuir an áit uaigneas an domhain orm. Bhí na fallaí caite creimithe síos go talamh agus an *Kiva* féin imithe as. Chuamar síos i bpoll doimhin a bhí lán de photaí agus crúiscíní briste agus bhíos in ann cuid de na gréasáin agus na figiúirí orthu a aithint.

' Cár imíodar? '

' Ní fios d'éinne,' arsa mo chara.

' Cé an fáth gur imíodar? '

' Ní fios d'éinne. B'fhéidir gur galar uafar a scuab chun siúil iad. B'fhéidir gurb é an gorta. B'fhéidir gur chuir a naimhde an ruaig orthu. Bhídís anseo fadó. Táid imithe. Ar aghaidh linn.'

D'fhilleamar ar an mbóthar céanna trí *canyon* an tsrutháin—Jémez Creek. B'fhacthas dom go raibh daoine i ngach cúm is gleanntán, ag ligint a scíth faoi na crainn dara nó ag ithe agus ag éisteacht le ceol radio. Bhí slua bailithe ag foinse te mar a dtagann go leor daoine breoite ar mhaithe lena sláinte. Ach níor ólamar aon deoch den uisce leighis. Chuir a bhréantas déistean orainn. Lena linn sin bhí an solas ag dul as sa ghleann, toisc airde na n-ailltreacha. D'airíos go dtiocfadh an oíche níos luaithe anseo ná ar na mánna. D'inis mo chara dhom go ngnáthaíodh na Spáinnigh an áit chéanna agus go bhfuaireadar eolas ar chumhacht an uisce ó na hIndiaigh, sarar bhaineadar an talamh agus an gleann fré chéile dhíobh. Ach níor ghéill siadsan gan dúshlán na Spáinneach a thabhairt go fíochmhar.

'Tá scéal ann faoi sin' arsa Al liom. 'Tar amach ar an mbóthar go dtaispeánfad rud ait duit.' Thuirlingíomar agus shín sé méar i dtreo éadan na haille ar dheis. 'An bhfeiceann tú aon rud?'

'Chím na stairricí géara is na crainn ghiúise.'

'Féach níos ísle. Má fhéachann tú go dian, chífidh tú figiúir ar na carraigeacha.'

D'fhéachas go géar agus faoi dheireadh d'aimsíos carraigeacha bána agus cuma dheilbhe mná orthu. 'Níor tógadh é d'aon-ghnó?' arsa mise.

'Níor tógadh. Leis an bhfigiúir sin a bhaineann an scéal. Nuair tháinig na Spáinnigh, agus nuair chonaic na hIndiaigh go raibh deireadh lena réim sa ghleann, bhailíodar ar bharr na haille agus léimeadar anuas gur briseadh thíos ar na carraigeacha iad. Ach ansin tháinig an crot sin ar na carraigeacha—cruth na Maighdine Muire de Guadalupe—agus ón lá sin amach bhí na hIndiaigh in ann an dubh-léim a thabhairt gan dochar dóibh féin.'

'An gcreideann tú an scéal?'

Chraith sé a ghuaille. 'Is deas an scéal é.'

Bhí dhá fhoirgneamh i ngar don áit ina rabhamar, ceann amháin díobh ina fhothrach ar an taobh chlé den bhóthar, agus an ceann eile ina mhainistir mhaisiúil nua gona fallaí bána agus a fuinneoga de ghloine ildaite. Thugamar cuairt ar an bhfothrach ar dtúis.

Bhí an ghrian ag spalpadh síos ar na seanfhallaí briste bearnacha fionndearga agus mhothaíos an teas iontu faoi mo lámha, agus sa chré faoi bhonn mo bhróga. Is fada an lá ó thosnaigh clocha garbha na bhfallaí ag titim as a chéile, go bhfuair na luibheanna fiáine greim préimhe eatarthu. Go deimhin is fada an lá ó tógadh an misiún Proinsiasach a bhí anseo ó thosach na seachtú aoise déag—céad bliain is caoga roimh an misiún is sine i gCalifornia. Shiúlamar go mall réidh isteach ar urlár an tséipéil, agus d'airíos go rabhamar ag cogarnach i nganfhios dúinn féin. Sciorr éan beag amach as an gcré chalcaithe thar na fallaí briste agus ar m'anam bhain sioscadh na sciathán preab asam. Chuamar suas staighre cloiche agus shuíomar ar ardán beag féarach i measc na seanfhallaí. Ní raibh fonn cainte orainn. Cheapas go raibh na mairbh inár dtimpeall, na bráithre donna, na Spáinnigh mórálacha agus na hIndiaigh ón *pueblo* a bhíodh i ngar don mhainistir sarar fágadh an áit faoin alltacht, agus cheapas dá bhfanainn im thost sa chiúnas go n-inseofaí dhom an drochscéal ar fad agus go dtuigfinn é. Cé an saghas mianta a bhíodh i gcroí na Spáinneach idir shaighdiúirí is sagairt? Dheineadh dream díobh slad ar son an óir agus ghríosaíodh an tsaint iad chun gníomha éachtacha i measc na sléibhte. Dheineadh an dream eile gníomha níos éachtaí ar son Dé. Dála mhuintir na hEorpa an aimsir sin, bhí deighilt mhillteach ina measc idir obair theachtaí Dé agus obair theachtaí an Rí. Ní nach ionadh fágadh mearbhall ar na hIndiaigh, agus má dhiúltaigh na mílte don Chreideamh, má d'éiríodar amach i gcoinne na mainistreach le tine agus sleá, má chlaonadar chun na págántachta, an orthu an locht ? Is deacair an Chros a aithint thar an gclaícmh nuair thagaid le chéile. D'éirigh na hIndiaigh amach arís agus arís sa ghleann seo agus mharaíodar na sagairt. Faoi dheoidh briseadh orthu i ndeireadh na seachtú aoise déag agus theitheadar go tailte na Navajos agus na Hopis, i bhfad óna ndúchas. Ach d'fhilleadar agus thógadar *pueblo* nua atá ann fós. Ansiúd a bhíomar ar maidin leis an Athair Chávez, an baile ciúin mar a bhfuil an smúit go doimhin ar an talamh. Tá deireadh leis an ní Spáinneach agus cine nua na Hispanos atá inniu ann. Tá na Proinsiasaigh ann fós ach i ndeireadh na dála ní dóigh liom gur féidir a rá gur leo an bhua.

D'fhágamar an fothrach agus dithneas orainn. Bhí beartaithe ag Al dul síos ochtó míle go Cathair Albuquerque agus cé go rabhas traochta le siúlóid agus teas ba leasc liom diúltú dhó. Thugamar cuairt ghairid ar an mainistir nua trasna an bhóthair. Brú téarnaimh í ag lucht an Phairicléid, do shagairt ó gach stát. An chéad duine díobh a casadh orm i gclós na mainistreach, b'Éireannach é, seansagart ó Chontae Chorcaí a chaith tréimhse le linn a óige i gColáiste na hIolscoile i mBaile Átha Cliath. Rug sé barróg orm agus líon a dhá shúil le deora. Ba chuma leis na daoine eile a bhí liom nó stróinséirí eile a bhí ag feitheamh sa chlós. Ba leor dó gur Éireannach mise agus d'fhógair sé do chách ná raibh tír ar domhan inchurtha le hÉirinn. Chuir sé sagairt eile in aithne dhom, agus b'Éireannaigh iad uile. Thaispeáin sé seoda na mainistreach dúinn—an fhuinneog bhreá ó Chartres na Fraince agus ceann Chríosta faoi choróin an chéasta daite inti ; na dealbha dara ó Oberammergau ; na pictiúirí a dhathaigh ealaíontóirí Mexiceacha ar fhallaí shéipéal na Maighdine Muire de Guadalupe ; agus thar gach rud, an altóir bheag in onóir do *Legio Mariae*. Níor stad an seanfhear den chaint ar feadh oiread is neomat ná níor lig sé d'éinne focal a chur isteach. B'eagal leat go dtitfeadh sé marbh dá gcuirtí srian lena theanga. Agus sinn ag fágaint slán shleamhnaigh sé cárta poist isteach i bpóca mo chóta agus chogair sé im chluais. ' Tá ainm is seoladh mo mhuintire ar an gcárta sin. Tabhair aire dhó. Nuair shroichfidh tú Éire . . . ' Stad sé. Bhí na deora leis arís agus thiontaigh sé a cheann uaim. ' Nuair shroichfidh tú an baile, abair le duine dem mhuintir go bhfuil an tAthair Tomás ar fónamh.'

' Déanfad.'

' Tabhair aire don chárta, a mhic.'

D'fhéachas sall ar fhothrach an tseanmhisiúin agus ar na hailltreacha uafásacha. ' Inis dom,' adúrt, ' an mbíonn uaigneas ort anseo ? '

Chroch sé a shlinneáin. ' Níl cúis ghearáin agam. Dheara, níl. Ach níl aon tír inchurtha le hÉirinn. Go n-éirí an bóthar libh ! ' D'iompaigh sé agus isteach leis sa mhainistir.

Má leanaim ag scríobh titfidh an peann as mo láimh. Tá Santa Fé ina chodladh agus airím fuacht na hoíche réaltógaí im ghéaga. Ní thiocfaidh liom cuimhneamh go cruinn ar aon eachtra dá dtarla dhúinn ar an mbóthar fada go cathair Albuquerque agus ar ais go Santa Fé. Thit an dorchadas orainn de phreab; thit a gcodladh ar na páistí i gcúl an ghluaisteáin; agus d'éirigh mo chara agus a bhean tostach le tuirse. Tháinig gruaim orm. Amárach fágfad Santa Fé. Ní fada anseo mé ach sílim gur chaitheas leath mo shaoil i measc na ndaoine is láí cineálta i Meiriceá. Is ansa liom an dream seo. Ní chaillid a n-anam le saint chun an airgid. Tá spéis acu i dtraidisiúin. Is cuma leo dath cnis aon fhear, nó cé mhéid airgid atá aige. Dá mb'acmhainn dom é, chaithfinn tréimhse fhada ina measc.

An 1ú-3ú Meitheamh : Denver

CÉ GUR DEAS LIOM DENVER, is oth liom nár fhanas níos faide i Santa Fé. Cathair ghnóthach í seo ach i gcomparáid le Santa Fé níl inti ach fáslach. Tá fuadar faoi gach éinne, agus ní fada go dtuigtear cé an fáth gur leath an chathair amach i dtreo na Rockies le deireannas. Tá níos mó ná fiche míle slí i sráid amháin. Tá crainn ghlasa duilliúracha ag fás fan na sráideanna glana ó cheann ceann na cathrach, agus buíochas le Dia ceilid cuid de na foirgintí cearnacha neamháille. Tá blas gránna den úire gan dignit ag baint leo. Tá stampa an dithnis orthu mar a bhíodh ar na tithe adhmaid anseo rompu, níos lú ná céad bliain ó shin. Ach ní mar a chéile gach ceantar den chathair.

Táim im shuí anois ar bharr na gcéimeanna ag príomhdhoras an Chapitol. Do réir fógra práis ar an bhfalla in aice liom tá an áit seo míle os cionn leibhéal na farraige. Tá an t-aer tirim agus tá faobhar an tseaca tagaithe air mar tá an ghrian ag dul faoi taobh thiar de na Rockies. Tá an solas ag baint spréacharnaigh as an sneachta ná leánn ar na beanna ó cheann ceann na bliana agus shílfeá gur miotal glé snasta éigin é. I gceann tamaillín luífidh an ghrian agus léimfidh an dorchadas thar an machaire atá idir cathair is sléibhte.

Tá lánú aosta ina suí ar an gcéim in aice liom. Druidfead níos gaire dhóibh agus raghad ag comhrá leo.

V

Beirt chairdiúil iad agus dála formhór na ndaoine a chónaíonn anseo, ní i nDenver a rugadh iad. Tagaid go dtí an ball ard sin gach tráthnóna i rith na haimsire te ar son na leoithne fionnuaire agus d'fhonn féachaint ar na Rockies. Dar leo níl radharc níos áille i Meiriceá.

Labhair an fear go leisciúil. ' Sea, baile ciúin é Denver. Ní mar sin a bhíodh sé i dtosach a ré, timpeall céad bliain ó shin, nuair thagadh na mianadóirí isteach ó na sléibhte agus na feirmeoirí isteach ó na machairí. Doirtí fuil an uair úd. Chaithidís an t-ór agus an t-airgead ar ragairne. Bhíodh na stríopaigh anseo, ina mílte ó gach . . . '

' A Sheáin,' arsa an bhean, ' ní gá insint dó go . . . '

' Éist liom,' ar seisean ag gáirí, ' bhí Denver óg uair amháin agus bhí duáilcí na hóige sna daoine ann. Tá sráid fhada ghalánta laistiar den fhoirgneamh seo agus is ann a chónaíodh na milliúnaithe. Ní bhíodh cuntas beacht acu ar an airgead a bhí ag teacht isteach chucu ó na mianaigh. Scaipidís a gcuid. Táid imithe, agus d'fhágadar na hárais bhreátha ina ndiaidh. Ní scaiptear mórán airgid anois. Baile do lucht gnótha cúramacha ceannasacha Denver. Cleachtaíd an eaglais is an teampall. Tógaid scoileanna is ospidéil. Is bancaer mise, agus tá aithne agam orthu. Cárb as duitse ? '

' As Éirinn.'

D'fhéach an bheirt ar a chéile. ' Féach air sin,' arsa an bhean. ' Shíl m'fhear céile gur Albanach tú.'

' Is mó Éireannach atá anseo,' ar seisean. ' Ar chuala tú trácht riamh ar Leadville ? '

' Chuala. Bhfuil scéal agat faoi ? '

' Bhuel, tá. Baile mianadóirí thuas sna sléibhte ab ea Leadville.' Shín sé méar i dtreo na mbeanna. ' Thall ansin. Thagadh na mianadóirí óir agus airgid ina mílte, agus Éireannaigh ina measc. Bhí an t-ádh le cuid acu. Chualas faoi dhuine a bhí ina mhilliúnaí sara raibh sé in ann an t-am a aithint ar an uaireadóir luachmhar a bhíodh aige. Chuaigh sé ag taisteal ar fuaid na hEorpa gur tógadh áras breá mór dó, agus nuair d'fhill sé—scaip sé a raibh aige ar an ragairne. Ní raibh pingin rua aige i ndeireadh a shaoil.'

' *But gee,*' arsa an bhean, ' *he must have had fun!* '

Féachaim i dtreo na sléibhte agus chím go bhfuil dath lasracha dearga ag teacht ar an sneachta agus go bhfuil an dorchadas ag leathadh thar an machaire chugainn. Smaoiním ar na hÉireannaigh a tháinig go Colorado nuair a bhíodh scéalta an óir i mbéal an domhain. Daoine bochta ainbhiosacha ab ea a bhformhór. Théidís suas sna sléibhte fuara fiáine agus, mar adeir an bancaer, bhí an t-ádh le cuid acu, le cuid bheag acu. Briseadh an chuid eile. Fágtaí gan bia gan dídean iad, gan rompu ach dul isteach sna mianaigh ag obair, nó dul le spailpínteacht ó fheirm go feirm. Bhí an domhan úr á thógáil! Níl de thásc ná de thuairisc orthu anois ach clú a gcuid ragairne. Ní tógtha orthu an drabhlas. Is cruaidh a thuillidís pé pléisiúr a bhíodh acu. Rud eile, sheolaidís airgead abhaile chun a muintire. Agus má bhídís mórálach ag filleadh abhaile dhóibh agus mórtasach as a gculaithe geala, as na slabhraí óir agus an sparán ramhar, ní cóir iad a dhaoradh. Nárbh ábhar maíte é gabháil ó Bhoston nó Nua-Eabhrac thar machairí gan teora, trí choillte duaibhseacha, trí bhuíonta na nIndiach, agus ina dhiaidh sin teacht slán ó thart agus gorta, ó na nuabhailte adhmaid mar a mbíodh an gunna ag síorobair, ó na mianaigh agus na sléibhte féin ?

Is cuimhin liom an tseanbhean rialta a casadh orm ar an traen ó Santa Fé go Denver. Bhí sí ag taisteal ina haonar, rud nach gnáthach le mná rialta, agus chonaiceas í ag siúl síos suas an carráiste ag lorg suíocháin. Bhí sí aosta crapaithe. Thairgíos m'áit féin di ach dhiúltaigh sí go fíochmhar. ' Ní ligimse d'aon bhean labhairt liom sa tslí sin,' arsa mise, agus shuigh sí. Bhí sí traochta. Tamall ina dhiaidh sin fógraíodh an lón agus thugas cuireadh dhi teacht liom. Diaidh ar ndiaidh mheallas na scéalta aisti. Bhí sí ag dul ó Albuquerque go Chicago, go príomh-theach an Oird, le faoiseamh míosa bheith aici. Bhí sin ag dul di le fada. D'aithníos go raibh sí traochta amach ach ní admhódh sí gurbh é an obair a bhí ag goilliúint uirthi cé go raibh sí os cionn seachtó. Bhí sí i mbun ospidéil mhóir in Albuquerque.

B'Éireannaigh a hathair is a máthair, a tháinig amach ó Chontae an Chláir go luath in ochtónna na haoise seo caite. Bhí an t-athair marbh le blianta ach bhí an mháthair beo fós, agus í os cionn nócha bliain, san ospidéal thíos in Albuquerque.

' Tá imní orm fúithi,' arsa an tseanbhean rialta. ' Braitheann sí ormsa. Bhíodh an Béarla ar fheabhas aici, ach anois i ndeireadh a saoil is ait an t-athrú atá tagaithe uirthi. Gaeilge a labhrann sí. Uaireanta tuigim í. Ach ní thuigeann éinne eile. Is cuma nó seanbhean Indiach í. Deireann sí na paidreacha as Gaeilge i gcónaí. " A iníon," ar sise, " is í an Ghaeilge teanga na n-aingeal ar neamh, agus ní thuigeann an diabhal í." '

' Ní gá dhi bheith cuthail, má sea . . . '

' Is é an t-aon bhuaireamh amháin atá uirthi nár fhill sí ar Éirinn tráth éigin dá saol.'

' Agus tusa, ar fhill tú riamh ? '

' Níor fhilleas.' Thosnaigh sí ag gáirí. ' Caithfidh mé bheith sásta leis na flaithis.'

Smaoiním ar Éireannaigh eile mar ise. Aithním ar a gcuid chainte nach tír shaolta acu Éire ar chor ar bith, ach ball spioradálta, tír gan corp gan stair, gan talamh gan daoine daonna. Oileán úrghlas í ag snámh ar aigéan na síoraíochta agus má thiteann an bháisteach ann ní báisteach í, má tá daoine ann ní fíordhaoine iad.

Cé chruthaigh an t-oileán iontach sin ? Ní hé Dia a dhein, ach na deoraithe féin. Ní mór liom dóibhsin é. Ach tagann faitíos orm nuair smaoiním go bhfuil daoine in Éirinn féin a chreideann rud éigin mar an gcéanna, a cheapann ná fuil duáilce speisialta ar bith i muintir na hÉireann agus gur cúis náire go deo é ár scríbhneoirí bheith ag fáil locht orthu.

Tá an ghrian imithe síos taobh thiar de na Rockies anois agus na réalta ina seasamh go lonrach san aer.

Fuacht sna leoithní beaga a shéideann trasna na cathrach. I gceann tamaill beidh na sráideanna folamh, mar téitear abhaile go luath i nDenver. Sílfí go rabhthas ag iarraidh díchuimhne a dhéanamh den chathair a bhíodh ann i dtosach na haimsire—nuair bhí Kit Carson agus

Jim Bridger agus Tom Fitzpatrick beo agus na mianadóirí ag brú isteach ina mílte, na piléir ag réiteach argóna agus na meirdreacha—mórchuid díobh as Éirinn—ag scréachaigh sna tábhairní, agus ór buí is airgead geal na sléibhte á scaipeadh go dtí nár fágadh ach na scéalta.

D'éirigh an bancaer is a bhean. ' Táimid ag imeacht,' ar siad. 'Tá sé in am codladh dhúinne. Slán agat. Go n-éirí an bóthar go Chicago leat amárach.'

An 4ú-5ú Meitheamh : Chicago

THEIP GLAN ORM codladh ar an traen aréir agus sinn ag gabháil trasna na mánna móra. Bhíos sách tuirseach agus ba dhual codladh dom chnámha ach bhris an stoirm ba mheasa dá bhfacas riamh orainn. Bhí tormán na toirní gan aon stad inár gcluasa agus an tintreach ag scoilt na spéire. Faoi sholas briotach na splanc fuaireas radharc ar na síormhachairí. Agus nuair a dhúdh sé arís bhíodh soilse na mbailte beaga mar bheadh soilse long ar muir istoíche. Nár smaoin Dante ar áit pheannaide i lár má gan teorann, sa *Purgatorio* nó san *Inferno* ? Talamh gan ísliú gan ardú ; gan crainn gan abhainn ; tintreach is toirneach is uaill chéasta na gaoithe . . . Go n-éirí an bóthar liom adúirt an bancaer !

Chaitheas an tráthnóna sa chlub-charr ag argóint le ceannaí adhmaid, fear saibhir as Oregon, a bhfuil an domhan siúlta aige gan aon tairbhe dá aigne chúng chruaidh. Tá sé ina airteagal creidimh aige nár cheart d'aon rialtas lámh a chur i gcúrsaí tionscail ná tráchtála, gur dual do dhaoine saibhre bheith saibhir, agus gur dual dóibh a thuilleadh saibhris a chruinniú. Níor shíleas go raibh a leithéid fágtha beo !

Col ceathar saibhir salach do Nua-Eabhrac is ea Chicago. Tá sí comónta clamparach callánach mar a bheadh míbhean a fuair greim—greim daingean docht—

ar charn airgid agus ar ghúnaí breátha galánta agus d'áiteodh ar an saol mór gur dea-bhean í, gan smaoineamh ar a muinéal a ní ná ar na sean-nósa a thréigint. Is fíor ná fuil aon tsráid i Nua-Eabhrac níos deise, níos gile ná níos glaine ná an bóthar fan bhruacha Loch Michigan. Gluaiseann tonnta an locha isteach ar nós taoide na farraige goirme ; tá an t-aer folláin ; tá foirgintí arda geala fan na slí. Ach taobh thiar den radharc sin, istigh ar shráideanna na cathrach, tá an salachar i réim. Smúit ar na tithe, bréantas ar na casáin, ainnis ar dhaoine idir dubh agus bán. Gabhann an saibhreas agus an bochtanas taobh le taobh ; sleamhnaíonn gluaisteán mór maisiúil an mhilliúnaí thar carn brúscair a chuirfeadh déistean ar mhuc.

Thugas cuairt ar stór Mharshall Field. Ní siopa é ach baile beag de shiopaí agus níos mó daoine ag obair iontu ná mar bheadh i roinnt mhaith de bhailte na hÉireann. Ní fios dom cé mhéid urlár atá ann ach tá fhios agam gur éiríos as nuair shroicheas an naoú ceann ar an staighre gluaiste. Ní raibh uaim ach lann rásúir agus chuireas mé féin faoi gheasa é a fháil gan cúnamh ó éinne. Fuaireas. San am céanna fuaireas breis eolais ar an Meiriceánachas. Rud Meiriceánach é stór den tsaghas seo. Ní hí an tsaint chun airgid is máthair dó, ach dúil an duine sa chumhacht, san údarás. An té a mbíonn cumhacht i gcúrsaí gnótha aige i Meiriceá, is mó ná fear gnótha é. Tá sé ina fhear mór. Tá sé ina churadh. Tá séala an domhain ar a chuid fearúlachta. Tá céim uaisleachta bainte amach aige. Éistear leis. Tugtar onóir agus ómós dó. Is rí nó prionsa tionscail é. Agus tá Chicago lán dá léithéidí.

Paráid den arm ar Ascal Michigan ; bratacha ; cafairr bhána ; bualadh dromaí ; séideadh trumpaí ar an dá nóta céanna—bí-bú, bí-bú, bí-bú ; buíon de shaighdiúirí dubha ; oifigeach dubh ag ceann na buíne agus siúl faoi mar bheadh faoi choileach ag ionsaí na gcearc.

Tá mo sheomra codlata beagnach ar bharr scríobaire spéire ar Ascal Michigan agus tá radharca iontacha ó na fuinneoga. Ar thaobh amháin tá sráid fhairsing chrannach ag síneadh síos go bóthar an locha. Ní loch é ach muir. Chím na galtáin mhóra ag gabháil go mall thar imeall na spéire agus na báid seoil ag teitheadh roimh an ngaoith. Ar an taobh eile, tá sár-radharc agam ar Ascal Michigan, ar na siopaí móra, na gluaisteáin mhóra, na hardtithe móra. Túr an *Chicago Tribune* ag éirí go hard sa spéir, agus cinn eile ina thimpeall. Is í Chicago cathair dhúchais na scríobairí spéire. Deirtear gur inti atá an ceann is sine sa tír. Ach ní tada na radharca sin féin go dtagann an dorchadas. Ní hí Páras Cathair an tSolais ach Chicago. Tagann athrú le draíocht ar an mbaile salach callánach comónta. Is deacair é chreidiúint. Na fallaí salacha smúiteacha, siúd anois iad ina dtúrtha áille gona mílte pointí solais—sreath os cionn sreatha d'fhuinneoga bídeacha ag éirí suas sna scamaill. Ní brící agus stroighin atá in olltúr gránna an *Tribune* a thuilleadh ach easa solais á ndoirteadh ó stairric an díona mar thitfeadh mín-tine bhuí ó réalt reatha. Gluaiseann gaethe fada solais trasna na scamall agus amach tríd an gceo atá ag éirí aníos ó Loch Michigan. Thíos fúinn tá gleo an tráchta mar bheadh dordán stoirme trí choill. Tríd an dord sin siúd géarscréach charr póilíos ag teacht i ngaire, ag méadú, ag scinneadh thart i secund, ag éagadh i bhfad anonn i bhforaois na n-ard-tithe. *Dieu ! que le son du cor est triste au fond des bois.* Cé tá marbh ! Cé tá gafa ?

An 7ú Meitheamh : Chicago

CHUAS AR AIFREANN a deich in Ard-Eaglais an Ainm Naofa ar Ascal Wabash Thuaidh. Sagart óg a léigh—an chéad uair aige. Ard-Aifreann a bhí ann agus cór ilghuthach ag cantain, ach b'fhada liom an dá uair a chloig a lean sé. Chuir déanamh na heaglaise mearbhall orm. Dath seacláide atá ar gach rud. Is beag spás ar na fallaí, nó sna stuanna, nó fiú ar an sileáil stuacach, ná fuil faoi ornáidí uafásacha gránna. Shílfeá gur chreid an t-ailtire go ndamnófaí é dá bhfágadh sé aon bhall gan ornáid éigin. Tá dealbha agus scrínte i ngach cúinne agus pictiúirí dorcha deataithe—nithe a chuirfeadh ríméad croí ar roinnt mhaith de shagairt pharóiste na hÉireann.

Bhí gach cine riamh i measc an phobail, ach déarfainn gurb iad na dreama Gearmánacha agus Slabhacha ba líonmhaire. Sa tsuíochán in aice liom bhí Seapánach lena bhean (Gearmánach nó Slabhach) agus a chlann mac. Bhí gúnaí rógheala ar na mná agus is beag díobh a raibh hata orthu, ach ciarsúir dhaite ceangailte fána gceann mar a bhíonn ag mná na hIodáile. Do réir lín tá tús áite sa chathair ag na Pólannaigh faoi láthair agus ina ndiaidh tá na Gearmánaigh, Iodáiligh, Rúisigh, Sualannaigh—agus ag bun an dréimire na hÉireannaigh. Mar sin b'ait liom a aireachtaint go mba Éireannaigh formhór na sagart ar an altóir. De shliocht Rathallach agus Caisideach an sagart óg; Pádraic Ó hAodha ab ainm don tsagart cúnta; Puirséalach an deochan, Éireannach eile an leasdeochan; agus b'é an tAthair Seán S. Ó Cuinn an seanmóiní.

Labhair an seanmóiní go líofa ardaigeantach faoi bhrí na sagartóireachta agus luaigh sé na trí rudaí a thug an glaoch don tsagart óg ar an altóir: 'Ár dTiarna Íosa Críost, Ár Máthair Muire, agus creideamh a chine—an cine a choimeád an Creideamh sna háiteanna naofa, mar atá, Corcaigh, Cill Choinnigh, Loch gCarman, Muigheo, agus Baile Átha Cliath, an cine a chloígh le teagasc Íosa d'ainneoin gorta, d'ainneoin dísheabhú agus d'ainneoin deighilt na tíre ina dá cuid!' D'fhéachas mór-thimpeall faoi cheilt go bhfeicinn aghaidh na nGearmánach, na Slabhach, na Seapánach. Bhíodar ciúin aireach, a súile ar leathadh, cluas orthu le gach focal den tseanmóin a bhreith leo. Ar chreideadar gach ar chualadar? Cé an saghas tíre ina n-aigne seo Éire? Oileán lán de naoimh, de mhaighdeana gan smál, d'ógánaigh mhanachúla, agus de chléirigh gan aon obair le déanamh acu ach paidreoireacht? Ní mór liom dóibh an pictiúir, ach guidhim ná tiocfaid go hÉirinn go brách!

Bíonn hallaí an óstáin plodaithe le mná, mná óga agus mná scothaosta a sciobfadh fear leo dá dtugadh sé caoi dhóibh. Is iad na mná scothaosta is craosaí. Tar éis an dinnéir, agus mé ag teacht amach as an seomra bídh, thosnaigh ógánach tanaí ag caint liom. '*See them dames* ? ' ar seisean, ' ní fear oibre mar mise atá uathu. Táid ag fiach na Rockefellers, na milliúnaithe. Gheibhid blas amháin den champagne, agus as sin amach bíonn an t-airgead mór uathu, an saol bog, an saol gan cúram.'

' Bhfuilir pósta ? '

Chaith sé seile isteach i bpota blátha. ' Bhíos. Scaramar. Níl ionam ach fear oibre.' D'ardaigh sé a dhá láimh mhóra. ' Ní raibh an t-airgead mór agam. Ní bheidh go deo. Bíonn an t-ádh leis an bhfear ar acmhainn dó cúig nó deich dollaer a chur ar leataobh gach mí. Níorbh fhiú le haon duine de na mná sin an oíche scléipe a cheannódh cúig dollaer ! Céard tá uathu ? '

Chuimhníos arís ar an seansagart i St. Louis.

An 8ú-12ú Meitheamh : Chicago

TÁIM DEIMHIN DE ANOIS gurb í Chicago príomhbhaile an Mheiriceánachais. Tá fuinneamh an Domhain Úir uile ann. Anseo a creidtear go daingean ná fuil aon áit inchurtha le Meiriceá. Anseo atá an airc chun na rudaí móra. Ní bheidh Chicago sásta go mbeidh gach cathair eile ar domhan sáraithe aici. Anseo a maítear an Rud is Mó ar Domhan, an Rud is Luachmhaire ar Domhan, an Rud is Faide ar Domhan. Thugas cuairt ar an Merchandise Mart—an margadh is mó ar domhan. Bíonn níos mó daoine ag obair is ag ceannach san fhoirgneamh mór cearnach cois abhainn Chicago ná mar a chónaíonn im áit dúchais, Cathair Chill Choinnigh. Tá

‘ . . . Anseo a maítear an Rud is Mó ar Domhan . . . ’—An Merchandise Mart, Chicago
(*lch.* 180)

Amharclann na gCarraig Rua, Denver

siopaí de gach saghas ann, proinntithe, stáisiúin radio agus cianamharcaíochta, dochtúirí, fiaclóirí agus oifigí taistealaíochta. Chaitheas ceithre huaire a chloig ag siúl an Teampaill Bhaibiolónaigh seo, ag gabháil ó urlár go hurlár ar na hardaitheoirí go raibh na cosa ina moil luaidhe fúm—agus ní fhaca an fichiú cuid de.

Tá siopa iontach leabhar ar Ascal Michigan. Ní fhacas aon cheann mar é i Nua-Eabhrac—ná in aon áit eile. Nuair thugas m'ainm agus mo sheoladh do fhreastalaí leis na leabhair a cheannaíos a sheoladh abhaile go hÉirinn ghlaoigh sé ar an mbainisteoir go dtaispeánfaí dhom an leabharlann Éireannach atá acu. Ceannaíodh na leabhair ar ceant i dteach mór éigin in Éirinn anuraidh. Leabhair staire iad, ná feictear ach go hannamh.

'An ndíolfaidh tú go héasca iad?' arsa mise leis an mbainisteoir.

'Díolfad,' ar seisean. 'Chuirfeadh sé ionadh ort oiread scoláirí sa chathair seo a chuireann spéis i stair na hÉireann. Rud eile, is mó duine saibhir ar mhaith leis leabhair bhreátha mar seo bheith sa leabharlann aige. Ní deirim go léann an duine iad. Ach tugann siad breis *prestige* dó.'

Gach uair a théann long síos nó suas abha Chicago bailíonn slua daoine leis na droichid a fheiscint á n-oscailt agus á n-ardú. Cuirtear stad le trácht na sráideanna. Buailtear clog. I ndiaidh a chéile ardaítear dhá sciathán an droichid agus snámhann na longa móra isteach i Loch Michigan nó amach as. Agus sin ceann d'eochairradharca na cathrach. Mar séard é Chicago baile poirt atá suite i lár tíre.

Uaireanta nuair ná bíonn aon choinne agam leis airím an fhaid atá idir mé agus Áth Cliath agus ina theannta sin deorantacht nó galldachas na háite seo. Theitheas isteach in amharclann le faoiseamh a fháil ón mbrothall agus níorbh fhada gur thit mo chodladh orm. Dhúisigh rud éigin mé tar éis tamaill agus shíleas gur in Áth Cliath a bhíos agus go raghainn amach chun dul ar an mbus abhaile. Lean an scaipeadh beag meabhrach sin leathneomat, b'fhéidir. Rófhada ! Mar nuair shroicheas an tsráid chlamprach plodaithe bhí an rian iasachta go láidir ar gach éinní agus ar gach éinne, agus bhuail taom uaignis mé. Ba doicheallach liom na guthanna ; na haighthe bána, buí, dubha ; na cailíní uaibhreacha cíoch-arda, fir na léinte gan cóta, seanmhná na spéaclaí móra, na páistí dána ró-aibidh, agus na fógraí áibhéileacha.

Ar aghaidh liom síos bóthar an locha go gcuirfinn díom an taom le siúlóid. Bhí fionnuaire ar an ngaoith a bhí ag seideadh isteach thar na tonnta bána. Scátha na n-olltithe ar éadan an uisce. Ní raibh éinne amuigh cois an locha ach mé féin agus beirt chiardhuán : fear ard groí agus cailín ramhar meidhreach a raibh a sciortaí fillte suas go dtí a com aici. Bhíodar ag iascach le slata. Shiúlas liom go bhfuaireas áit suite faoi sholas na gréine agus luíos siar i gcoinne falla. Diaidh ar ndiaidh thánag chugam féin agus níor mhiste liom bheith gan comhluadar. Ach níor fágadh im aonar mé.

Tháinig bean mhór suas laistiar díom. Bhí slinneáin

chomh leathan le doras uirthi agus colpaí coise chomh téagartha is a bheadh ar aon bhó, folt fionn agus aghaidh bhéal-bhog bhábóige uirthi; í dea-ghléasta, béasach. Bheannaigh sí dhom, agus thiontaíos mo cheann chun í fhreagairt. Bhí sí ag stánadh go borb-shúileach orm. D'fhéachas amach go righin ar ghaltán a bhí ag gabháil trasna an locha agus earball fada de bháid ceangailte as a chéile leis—ach bhí leathshúil agam fós uirthi. Go tobann chonaiceas rud bán aici. Bhíogas. Bhí sí ag baint a cuid éadaigh di. Sciob sí an gúna thar a ceann, chaith sí na fó-éadaigh uaithi—agus bhí sí ina héide snáimh. Dhruid sí in aice liom.

'An gcoimeádfá súil ar mo chulaith?' ar sise. Chuir sí dealbh le Epstein i gcuimhne dhom. Bhí cíocha ban-fhathaigh uirthi a mhúchfadh aon ghnáthfhear a raghadh ag suirí léi agus bhí géaga téagartha uirthi a bhrúfadh an t-anam as aon amadán a raghadh ag imirt cleas uirthi. Chonaiceas féithe ramhra a cos ag borradh amach faoin gcraiceann a bhí dóite buí ag an ngréin.

'Coimeádfad,' adúrt. D'fhéachas ar m'uaireadóir. 'Bead ag imeacht liom i gceann fiche neomat.' Shocraíos im aigne go mbeinn ag imeacht le linn di bheith ag teacht isteach arís as an uisce.

Shiúil sí síos go himeall an chalaidh agus an fheoil ar crith uirthi, gur thom sí isteach. Léim an cúr ar an gcaladh anairde. Togha snámhaí í. Bhuail sí roimpi amach sa loch. Lena linn sin, bhí an fear dubh agus an cailín ag béicigh lena chéile agus ag stracadh leis na slata. D'fhéachas ina dtreo mar shíleas go raibh greim faighte acu; ach ní raibh. Sara raibh caoi imeachta agam bhí an bhean mhór ina seasamh im aice arís, an t-uisce ar sileadh léi, an chulaith snáimh dlúite léi. D'fhan sí ina seasamh faoi theas na gréine ar m'aghaidh amach go raibh sí tirim agus í ag caitheamh na gceisteanna go tiubh chugam. Níorbh as Chicago mé ? Cárbh as dom ?

' As Stockholm mise ? ' ar sí. ' Rugadh thall mé ach ní fhacas mo mhuintir le fiche bliain. Is uaigneach an saol é nuair ná bíonn tú i measc do mhuintire.' Thosnaigh sí ag snagaireacht orm ar a dícheall. Ní raibh sí pósta. Ní raibh sí pósta riamh. Bhí sí ag feitheamh leis an bhfear ceart. Sméid sí súil orm. I gcúrsaí comhluadair bhí sí cúramach, agus nuair ba mhian léi dul amach oíche bhí fhios aici conas an fear ceart a thoghadh. 'Ní ghabhaim le gach éinne, tá's agat,' ar sise, agus thug sí catshúil orm. ' Toghaim mo chomhluadar. Cailín cúramach mé.' Cailín ? Ba shine í ná mé féin. ' Táim im chónaí im aonar faoi láthair. Fuair mo mháthair bás dhá bhliain ó shin agus is uaigneach an saol é anois.' Thosnaigh sí á gléasadh féin. An dtéinn ag rince ? Bhí hallaí rince Chicago ar fheabhas. Ba chóir dom triail a bhaint astu. (Phléasc mo gháire orm. Níor leagas cos ar urlár rince le blianta). Bhí na cailíní ba dheise is ba thoilteanaí le fáil iontu agus dá mba mhian liom oíche scléipe, thiocfadh sise liom agus ní bheadh díomá orm. Ba shár-rinceoir í féin. Ach dá mb'fhearr liom, d'fhéadfaimis dul go club oíche éigin, mar a mbeadh taispeántas. Bhainfinn sult as na cailíní. Chaoch sí súil orm, súil ailíosach bhog.

D'éiríos go mall agus d'fhéachas ar m'uaireadóir. ' Tá sé in am domsa imeacht.'

Léim sí suas. 'Nílir ag imeacht uaim,' ar sise go bábógach.

'Gabh mo leathscéal, ach táim.'

'Ó—nach trua é. An mbeidh tú anseo amárach? Téim ag snámh gach lá.'

'Ní bheidh. Slán agat.'

D'imíos.

Aisteach mar imríonn an t-uaigneas ar dhaoine.

Ní dhéanfad dearmad ar an gCros Chéasta atá ar éadan eaglais Pheadair ar Shráid Madison Thiar. Sráid chúng í i gcomparáid leis na cinn eile, agus nuair a bhíonn an ghrian faoi cheilt ag na foirgintí arda ní bhíonn de sholas inti ach dríodar liath an lae. Siopaí móra, oifigí, amharclanna agus tábhairní na tithe sin. Ach siúd go tobann romhat an falla lom ard, doras ann, agus os a chionn sin an Chros Chéasta is mó dá bhfacas riamh. Níl fhios agam cé acu cloch nó stroighin í. Tá dealramh cloiche fionnbhuí uirthi agus ba mháistir é an dealbhóir. Sílim gur mhian leis dúshlán lucht na sráide a thabhairt ionas ná féadfaidís gan an Chros a fheiscint.

Le hOrd San Proinsias an eaglais. Do réir dealraimh is féidir do na bráithre donna agus don dea-ealaí teacht le na chéile sna Stáit.

Bhí oíche fhada bhladair is óil agam le triúr fear as Iolscoil Chicago. Chuas síos ar an traen go ceantar na hIolscoile—atá ar na cinn is mó i Mciriceá—agus chuartaíos Robert Pehrson, cara do Sheán Ó Súilleabháin an Choimisiún Béaloideasa. *Social Anthropologist* san Iolscoil

Pehrson. De shíol Sualannach é, agus mar is dual dá chine bíonn sé tearc-fhoclach go mbíonn aigne an chomhluadair tomhaiste aige. Fear fionn ard tanaí é agus dealramh na hóige air. Is mó atá curtha dhe aige. Bhí sé ina mhairnéalach ar na Locha Móra ; ina shaighdiúir i rith an chogaidh ; agus ar mhaithe leis an eolaíocht chaith sé tréimhsí sa tSín, sa tSeapáin agus i dTír na Lap. Thaitnigh sé go mór liom. Tá greann ann cé ná ligeann sé don gháire briseadh air ; agus tá sé chomh críonna le seansaoi cé gur maith leis gach magadh áiféiseach.

Chónaigh sé i measc na Lap ar feadh leathbhliana. B'é a ghnó staidéar a dhéanamh ar an ngaol fola atá idir na treabhchaistí. D'fhoghlaim sé a gcanúintí ; chodail sé sna botháin ; mhair sé ar fhiafheoil leo agus d'ól sé a gcuid bainne. Ní bhíonn ag na Lapa ach béile in aghaidh an lae, um thráthnóna, agus alpann gach fear timpeall ceithre puint fia-fheola. Daoine cineálta cairdiúla iad, adeir sé, agus is minic é ag tnúth le dul ina measc arís.

Thug sé leis mé go proinnteach Seapánach. B'é mo chéad bhéile den tsórt sin agus ní cuimhin liom béile ba bhlasta ná é. Bhí na miasa go léir ar an mbord romhainn, cabáiste amh, uibheacha nua-bheirithe, *sukiyaki*, cosa sicíní le rís, agus té cumhra buí as cupáin bheaga. Is fearr le Pehrson bia na Seapánach ná aon bhia eile, toisc a ilghnéitheacht.

Ina dhiaidh sin chuamar go tábhairne mar a raibh beirt chara leis agus d'fhanamar ag ól beorach is ag bladar nó go raibh meán oíche ann. Deirtear go mbíonn raidhse chainte ag na hÉireannaigh ach i gcomparáid le Meiriceánaigh oilte táimid balbh. Mise a ghríosaigh an bheirt eile chun díospóide ach bhí cúis agam leis. Tá úrscéalta John O'Hara á léamh agam na laethe seo nuair bhíonn an chaoi agam chuige. Is é mo bharúil gur scríbhneoir cumhachtach ceardúil é ach nílim cinnte go bhfuil a scéalta dílis don tsaol Meiriceánach. Mura bhfuil is cuma liom, mar ní lorgaím an fhírinne stairiúil in úrscéalta. Ar aon chuma, dúras go raibh *A Rage to Live* agus cinn eile léite agam, agus d'fhiafraíos, ' An é sin dáiríre saol Mheiriceá atá iontu ? ' Ansin a thosnaigh an díospóireacht. Tar éis tamaillín bhíos im thost ar fad, agus d'fhág Pehrson an báire faoin mbeirt. Dhalladar a chéile le léann ; ghlaodar na scríbhneoirí is mó clú chun fianaise ; thug duine acu go fíochmhar fúmsa mar ná tugtar cothrom na féinne do Joyce in Éirinn. Agus ní as aineolas a labhradar ach as léann cruinn beacht. D'fhoghlaimíos go raibh cuid mhaith den fhírinne ag John O'Hara.

Bhí na sráideanna lom agus mé ag dul abhaile.

An 13ú-14ú Meitheamh : Chicago

Is BEAG TAITHÍ atá agam ar thithe dhaoine saibhre. Dá bhrí sin bhí fáilte fiosrach agam roimh an gcuireadh a fuaireas chuig an teach mór cónaithe amuigh ag Loch na Foraoise. Tá an t-áras fairsing ina sheasamh i lár coille agus is féidir don té ar leis é dul ag spaisteoireacht nó ag marcaíocht ar a thailte féin gan cos a leagadh ar an mbóthar poiblí. Más mian leis snámh, tá a lochán féin aige. Níl fhios agam conas ar ghnóthaigh sé a chuid airgid ná cé an gnó atá aige mar níor dhein sé aon tagairt dó sin i rith an tráthnóna. Duine eolach léannta é. Tá cnuasach breá leabhar aige—roinnt mhaith de shaothar Éireannach ina measc—agus táid léite agus athléite aige. Tá ardmheas aige ar Synge, idir dhrámaí is leabhair taistil, agus thuairimigh sé nár dhein aon dream lenár ré níos mó chun clú na hÉireann a chraoladh ná údair na hAthbheochana Liteartha, Yeats, an Bhantiarna Gregory, Synge agus AE. Níor inseas dó an drochmheas ainbhiosach éadmhar atá ag a lán daoine in Éirinn ar na scríbhneoirí sin, daoine atá ag milleadh na tíre le cráifeacht gan anam gan aigne. Thaispeán mo dhuine a chuid pictiúirí dhom. Táid ar crochadh i ngach seomra, beagnach, agus gach ceann ar fheabhas. Cheannaigh sé iad i bPáras, i Londain, i Nua-Eabhrac, agus déarfainn nach airgead amú aon phingin dar chaith sé orthu.

Bhí daoine eile ar aíocht aige agus shuíomar uile ar chathaoireacha nó ar an bhféar bearrtha faoi scáth na gcrann, an t-ardáras bán ar ár gcúl, an lochán mín ag spréacharnaigh faoin ngréin os ár gcomhair amach, éadaigh geala samhraidh ar cách. Bhaineas sult as an radharc agus as an gcomhluadar. Bhí bean fhionn álainn suite lem ais agus nuair chuir fear an tí in aithne sinn gháir sí amach gur mhór an pléisiúr é bualadh liom agus dhearbhaigh gur fada í ag feitheamh leis an ócáid ! Sin é an fáiltiú cruthanta Meiriceánach. Ní féidir glacadh ar fad leis an mbláthchaint, ach níl aon amhras faoin dea-thoil a bhíonn taobh thiar di. Thosnaigh an bhean ag cur síos ar na daoine inár dtimpeall. Duine pléideach í nár mhaith liom dul ag argóint léi. D'ólamar ár rogha dí agus d'fhanamar ag cabaireacht gur thug na freastalaithe béile breá amach chugainn. Níor fágadh mo ghloine folamh aon uair—sílim gur ólas *gin*, uisce beatha, fíon bán agus sú oráiste! Mhothaíos codladh ag teacht orm. Diaidh ar ndiaidh bhí na gutha ag dul i léig, ag dul i bhfaid uaim... Chualas giotaí faoi thaisteal sa bhFrainc, sa Spáinn. Chualas rudaí faoi Eisenhower, Truman, Adlai Stevenson, ach níor thuigeas iad. Ansin d'airíos go rabhas féin ag caint....

Aoibhinn beatha an duine shaibhir?

Bhíogas. Bhí fhios agam go raibh miongháire amaideach ar m'aghaidh agus go rabhas im shuí im aonar. D'éiríos agus ghabhas ag siúl timpeall an locháin gur imigh an fonn codlata. Nuair thángas ar ais, bhí na daoine eile ag fágáil slán lena chéile ach bhí triúr acu ag feitheamh liomsa. Ar mhaith liom dul chuig an gcathair ina ngluaisteán? An nglacfainn le cuireadh chun dinnéir? An bhféadfaidís aon rud a dhéanamh dom? Níor ghlacas le cuireadh ar bith. Bhí náire orm. Dúras go raibh gnó éigin agam sa cheantar agus go raghainn go dtí Chicago ar an traen. Ní raibh fhios agam a thuirsí a bhíos gur shroicheas an t-óstán agus gur shíneas ar an leaba.

Chaitheas maidin Dé Domhnaigh im luí cois Loch Michigan agus mol nuachtán lem thaobh. Is iomaí nuachtán atá léite agam ó shroicheas Meiriceá agus níl aon amhras orm anois ná gurb é an *St. Louis Post-Despatch* an ceann is ciallmhaire agus is dea-scríofa díobh ar fad.

Pléitear an dá thaobh de gach ceist, dá achrannaí, agus is cuma leis na heagarthóirí duine ná dream ar bith sa tír. Tá meas acu ar thuiscint an léitheora, agus roinntear an moladh agus an cáineadh gan beann ar líne aon pháirtí. Tá sé inchurtha leis an *Manchester Guardian.*

Nuair bhíos réidh leis an *Tribune,* agus na cinn eile, d'fhéachas thart ar an slua a bhí á ngrianadh féin. Bhí gaoth úr ag séideadh ón loch isteach. Báid de gach saghas ag gabháil timpeall ina scórtha agus muirphlánaí ag teacht is ag imeacht os ár gcionn gach deich neomat. Fir óga agus cailíní dathúla ag sú na gréine ina gculaithe snáimh. Uaireanta d'éirídís den tuáille leathan, chimilidís ola nó unga dá ngéaga, nó théidís ag spaisteoireacht. Na cailíní óga níos forbartha banúil ina gcorp ná mar is gnáthach in Éirinn. Is cosúla leis an gcineál Iodáileach iad. Tá a modh siúlóide féin acu, an modh Meiriceánach. Baineann gach coiscéim craitheadh as na másaí agus suathadh as na ceathrúna. Ait éigin ina dhialann tá trácht ag Amhlaoibh Ó Súilleabháin Chille Coinnigh ar ainnir mhaisiúil óg a raibh 'tóinín deas triopallach' aici. Ní triopallach atá a bhformhór ar bhruach Loch Michigan ach banúil mór. Is dócha go bhfuil meas mór ar an másánach ina measc. Bíonn a gciall féin don áilleacht ag na ciníocha, agus athraíonn sí ó aois go haois. Sa Mheánaois ba den áilleacht é bolg mór bheith ar bhean, mar is léir ar phictiúirí agus dealbha na linne.

Ní bheidh aon bhrón orm amárach ag fágaint slán le Chicago chun dul go Peoria. Is deacair a rá go cruinn cé an fáth ná taitníonn an chathair liom. Casadh daoine fiala cineálta orm ; bhaineas sult as an loch agus as an ngailirí, áit a bhfaca cuid de na pictiúirí is fearr agus is cáiliúla amuigh ; agus bhí seomra compordach agam san óstán. Ach tá gairbhe sa chathair, agus sa bhfonn chun mórála féin. Is dócha go bhfuilim, i ngan fhios, ag cur Chicago i gcomparáid le Santa Fé nó le St. Louis, nó fiú le Washington an bhrothaill. Pé scéal é braithim go bhfuil duáilcí uile an Mheiriceánachais le haithint inti— boirbe, mustar, airc chun comórtais i ngach rud saolta, doicheall roimh rialacha agus dlithe, ómós don rud mór mar gur mór é, agus an dithneas coitianta chun saibhris, gan aird ar an salachar máguaird ná ar dhearóile dochreidte na mbocht. Meastar nach fada go mbeidh sí ar an gcathair is cumhachtaí i Meiriceá. Ach ní chónóinn inti ar aon chúinse.

An 16ú-18ú Meitheamh : Peoria

NÍL AON TÍR gan baile nó dúthaigh éigin a bhíonn ina ábhar grinn ag an gcuid eile. Tá Wigan ag na Sasanaigh ; Corcaigh againne (nó an é Port an Dúnáin é ?) agus tá Peoria, Illinois, ag Meiriceá. Ní chreidim go bhfuilim gan féith ghrinn ach níor bhaineas sásamh riamh as an ngáir mhagaidh a tógtar chomh minic sin faoi Chorcaigh. Agus ní thuigim cé an t-ábhar grinn atá i bPeoria.

Chualas na scéalta ó gach sórt duine agus i ngach áit, á chur in iúl gur baile beag iargúlta ainbhiosach mór-is-fiú é, ach ní fíor aon fhocal de. Níl Peoria beag. Tá os cionn céad míle duine ann—dream sóch compordach ná maraíonn iad féin ag fiach an airgid. Tógaid an saol go bog. Tá tithe níos mó agus níos maisiúla acu, idir suíomh agus déanamh, ná mar atá ag na bodaigh is mó in Éirinn. Talamh cnocánach féarach atá mórthimpeall an bhaile. Tá na coillte go dlúth doimhin ar na cnoic fan abhann Illinois—abha chomh leathan ciúin le loch. An baile féin leata ar na cnocáin gan brú tithe ná caoile sráide. Tá monarchana gnóthacha ann agus ní i lár an bhaile atáid ach thíos as radharc i ngleann doimhin na habhann. Maidir leis an ' ainbhios,' tá leabharlanna acu, nuachtáin, dhá stáisiún radio, scoileanna maithe, agus spéis bheo ag na saoránaigh i gcúrsaí polaitíochta na tíre.

Chuir an baile áthas láithreach orm. Shiúlas na sráideanna leathanna agus na cúl-bhóithre síochánacha mar a mbíonn na seandaoine ag ligint a scíth i gcathaoireacha luascaidh sna póirsí. Ghaibh scata páistí scoile thar bráid agus beirt bhan rialta á leanúint. Scaoil cloig mhóra a mbinneas le spéir. Bhí na mílte éan ar an gceird chéanna. Fuaireas blas éigin Francach ar an áit, ar na tithe dearga is bána agus ar éadan na tíre. An Normainn nó Touraine b'fhéidir . . . Ní fheadar, ach dá bhfeicinn caortha finniúna ar shleasa na gcnoc níorbh ionadh liom é.

Mura mbeadh cor beag a chuir scéal na tíre dhe, is dócha go mbeadh sliocht na bhFrancach i réim i bPeoria inniu. Ba Fhrancach é an chéad Chríostaí a leag a chos anseo—an tAthair Jacques Marquette d'Ord Íosa. Shroich sé an abha i 1673 i dteannta fiagaire dárbh ainm Louis Joliet agus cúigear *voyageurs*, agus bhaineadar amach an ceantar seo ina naomhóga. (Tá ainm an tsagairt ar an óstán is mó i bPeoria agus ainm Joliet ar phríosún !). San aimsir sin ní raibh an ghráin agus an fonn fola dúisithe sna hIndiaigh agus d'fháiltíodar roimh an sagart agus bhailíodar isteach ó na coillte chun an tAifreann a éisteacht. Bhí sé tinn traochta am a chéad teacht, ach bhí beartaithe aige filleadh ar an dúthaigh arís. Níor fhill, mar d'éag sé in antráth.

B'ansa leis an tír, agus scríobh sé i litir : ' Ní fhacamar aon dúthaigh atá inchurtha leis an abhanntrach seo, maidir le torthúlacht agus le hilghnéitheacht na mbeithíoch—ba fiáine, fianna, lachain, pearóidí, agus fiú béabhair.'

Níor lig an bás do Phère Marquette a theasc a thabhairt chun críche. Níor craoladh an Creideamh agus chaill na Francaigh a ngreim ar an tír. Tháinig na fiagaithe agus na fir choille, na feirmeoirí agus na ceannaithe, agus thógadar baile beag adhmaid. Ba namhaid aiceanta ag an dream seo an tIndiach, agus chuireadar rompu é dhíthiú. Daoine danartha iad a raibh fuath acu do gach údarás agus nár ghéill do dhlí an Stáit. Lean Peoria mar sin go dtí go bhfuair seanmóinithe seachráin, sagairt agus múinteoirí scoile seasamh éigin san áit. Agus bhí Éireannaigh ina measc sin.

Bhuaileas isteach in Ard-Eaglais Mhuire, an foirgneamh is breátha ar an mbaile. Is eisiompláir í, measaim, do dhaoine in Éirinn a mbíonn de chúram orthu eaglaisí nua a thógáil, go háirithe na cinn Ghotacha. Tá an eaglais seo glan geal. Sheachain an t-ailtire an ró-ornáidíocht. Adhmad buí dara atá i gcúlchlár na haltóra agus mar chúlradh ag an gCrois Chéasta tá brata glasa bogfhillte. Fuinneoga áille daite ann, ag léiriú stair an mhisiúin, agus chonaiceas an Père Marquette ar fhuinneog amháin agus Pádraig na hÉireann ar cheann eile. Is é an dáta ag a mbun 461 A.D. !

Tugadh amach faoin tuath i ngluaisteán mé, go bhfeicfinn ospidéal nua. Is beag suim atá agamsa in ospidéil. Cuirid faitíos orm i gcónaí—ach bhuaileas le seandochtúir a chaith tréimhse in Éirinn agus i rith an lóin níor stad sé ach ag insint scéalta grinn faoi na heachtraí a bhain dó sa tír sin. Chuaigh sé ar meisce i mBaile Átha Cliath maidin amháin nuair tugadh gloine *gin* dó in ionad gloine uisce ; i Luimneach thit sé síos i bpoll guail, shiúil sé amach as trí dhoras cistine agus thug bean an tí dinnéar breá dhó, agus i gCóbh Chorcaí, nuair a bhí sé ag feitheamh le traen, d'ól sé trí bhuidéal leanna, shuigh sé ar bhinse faoi scáth crainn agus níor dhúisigh sé go raibh an mheán oíche ann. Bhí an comhluadar sna tríthe aige leis an sórt sin. Mhionnaigh gach éinne go raghadh sé féin go hÉirinn. Cé acu ba chóir dom a dhéanamh? Insint dóibh nach tír mhór ghrinn í Éire, nó na scéalta áibhéile a ligint leo? Ligeas leo. B'fhéidir go raghaid go hÉirinn agus go bhfeicfid an rud atá uathu—tír mheidhre agus suilt agus eachtraí, tír an scannáin *The Quiet Man*.

Chuamar ar ais go dtí an baile, go páirc phoiblí mar a raibh féile bhliantúil ar siúl—Féile na mBláth. Bhí buíon cheoil ag seinnt ar ardán, agus na ceoltóirí ag cur allais leis an mbrothall. D'aimsíos áit dom féin faoi scáth crainn agus shíneas ar an bhféar. Dhúnas mo shúile agus d'fhanas ag éisteacht le béiceach agus cabaireacht na bpáistí. An dtiocfainn ar ais chuig an bpáirc don choirm cheoil anocht? Ceist an mbeinn ábalta cos a chur fúm ag an am sin, mar bheadh orm dul go dtí dinnéar mór ar dtúis. Agus mé ag beartú romham mar sin thit mo chodladh orm agus nuair dhúisíos bhí an t-ardán folamh agus na daoine ag imeacht. D'fhilleas ar an óstán agus chaitheas leathuair an chloig í bhfolcán fuaruisce go mbainfinn an suan díom. Ghléasas mé féin agus amach liom go siopa bearbóra. Níl aon difríocht idir an siopa seo agus a leithéid in Éirinn, ach fear ann féin é an bearbóir. Ar éigin nár thacht sé mé le tuáille. 'Céard tá uait?' ar seisean. 'Bearradh gruaige,' adúrt.

Rug sé greim ar shiosúr agus sara raibh sé d'uain agam é chosc bhearr sé mo mhalaí.

' In ainm Dé,' arsa mise, ' cad tá déanta agat orm ? '

' Bhíodar an-tiubh ort,' ar seisean go borb. ' Rud eile, a dhuine, ná bí ag tabhairt na mionn im shiopasa.'

' Ach féach, is measa fhásfaidh siad anois.'

' Agus ná fuil bearbóirí i ngach áit ? '

Bhí sé ag obair leis ar m'fholt.

' Tabhair bearradh dlúth dhom,' adúrt.

' Bearradh mairnéalaigh, an ea ? '

' Ní hea.'

' Ní heol dom aon bhearradh dlúth eile.'

Thacht sé arís mé leis an tuáille agus thosnaigh orm leis an siosúr agus le maisín nó go raibh cúl mo chinn chomh bearrtha le cloigeann manaigh agus glib fada ar m'éadan.

' Féach ar sin,' ar seisean agus uabhar an domhain air. ' Ní bheidh bearradh eile de dhíth ort go ceann míosa. Dollaer amháin.'

In Óstán Phère Marquette a bhí an dinnéar—nó an féasta ! D'itheas is d'ólas is d'itheas. Ghlanas plátaí agus gloiní i ndiaidh a chéile. Ní fios dom cá bhfuaireas goile. Bhfuil an Craos-Deamhan ionam ? Cé eile ach eisean a shlugfadh siar an *smoerbrod*, an *caviare*, an bradán deataithe is na scadáin fhuarbhruite, na *champignons* milse fíonbhruite, an mhairteoil rósta, an fíon, an *chiffon* de chaortha talún, na cístí, an caifé agus an branda ? Tá fhios agam anois cé an fáth go mbíonn na daoine seo ag maíomh as an mbia Meiriceánach. Bíonn sé thar barr

—nuair is mian leo é bheith acu. Ach ní bhíonn sé le fáil de ghnáth sna proinntithe poiblí.

Suas staighre linn go halla mór mar a raibh scannán de choróiniú Eilís Shasana le léiriú. Bhí an halla lán go doras agus fear ag caint istigh sa dorchadas. Sochraideoir mór de chuid Pheoria é, agus ceithre lá roimh an choróiniú rith sé leis gur chóir dó eiteall go Sasana agus scannán a dhéanamh as a stuaim féin. Chuaigh agus dhein. Thaispeán sé na pictiúirí agus labhair sé go ciallmhar greannmhar faoin turas, faoi na lóistíní a bhí aige i Londain, faoi na Sasanaigh, na póilíní, na saighdiúirí, na foirgintí agus maisiúcháin na hócáide. É ag cur de gan sos nó go dtáinig pictiúir na Banríona, agus ansin stad sé. Tháinig tocht ina scornach, racht ómóis; bhí eagla orm go mbrisfeadh na deora air. Bhreathnaíos thart agus chonaiceas go raibh súile cách sáite sna pictiúirí. Tháinig carráiste na Banríona i ngaireacht; ghaibh sí thar bráid; fuaireadar radharc beag ar a haghaidh; ligeadar osna fada agus siúd iad ag bualadh bas ar a ndícheall. Chuir sé ag machnamh mé. Bhíos féin i nDenver lá an choróinithe, agus bhí na sluaite bailithe sna siopaí ag na gléasa cianamharcaíochta. D'airíos an craoś céanna iontu a bhí ansin i muintir Pheoria. Craos fiosrachta? Nó caitheamh i ndiaidh na Ríochta? An mbraitheann siad in easnamh sna Stáit an sórt sin taispeántais a léiríonn brí na cumhachta? Is cumhachtaí ná ríthe an domhain uile Uachtarán na Stát Aontaithe. Is rí gan coróin é Eisenhower. Ach ní chuireann sé air ach hata Homburg. '*Not the King's crown, nor the deputed sword*' a bhí air, lá a thofa i gcathair

Washington, ach an hata ina láimh agus é ina sheasamh ar ardán i measc na ndaoine. Séanann na Meiriceánaigh an phoimp phoiblí ach ní fíor gur fuath leo í.

Tiomáineadh go barr cnoic mé go bhfaighinn mo radharc scoir ar Pheoria. B'shiúd thíos fúinn an baile, an abha, agus an loch, i bhfad thíos i log aibhéise. Na soilse ag spréacharnaigh ina sreathanna ar bhruach an locha agus léas leathan solais ar éadan an uisce in aice na monarchan. Ní raibh fuinneog sna monarchana sin gan solas. Ní stopann na rotha tionscail ó cheann ceann na bliana. Thíos ansin bhí tormán na n-inneall ag bodhradh daoine, ach bhí an ciúnas inár dtimpeallne agus chualamar na criogair ag píobaireacht ina gcéadta sna crainn. Chonac míolta solais ag lonradh go bog i measc na ribí féir. Bhí an drúcht ag titim go mín. Rath Dé ar an mbaile Meiriceánach seo.

An 19ú-20ú Meitheamh : Peoria—Nua-Eabhrac

GO MOCH AR MAIDIN, shleamhnaigh teas marfach na gréine ar nós ollnathrach craosaí anuas ar shráideanna Pheoria. Níor mhothaíos a leithéid riamh, fiú lá Iúil i lár na Fraince. Theith na daoine. Bhí na sráideanna lom agus an teas buí ag rince orthu. An chéad spalpadh dhe a fuaireas, chuir sé faitíos orm agus cheapas go bhfaighinn bás. Bhris an t-allas amach orm ó bhathas go bonn agus bhlaiseas an salann géar ar mo bheola. Dheineas aithris ar an gcuid eile agus theitheas ón mbeithíoch isteach san óstán nó go dtiocfadh am na traenach. Bhí an t-óstán lán de dhaoine scothaosta ; fir as gach áit sa Stát agus iad curtha ó éifeacht ag teas an lae. Bhí a gcuid éadaigh greamaithe go fliuch díobh agus iad ag gabháil timpeall go mall righin leathmharbh. Ach focal amháin achrainn nó cancair níor chuala astu.

Cuireann dea-bhéasa na Meiriceánach breis ionadh orm ó ló go ló. Bhfuil aon dream beo is dea-bhéasaí, is muinteartha, is cineálta ná iad ? Ní féidir an tuatachas a chur ina leith. Is mó bodach drochbhéasach a bhuailfeadh liom i Sráid Uí Chonaill in aon lá amháin ná mar casfaí orm i rith míosa sna Stáit.

Bhí an ghrian go hard sa spéir agus mé ag dul ar bord traenach. Go lá mo bháis (agus ina dhiaidh sin !) tá súil agam ná beidh orm teas mar sin a fhulaingt arís. Bhí an t-aer ar crith leis an alltacht agus chaill an spéir a dath. Bhí fhios agam nárbh aon chabhair bheith ag gearán nó ag déanamh trua dhíom féin faoin allas a bhí ar sileadh liom agus ag titim ina bhraonacha ar an talamh spallta, agus d'fhanas im sheasamh—ní raibh suíochán ann—gan cor asam, gan smaoineamh im aigne, gan anam.

Bíonn sé ina shíorchogadh idir na Meiriceánaigh agus an aimsir. Chuige sin a ceaptar a leath dá gcuid maisíní. Gléasra cogaidh iad in aghaidh chruatan an gheimhridh nó arrachtach teasa seo an tsamhraidh. Agus im aigne chráite istigh mholas an té a cheap an córas iontach fuartha atá acu ar na traenacha. Ó Pheoria go Chicago bhí an carráiste chomh fionnuar le lá Aibreáin ar chósta na hÉireann. Luíos siar im bhalcaisí fliucha agus ligeas an saghas osna is dual don té a thagann saor ó bhaol báis. Bhí fear beag duairc lem thaobh agus culaith nua air. '*Gee, it's tough, brother*!' ar seisean. '*I'm in Peoria for three days. I work in a steel-mill in Chicago. Give me the mill, brother.*'

Pólainneach ab ea é. Labhair sé an chanúint aisteach tearc-fhoclach a bhíonn ag cuid mhaith de na Meiriceánaigh nár rugadh sna Stáit agus ná fuair ach tréimhse ghearr den scolaíocht. Ní raibh aige de ghramadach ach an Aimsear Láithreach. Tháinig a mhuintir anseo nuair bhí sé ina pháiste, chuireadar fúthu i Chicago agus chuaigh seisean ag obair nuair bhí ceithre bliana déag aige. Fuair an mháthair bás. Maidin amháin d'fhág an t-athair na seomraí a bhí acu agus níor leagadh súil air ó shin. Agus lean an Pólainneach óg ag obair, é ina aonar gan bean gan muintir, gan aird aige ar an saol. Saothraíonn sé, itheann sé, codlaíonn sé; téann sé go cluichí *baseball*, imreann cluichí *pool* ; anois agus arís ólann sé lán a bhoilg de bheoir. Ní chleachtaíonn sé eaglais ná teampall. Tá tríocha dollaer in aghaidh na seachtaine aige agus cuireann sé cuid de i dtaisce i gcóir na laethe saoire. Tá sé ar a laethe saoire anois. Bhí sé i St. Louis uair amháin. Ní raibh sé riamh i Nua-Eabhrac agus ní dóigh leis go mbeidh. Tá an turas rófhada. Ach tá sé fiosrach. An mbíonn gluaisteáin ag na daoine thar lear ? Cé an dath atá ar chraiceann na ndaoine in Éirinn ? An mbíonn tithe mar atá i Meiriceá ag na daoine thar lear ? An mbíonn scannáin acu ? An ithid arán is feoil ? Bhí trua agam dó. Bhraitheas an géaruaigneas ann. Cailleadh é i gceartlár na tíre seo dathad bliain ó shin mar a caillfí leanbh i lár foraoise.

A thúisce bhíos ar bord na traenach bhaineas díom, d'fháisceas an t-allas as na héadaigh, chuireas culaith úr orm, agus d'ólas ceithre ghloine uisce fuartha. Bhí an traen plodaithe le lucht bóthar iarainn—fir agus mná meidhréiseacha ag dul go dtí Atlantic City ar chomhdháil. Tá na Meiriceánaigh róthugtha do chomhdhála. Déarfainn gur fearr leo comhdháil ná comhrá. Má thugann máthair cuairt ar an scoil ag glacadh comhairle leis an múinteoir, comhdháil a bhíonn eatarthu. Má théann cléireach chun cainte leis an mbainisteoir faoi bhotún beag éigin sna cuntais, ní achrann a bhíonn eatarthu ach comhdháil. Agus ní fheadar nach comhdhála a bhíonn ag na lánúna nuair théid chun na leapan !

Shuíos sa chlub-charr chun braoinín a ól agus níorbh fhada go rabhas ag plé gach saghas ceiste leis na toscairí. D'aon-ghnó thosnaíos ag déanamh grinn is ag magadh faoi na comhdhála agus dúrt ná raibh iontu ach leath-scéal ag daoine scothaosta chun ealó óna mná céile agus scléip a dhéanamh sna cathracha móra. Glacadh go maith leis an magadh, ach chrom fear ard maorga ar óráid faoi chóras daonfhlathach Mheiriceá. Bhí na focla ar a thoil aige agus spreag sé é fhéin chun feirge. Bhuail sé dorn ar an mbord ; dhearbhaigh sé ná raibh aon chóras daonfhlathach eile fágtha ar dhroim an domhain agus go raibh muintir Shasana ag dul le Cumannacht ; agus mhionnaigh sé go ndéanfadh saormhuintir na Stát Aontaithe cosaint ar an saoirse, ar an daonfhlathas, ar an gcomórtas oscailte tionscail is tráchtála, go lá a mbáis. Ní dhéanfad magadh arís ! Is fearr liom ciúnas ná aighneas.

Níor thit aon néall codlata orm go raibh an ghrian ag éirí arís. D'itheas mo bhricfeasta—sú oráiste, slisní bágúin, arán úr is caifé, ar dhollaer go leith—agus luíos siar ar an suíochán. Uair éigin san oíche caitheadh nuachtáin an lae isteach sa traen agus ghaibh fear freastail dubh timpeall na gcarráistí á scaipeadh. Is é an scéal is mó a bhí orthu cúis dlí na Rosenbergs, an bheirt atá gafa mar spiairí. Daoradh iad tamall fada ó shin agus cé go bhfuil easaontas ann, go háirithe i measc dlíodóirí, faoin mbreithiúntas, níl aon amhras orm ná go mbásófar an bheirt. Ní abraim go raibh an daoradh éagórach, ach b'fhearr do chlú na Stát gan é chur í gcrích, ó tá easaontas dá laghad ann. Is cóir an ceart a bheith bunaithe ar bhreithiúntas doshéanta. Léas na nuachtáin, d'fhéachas pictiúirí na beirte Iúdach ; thit codladh orm ach lean na haighthe mílítheacha am chrá.

Nuair dhúisíos bhíomar ag gabháil trí New Jersey. D'aithníos an dúthaigh, na tithe, na monarchana, na bóithre leathana, na droichid, agus, i bhfad uainn, túrtha Mhanhattan. Chuir an radharc ríméad orm. Bhíos ag tarraingt ar Éirinn faoi dheireadh thiar thall. Ní bheadh idir mé agus í ach an t-aigéan! Bhraitheas gur faide ná dhá mhí an tréimhse ó fhágas Cóbh Chorcaí. Shíleas go raibh saol-ré duine curtha dhíom agam, saol fada gnóthach. Bheadh an dara Mise ann feasta, duine eile 'a chonaic mórán agus a fuair fios ar mhórán' agus a thuigfeadh go leor dá réir. Thuigfeadh sé uabhar na Meiriceánach, agus gur fíor gurb ansa leo an tsaoirse ná aon ní eile.

B'éasca gabháil trasna Nua-Eabhrac chuig an lóistín nua a bhí in áirithe agam taobh thoir de Mhanhattan in aice foirgneamh na Náisiún Aontaithe. Tá an t-óstán ar an 42ú Sráid Thoir idir an Treas Ascal agus an Abha Thoir. Gabhann an bóthar iarainn ardaithe fan an ascail agus scoiltfeadh tormán na dtraen an cloigeann ar fhear cloiche. Ní fheadar conas a mhaireann na daoine anseo, ach mairid. Tá sú agus salachar ar na foirgintí —siopaí agus tábhairní an chuid is mó dhíobh—agus bíonn an t-ascal faoi scáth an bhóthar iarainn ó cheann ceann na bliana. Anseo a bhíonn na hÉireannaigh le fáil nuair ghabhaid leis an mbiotáille agus shíleas, ag féachaint dom ar na tábhairní, gurbh fhearr liom dul ar an ólachán i lár an fhásaigh. Idir an ascal seo agus an Abha Thoir tá roinnt foirgintí breátha, go háirithe áras nuachtáin mhóir, tithe ósta agus teampall na Náisiún Aontaithe. Glaoim 'teampall' ar an túr ard de chruaidh, táthán, gloine, agus déanamh ollbhosca air, mar is ann a adhartar an cine daonna, má adhartar éinní.

Tá sé déanach anois. Im sheomra go hard san óstán atáim ag scríobh, mé corp-nocht agus an t-allas liom athuair. Dord eitleán ag líonadh na spéire os mo chionn. Thíos fúm tá trácht na sráide ina lánrith agus é ag baint toirní as na fallaí. Seanghleo na Baibiolóine arís.

An 21ú-22ú Meitheamh : Nua-Eabhrac

IS É DHÚISIGH MÉ go moch ar maidin, fear freastail a bhuail ar an doras agus a rad carn mór nuachtán isteach ar mo leaba. (Ansin a smaoiníos gurbh é an Domhnach é). Ba mhó gach nuachtán acu ná deich gcinn dár gcuidne. Dá mb'áil le duine gach focal i nuachtán Domhnaigh Meiriceánach a léamh, bheadh air fanúint istigh go ceann seachtaine.

Bhuaileas amach go dtí Eaglais San Aignéis ar an 43ú Sráid Thoir in aice leis an Treas Ascal. Cé go raibh na gaothairí ar inneall i ngach cúinne den eaglais, ní raibh puth ann agus bhíos báite fliuch arís roimh dheireadh an Aifrinn. Bhí an t-aer féin tais te. I rith an Aifrinn bhí sagart ag éisteacht faoistine i mbosca lem ais. Ba mhór mo thrua dhó agus é iata istigh ansin gan caoi éaló aige. Bhí na peacaigh ag cur allais. Bhí an t-allas ag lonradh faoi sholas na lampaí ar éadan an tsagairt ar an altóir. Agus an sagart a thug an tseanmóin, bhí a chiarsúir phóca ina láimh aige ó thús deireadh. Léigh sé an soiscéal go rímhaith, thug seanmóin bheag chruinn, agus ansin thosnaigh ar na fógraí. Shíleas ná beadh deireadh leo go deo. Bhí airgead ón bparóiste chuige seo agus chuige siúd. Bhí urlár nua de dhíth ar an ardscoil. Bhí dealbh de Naomh Pádraig ag teastáil san eaglais. Agus bhí cártaí speisialta comhghairdis i gcóir lá Fhéile na nAithreacha ar díol san eaglais. Ina dhiaidh sin chuaigh na bailitheoirí thart leis na ciseáin.

Tá fhios agam go gcuireann an tsíorchaint seo faoi airgead déistean ar stróinséirí agus gur fuath leo cling na mbonn á gcarnadh isteach sna ciseáin le linn an Aifrinn. Ach an bhfuil aon dul as ag na sagairt sna Stáit ? Bíonn orthu na scoileanna agus na clochair a thógáil agus a chothabháil gan pingin ón Stát. Braithid ar na daoine agus is mór an moladh atá ag dul dóibhsan as a fhlaithiúla sheasann siad leis an eaglais in am an ghátair. Tá ardmheas acu ar an gcléir agus déarfainn ná bíonn an faitíos céanna orthu roimh an sagart paróiste a bhíonn ar dhaoine in Éirinn. Ceangal caradais é eatarthu.

Tar éis an Aifrinn shiúlas go ceantar na Náisiún Aontaithe. Bhí leoithne dheas ag séideadh isteach ón Abhainn Thoir agus bhuaileas fúm ar shuíochán go léifinn cuid de nuachtán. Tháinig fear agus beirt pháiste in éineacht leis agus ar seisean : ' An bhfuil an áit seo ar oscailt inniu ? Ó New Mexico mise agus ba mhaith liom an foirgneamh a thaispeáint do na páistí.' Chimil sé a chiarsúir dá éadan. 'Pé scéal é,' ar seisean, ' cloisim go bhfuil córas fuartha breá istigh ann.'

' Is leor domsa an leathscéal sin,' arsa mise. ' Stróinséir anseo mé féin agus mura bhfaighead faoiseamh go luath beidh deireadh liom.'

Shiúlamar go foirgneamh na comhdhála. Bhí an ceart aige. Bhí na hallaí ann fuartha go breá, na hallaí móra fairsinge a bhféadfaí baile beag a chur isteach in aon cheann díobh. Cheannaíos na ticéidí ag cuntar agus tugadh treoraí dhúinn, cailín beag álainn Síneach. Bhí scéal na háite de ghlan-mheabhair aici agus scaoil sí chugainn é go líofa, de thuin aisteach cainte, ach ní fheadar ar thuig sí gach focal as a béilín féin. Ghabhamar suas ar staighrí gluaiste agus ardaitheoirí isteach i hallaí na comhdhála—bhíodar go léir folamh—agus d'fhéachamar na múrphictiúirí d'oibritheoirí is de shaighdiúirí, den chogadh is den tsíocháin is den Ré Nua romhainn ! Níor thuigeas a soiscéal rómhaith, nó leis an bhfírinne a rá, thuigeas ach níor chreideas. An bhfuil seans ar bith ar réiteach spioradálta idir an creideamh Meiriceánach agus an Chumannacht ? Ní hí an bhrí chéanna a bhíonn acu anseo leis an bhfocal ' daonnacht ' nuair labhraid go hard-aigeanta faoin saol atá i ndán don chine daonna. Bhain an cailín Síneach geit asam nuair dúirt sí go raibh cead againn dul isteach i halla faoi leith dá mba mhian linn—' Téann na teachtaí comhdhála isteach sa halla seo nuair is mian leo a ndéithe féin a adhradh.'

D'fhéach an fear ó New Mexico go hamhrasach ormsa agus ansin ar an gcailín. ' An teampall nó eaglais é ? ' ar seisean.

' Ní hea,' ar sise. ' Níl suaitheantas aon chreidimh faoi leith istigh ann. Tá fáilte ann roimh chách. Dá bhrí sin níl aon chúinní sa halla, mar tá daoine áirithe ar fuath leo iad do réir a gcreidimh.'

' A Íosa Críost ! ' arsa an fear ó New Mexico.

D'fhágas slán leis, agus bhuaileas amach faoin aer. Thuirling brat duaircis orm agus bhí fhios agam ná faighinn faoiseamh ó na dúsmaointe go socróinn dom féin cé an bhrí a bhí leis an halla lom sin gan cros gan altóir gan cúinne. Tar éis dhá mhíle bliain den Chríostaíocht, an raibh Dia díbeartha as hallaí na Náisiún Aontaithe ? Dá dtéadh teachta Rúiseach isteach i ' halla na paidreoireachta,' agus a racht gáirí a ligint ná beadh cead na fírinne aige ? Ná raibh an bhua ag na Cumannaigh, agus na náisiúin eile páirteach sa ghaisce leo ? Ach céard tá sa halla ? An dóchas atá róchosúil leis an éadóchas, an folamhas aigeanta a bhí sa domhan nuair ghlaoigh Mac Dé amach : *Eli, Eli, lama sabactani* ? Bhíos ag siúl is ag machnamh gur shroicheas an Naoú Ascal in aice leis an 23ú Sráid Thiar. Bhí na scamaill bailithe go trom íseal os cionn na cathrach, agus gunnaí móra na toirní tosnaithe ar scaoileadh. Ling an tintreach amach os cionn na dtithe. Thit an bháisteach de thurraic ar na sráideanna.

Tá na Rosenbergs básaithe. Cuireadh inné iad i Reilig Wellwood ar Long Island. Tógadh dearg-raic ann. Chuaigh na daoine ag iomrascáil agus ag maslú a chéile sa reilig go dtáinig na póilíní eatarthu. Is léir go gceapann a lán anois gur mairtírigh iad na Rosenbergs. Dainséarach d'aon rialtas é mairtírigh a dhéanamh. Is torthúil í a bhfuil. Ón lá seo amach inseofar scéal na Rosenbergs gach áit ar domhan inar mian le daoine achasán a chaitheamh le Meiriceá. Níl an gliocas polaitíochta foghlamtha fós ag rialtóirí na tíre seo.

Thugas cuairt ar shiopa Macy. Is dócha go bhféadfaí rud ar bith a cheannach ann. Ní siopa é ach cathair bheag de shiopaí faoin aondíon. Ghabhas ó urlár go hurlár go dtí nach raibh fhios agam sa deireadh cá rabhas. Ag dul isteach dom níor bheartaíos éinní a cheannach, ach ag teacht amach dom bhí stocaí nylon mná agam, leathdhosaon ceirníní ceoil, rásúr, scáth fearthainne agus beart leabhar breá faoi stair Mheiriceá dom chlann mhac. Chuir dea-bhéasa na bhfreastalaithe ionadh orm. Mura mbíonn acu an rud atá uait, ní ligfear amach thú gan fhios agat cá bhfuil sé le fáil.

Bhí ceithre litreacha ó Bhaile Átha Cliath romham san óstán. Bhaineadar an t-uaigneas díom. Braithim an t-uaigneas ag borradh ionam na laethe seo, go háirithe nuair shuím chun boird i gcaifé nó proinnteach.

An 23ú-26ú Meitheamh : Nua-Eabhrac

Ó THÁNGAS GO MEIRICEÁ ní fhacas an aimsir chomh gléghlan úr agus atá againn faoi láthair. Tá beocht san aer. Gach maidin seasaim ar an droichead a ghabhann thar an 42u Sráid Thoir in aice foirgneamh na Náisiún Aontaithe agus líonaim mo scamhóga den aer glan folláin a bhíonn ag séideadh isteach thar an Abhainn Thoir. Tá m'aghaidh donn dóite ag an ngréin agus is beag idir mé agus Iodáileach maidir le dealramh.

Thugas cuairt eile ar na Náisiúin Aontaithe, agus chaitheas trí huaire an chloig ag éisteacht leis an gcomhdháil—*Conseil de Tutelle*—a bhíonn ag plé ceisteanna polaitíochta ó iomad tír. B'ait liom ceist amháin díobh. Bhí taoiseach Afraiceánach tar éis gearán a dhéanamh faoin rialtas Beilgeach. Chuir sé i leith na gceannairí gur ghoid duine díobh uaireadóir uaidh agus gur cuireadh i bpríosún go haindleathach é agus ba mhian leis teacht go Nua-Eabhrac—ar chostas na Náisiún Aontaithe—go gcuirfeadh sé féin an chúis faoi bhráid na ndaoine móra. Bhris mo gháire orm agus b'éigean dom an gléas éisteachta a bhaint dem chluasa ar eagla go dtachtfadh an corda aibhléise mé. Níor mé an t-aon duine. Bhí na teachtaí uile ag gáirí—fiú an teachta dathúil groí ó Mhoscó. Ach d'éisteadar go foighdeach le gach ráiteas ó thaobh an taoisigh agus ansin ghlaodar ar theachta na Beilge. Ní fios dom cé hé ach táim cinnte gur sárscéalaí é. Bhí taithí aige ar an gceantar san Afraic a bhfuil an taoiseach ina chónaí ann. Admhaím go rabhas in aghaidh na Beilge i dtosach : ní fhéadfainn gan smaoineamh ar Phutamayo agus ar Mac Easmoinn. Ach d'éisteas leis na scéalta. Bhíodar ar fheabhas. D'fhéadfaí Lámhleabhar Rógaireachta a chur le chéile astu. D'éirigh an taoiseach ina steille bheatha os comhair m'aigne, é féin agus a chleasaíocht. É cosúil go maith le feirmeoirí agus siopadóirí in Éirinn a bhíodh ag iarraidh bob a bhualadh ar an rialtas i rith an chogaidh. Dhúnas mo shúile . . . Chualas a bhladaireacht agus é ag insint dá scríbhneoir cad ba chóir a chur sa litir chuig Rúnaí Ginearálta na Naisiún Aontaithe.

Stad an teachta Beilgeach. D'osclaíos mo shúile. B'ait liom an radharc. Taobh thiar de na teachtaí, agus amuigh faoin spéir, bhí an Abha Thoir le feiscint. Bhí an ghaoth ag séideadh i gcoinne an tsrutha, agus dá bhrí sin bhí barr an uisce briste ina bhraoiníní lonracha mar bheadh gloine briste ina spréacha geala. Shleamhnaigh báid iomlochtaidh is báid siamsa thar fuinneoga arda leathana an tseomra, agus d'fhágadar rubaill chúir ina ndiaidh. I bhfad uainn, bhí dúthaigh Queens ar an taobh eile den abhainn, an deatach ag éirí go tanaí ó na simnéithe arda. Agus i halla fairsing an *Conseil de Tutelle* bhí na teachtaí ag ligint do thaoiseach i ndufair na hAfraice amadáin a dhéanamh díobh. Go n-éirí a chalaois leis!

Bhí cara liom ag teacht ó Shasana ar an *Queen Mary* agus chuas síos go dtí an caladh. Bhí an long iontach istigh agus na paisnéirí ag teacht i dtír ach b'éigean dom feitheamh ag ráil na gcustam. Níor shaothar in aisce orm an feitheamh. Chonaiceas dráma beag á léiriú.

Bhí daoine ag fáiltiú roimh a chéile le póga agus le barróga. D'airíos go raibh duine éigin ag brú isteach ar mo chúl agus d'airíos cumhracht tréan éigin. D'iompaíos. Bhí bean óg laistiar díom ag iarraidh teacht chun na ráile. Níorbh é Dia a bronn dath a foilt uirthi. Bhí an ghruaig airgeadta agus gach ribe dhi cíortha chomh mín le síoda. Bhí aghaidh álainn uirthi ach níor leor léi sin. Ní raibh orlach dá craiceann ná raibh ungaithe smeartha go healaíonta agus é faoi phúdar is dathanna. Bhí castaí i malaí fada na súl aici agus grianspéaclaí uirthi a raibh seoda geala ag spréacharnaigh ar a bhfrámaí. Bhí a droim nocht agus é daite donn, ach sílim narbh í an ghrian a dhóigh. Bhí fáinní ar a méara agus fáinne pósta ina measc.

Bhí na paisnéirí ag teacht isteach ina ndronga. Faoi dheireadh tháinig fear dathúil dea-ghléasta ina aonar agus ar éigin nár léim an bhean as pé méidín éadaigh a bhí uirthi. Bhí cuma Iúdaigh ar a aghaidhsan. Rith sí chuige, rug sí barróg dhian air agus leag sí a ceann go cúramach ar a ghualainn chlé. Bhain sé a hata de agus phóg sé an folt bán. Sheasadar gan focal astu ar an gcuma sin go ceann a trí nó a ceathair de neomaití. Bhí na fir freastail ag gáirí fúthu nó gur éirigh an lánú as an iomrascáil agus gur imíodar síos ar an ardaitheoir. Ansin d'iompaigh fear amháin chuig a chomrádaithe, chaith sé seile ar an talamh, agus ar seisean, '*I wonder what she's been up to.*'

Thugas cuairt eile ar an *Conseil de Tutelle.* Is eagal liom go gcaithfinn gach lá san áit dá mbeadh an t-am agam. Bhí ceist ó dhúthaigh den Afraic Thoir, atá faoi choimirce na Breataine, á plé acu. Do réir an scéil, bhí rialtóir Breatanach na háite i bponc. Bhí toghchán ann agus bhí taoiseach tofa ag na daoine agus iad sásta leis. Ach do réir sean-nósa na tíre thogh na fothaoisigh taoiseach eile. Dá bhrí sin bhí beirt cheannaire go bhfreasúra i mbun na ndaoine agus bhíodar ag fógairt cogaidh ar a chéile. Chuir duine den bheirt an cheist os comhair na Náisiún Aontaithe.

Labhair an teachta Breatanach. D'admhaigh sé go rabhadar i bponc. Bhí formhór na ndaoine sásta, do réir an toghcháin, le taoiseach amháin ach bhí na fothaoisigh míshásta. D'inis sé an scéal go cruinn soiléir agus ba dheacair aireachtaint air cé an taoiseach a raibh sé ag taobhú leis. D'fhiafraigh an Cathaoirleach de an raibh aon chúrsa aimsithe amach ag an Rialtóir agus dúirt an teachta Breatanach go raibh: gur mhian leis an rialtóir an cheist a fhágaint idir an bheirt taoiseach le súil go socróidís ar a slí féin í. Ansin labhair an teachta Rúiseach. Cháin sé an rialtóir de bharr a chuid cúraim! Nár toghadh taoiseach amháin do réir bhótaí na ndaoine? Ná raibh an taoiseach eile aindleathach? Pé scéal é, ba chóir do na Breatanaigh imeacht as an tír ar fad agus an talamh a fhágaint ag na daoine ar leo í.

Ní fheadar cad a chuir im cheann é cuairt a thabhairt ar an Seodlann Chathartha d'Ealaí an Lae Inniu atá ar an 53ú Sráid Thiar, in aice leis an gCúigiú Ascal. An brothall, is dócha. Táim cinnte dhe anois go mbuailfidh trom breoiteachta mé má fhanaim níos faide i Nua-Eabhrac. Ní bhíonn uair, de ló nó d'oíche, ná bíonn an t-allas ag briseadh amach orm. Ní fada go mbeidh mo chorp gan sú gan seamhar. Ólaim uisce fuartha, tae fuartha, sú oráiste, bainne, beoir, uisce beatha, agus ithim tabhlóidí salainn toisc go mbeireann an t-allas leis an salann is riachtanach don tsláinte—ach is cuma! Tá faonlaige an bhrothaill ag teacht orm. Is beag blas a gheibhim ar mo chuid bídh. Nuair bhím amuigh bím ag iarraidh éaló ó theas an lae. Dála a lán daoine eile, cleachtaim na hamharclanna a mbíonn gléasa aerfhuartha iontu.

Is fionnuar an áit í an tSeodlann, fiú amháin sa chlós agus crainn duilliúracha ag fás timpeall air. I ngach ball tá dealbha cloiche ina seasamh. Chuir ceann amháin díobh saothar an dealbhóra, Séamus Ó Murchadha, as cathair Chorcaí, i gcuimhne dhom. Dealbh den Mhaighdin Muire í. Tá an chumhacht ann—cumhacht na máthar a bhéarfadh cine nua ar an saol. Tá an tsimplíocht ann—simplíocht ghlan na fírinne. Taitníonn sé liom. Is dócha go dtaitníonn sé liom toisc go dtuigim cuid den fhírinne atá ag baint leis an Máthair, ach ní thiocfadh liom an rud céanna a rá faoi fhormhór na ndealbh. Do réir an mhodh is deireannaí a cumadh iad. Cé an bhrí atá leis an bpíosa cloiche a bhfuil cuma thóin duine air? Arbh é an greann a bhí in aigne an ealaíontóra? Ní fheadar. Pé scéal é, chonaiceas cailín óg dathúil ina seasamh in aice na tóine go ndéanfadh an fear óg a bhí léi grianghraf den radharc éachtach. ‘ Bhfuilir cinnte cé acu is ansa leat,’ ar sise, ‘ mé féin nó an rud seo? ’

D'fhanas im shuí ar bhinse sa chlós gur thit scáth na dtúr thar uisce an locháin. Ar feadh an tráthnóna dheineas dearmad glan ar an gcathair agus ar Mheiriceá féin.

Tá Sasanach ar lóistín liom. Casadh orm é sa *cocktail-bar* tamall ó shin agus thug sé cuireadh dom éisteacht le ceirníní a fuair sé i Meiriceá Theas—ón mBrasaíl, Peru, Tír an Airgid, Mexico agus Cuba. Chuas leis go dtí a sheomra agus d'éisteas leo. D'oscail sé buidéal uisce beatha agus as go brách linn ag ól is ag bladar go glao an choiligh. Tá sé i Nua-Eabhrac le tríocha bliain ach níor chaill sé an blas Sasanach ná níor éirigh sé riamh as bheith ag tnúth le filleadh abhaile. Pósadh i Nua-Eabhrac é. Thréig an bhean é. Níl duine dá mhuintir beo anois i Sasana. Agus cé go bhfuil cairde Meiriceánacha aige i Nua-Eabhrac níl sé socair ann féin. Raghadh sé ar ais go Sasana dá mbeadh sé cinnte go bhféadfadh sé maireachtaint i measc na ndaoine atá ann anois, ach is eagal leis go bhfuil athrú mór tar éis teacht ar na Sasanaigh. Is é mo thuairim féin gur ceart dó bheith faiteach. Tá sé loitithe ag Nua-Eabhrac. Ní Sasanach ceart ná ní Meiriceánach ceart é. Nuair thug sé droim láimhe lena thír dhúchais, thréig sé í, ach ar an taobh eile níor ghlac sé go lántoilteanach le saol na Stát.

Chuir sé ceirnín i ndiaidh ceirnín ar an ngramafón. Bhain sé pléisiúr as an gceol fiáin. Thosnaigh sé ag rince agus ag cantan dó féin an fhaid a bhí an t-uisce beatha ag fáil treise air. Bhí an fhuinneog ar oscailt agus radharc againn ar thúrtha Manhattan, ar na soilse ina mílte agus ar an spéir réaltógach. De phreab tharraing sé an dallóg anuas. ' Is maith liom dearmad a dhéanamh air, anois is arís,' ar seisean. Shuigh sé agus an gloine ina láimh aige. Fuair an ciúnas greim air. Bhí sé ina shuí ar an gcuma sin agus mé ag fágaint slán codlata leis.

An 27ú-29ú Meitheamh: *Nua-Eabhrac.*

IS MÓ DUINE A MHOL DOM dul ar cheann de na báid saoire a ghabhann timpeall Oileán Manhattan gach lá. Níor ghlacas a gcomhairle go dtí le deireannas. Is é a chuir leisce chun an turais orm ná go bhfacas na galtáin lá amháin agus iad plodaithe go dtí an deic uachtair le cuairteoirí. Cheapas go mbeinn míchompordach i measc na sluaite agus ar aon nós is fearr liom seachrán im aonar.

Trí lá ó shin bhíos im sheasamh ag coirnéal an 42ú Sráid Thiar agus an Ochtú Ascal nuair thugas faoi deara go raibh barraile beag téagartha d'fhear ag béicigh amach in ard a ghutha phíocánaigh go raibh ticéidí don turas timpeall Oileáin Mhanhattan á ndíol aige—trí uaire an chloig ar dhá dhollaer go leith, '*and you can't miss, folks!*' Bhí a aghaidh ag lonradh leis an allas. Bhí hata bán páipéir, ar nós caipín *baseball*, ar a chloigeann agus cártaí is suaitheantais de bhardas Nua-Eabhrac greamaithe ar bhrollach a léine.

Dhruid sé liom agus beart ticéad ina láimh aige. '*Dis town is bust, brother*!' ar seisean go héadóchasach. Chimil sé a éadan le ciarsúr shalach. Chomh luath agus d'iarras an tícéad air tháinig an bheocht ann. Thairgíos bille airgid dó. '*Jeez*,' ar seisean, '*another of dem tens*! *I'll have to get change*.' Thug sé an ticéad dom, sciob sé an bille as mo láimh agus scinn sé trasna an chasáin go siopa. Admhaím go raibh faitíos orm. Amach as an siopa leis agus isteach i gceann eile. D'fhill sé agus an briseadh aige. '*The folks here is all bust, mister,*' ar seisean. Dúirt sé liom fanúint mar a rabhas go dtiocfadh an bus.

Tháinig beirt chailín an treo agus d'fhiafraigh duine dhíobh de cá raibh stad an bhus a bheadh ag gabháil síos go caladh na ngaltán. '*Here ladies, why don't ya take the tickets from me*.' D'airíos go raibh amhras ar an mbeirt. '*Look, ladies, ya can get the tickets where you like but ya'll be doin' me a favour if you buy from me. De're the same tickets but I get a little rake-off. I have to live, don't I? Come on, ladies. It's official. Look at me badges.*' Cheannaíodar.

Bhí rímeád ar an bhfirín ramhar. Dhein sé babhta rince ar an gcasán gur thosnaigh an bheirt chailín ag gáirí. Ach ní raibh deireadh leis an ngreann.

Tháinig fámaire fir trasna na sráide ar sodar. '*Hiya, Pete!*' ar seisean.

'*Lousy! what's ya been doin'? I'm on me tootsies three hours waitin' for ya.*'

'*Gee, Pete, how could I be over in Joisey an' here? What's the good word, Pete?*'

'*The good word is nuttin' doin'*', arsan fear beag go borb. '*Nuttin' doin' on the foist two races.*'

Ba leasc liom scarúint leo nuair tháinig an bus.

Ní raibh neomat den turas nár bhaineas pléisiúr as. Seanbhád a bhí páirteach san ionsaí ar chósta na Normainne an galtán. Tá sé fairsing compordach. Fuaireas suíochán ar an deic uachtair in aice leis an ráil agus níor chorraíos as go deireadh an turais. Bhí bollscaire áit éigin ar bord agus microfón aige. Thug sé stair agus eolas an chúrsa ach sílim nár chualas ach leath dá bhladar.

Shleamhnaigh Jersey tharainn. Siabadh tonnta dubha amach ó shleasa an bháid agus barra bruscair orthu. Corraíodh gach saghas aníos ó ghrinneall an Hudson—giotaí lofa adhmaid, ceirtlíní, páipéirí, paicéid, frithghiniúnaigh, buidéil, cannaí, seanbhalcaisí míofara. Níor éalaíomar ón mbréantas gur bhaineamar an cuan amach agus go rabhamar ag gabháil timpeall Dealbh na Saoirse. Is mealltach í an fhaid ar an uisce agus dealraíodh dom go raibh an dealbh maorga láimh linn, ach ní raibh. Chualas na daoine im aice ag ligint 'Á' astu nuair chonaiceamar ná raibh airde míoltóige sa bfhear a bhí ag siúl ag bun na deilbhe. Tá ardmheas ag na Meiriceánaigh ar Dhealbh na Saoirse. Tuigim é. Chítear dóibh go seasann sí ina comhartha do na náisiúin uile, agus go háirithe ina tuar fáilte don tsíorshruth inimirceach.

From her beacon-hand
Glows world-wide welcome ; her mild eyes command
The air-bridged harbour that twin cities frame.
'Keep, ancient lands, your storied pomp !'
cries she
With silent lips. 'Give me your tired, your poor,
Your huddled masses yearning to breathe free,
The wretched refuse of your teeming shore.
Send these, the homeless, tempest-tossed to me,
I lift my lamp beside the golden door !'

Tá na bhéarsaí sean-chaite. Is furasta magadh faoin móráil áiféiseach iontu, agus cur suas do dhímheas Emma Lazarus ar thíortha stairiúla na hEorpa. Níorbh iad an dríodar dearóil a chuaigh isteach faoi choimirce Dhealbh na Saoirse. Agus an fíor é anois go mbíonn '*world-wide welcome*' roimh na bochta ? Ach ní furasta beag a dhéanamh den dúil Mheiriceánach sa tsaoirse agus a comharthaí. Creidid go fíochmhar sa tsaoirse. Bíodh súil againn go mairfidh an creideamh sin—mura maireann is bocht an scéal é don chine daonna.

Ghabhamar thar an dealbh. I bhfad uainn bhí ceo

ar na Caola ag béal an chuain agus d'fhág galtán mara ruball deataigh os cionn an uisce chiúin. Chuir an ceo sin ag tnúth le radharc ar chósta na hÉireann mé, gur éirigh tocht ionam . . . D'iompaíos. Bhí na paisnéirí eile ag ól Coca-Cola agus a leithéid as buidéil, ag ithe brioscaí is ceapairí, pís-chnóite is seacláide, agus bhí guth an bhollscaire ár síor-bhodhradh. Stiúraíodh an bád suas an Abhainn Thoir faoi na droichid éachtacha iarainn. Bhí dúthaigh Queens ar an mbord deas, í go híseal ar an uisce ; ach ar an mbord clé bhí Manhattan mar a bheadh cathair a tógadh ar an loch. D'ardaigh an radharc sin mo chroí thar mar d'ardaigh radharc aon chathrach eile riamh—fiú an Róimh agus mé im sheasamh ar an Via Aurelia lá gréine trí bliana ó shin. An té ná creideann gur álainn é Manhattan—ní fhaca sé !

Leanamar ar aghaidh gur sroicheadh an Hudson agus ansin leathnaigh an t-uisce romhainn amach. Ní dhéanfad dearmad go brách ar an radharc : an abha leathan fhairsing mar loch ; an t-uisce chomh teann lonrach le gloine ; na hailltreacha arda ag éirí suas go spéir agus iad clúdaithe ó bhun go barr le coillte giúise ; agus os cionn na habhanntraí uile na scamaill lómracha ag gluaiseacht go mall maorga, an ghaoth á n-aoireacht go séimh go himeall na spéire. Bhí ráiméis éigin ar siúl ag an mbolscaire faoin teach is airde ar domhan nó faoin gcarraig is mó ar domhan, ach is í áilleacht na habhanntraí a chuir faoi dhraíocht mé. Scinn muir-phlána os ár gcionn agus thuirling sé ar nós faoileáin ar an uisce. Ghabhamar faoi dhroichid eile. D'éirigh an abha dubh salach arís agus bhí boladh gránna ann. An tseantroime san aer agus an seanbhruscar ar snámh ar na tonnta beaga.

Is baol don duine mí Iúil i Nua-Eabhrac nó go mbíonn taithí fada aige ar an aimsir. Tine fhraochmhar í agus fiú nuair théann an ghrian faoi bíonn gríosghoradh san aer. Braithim go mbeidh gach boladh agus gach radharc sráide dóite ar mo chuimhne feasta. Dúntar na siopaí móra agus na hoifigí. Doirtear na sluaite amach ar na casáin ionas gur deacair siúl. Bíonn rian na hatuirse ar na fir. Siúlaid go trom, a gcótaí ina lámha acu. Ach féachann na cailíní go húr bríomhar, agus bíonn an bheocht ina nguth. Cloistear ag gáirí iad. Siúlaid go triopallach ceannard. Gúnaí geala éadroma a bhíonn orthu agus chítear dom gur cuma leo an brothall puinn. Bailíonn na sluaite isteach sna proinntithe nó i staisiúin an iarnróid faoi thalamh. Méadaíonn ar thormán na sráideanna. Bíonn boladh gasailín agus ola i ngach áit. Cloistear scréachaíl na gcoscán agus an casachtach aisteach a dheineann na busanna nuair stoptar iad. Scréachann na traenacha thuas ar an *El* agus lingeann a dtorann anuas ar an sráid. Féachann an fear nuachtán ar an gcúinne suas sa spéir. Tá an solas ag trá agus na scamaill bhuí ag fógairt tintrí. Seasann póilín i lár an chrosaire, a dhá ordóg sáite ina chrios, a chaipín ar chúl a chinn. Fanann sé sa riocht sin go n-athraíonn na soilse treora agus go snámhann sruth eile bus agus gluaisteán chun tosaigh. Iompaíonn sé go mall, an dia beag a bhfuil an chumhacht sa ghunna ar a chromán aige.

' . . . an t-uisce chomh teann lonrach le gloine . . . na hailltreacha arda . . . '—An Abha Hudson (*lch.* 219)

' . . . baile poirt i lár tíre . . . '—Chicago, abha na long is na ndroichead (*lch.* 182)

An 30ú Meitheamh : Nua-Eabhrac—Boston

THEITHEAS AS NUA-EABHRAC mar theithfeadh cime as carcair, ach ní héasca a lig an chathair uaithi mé. Chuas go dtí an Lár-Stáisiún Mór go moch ar maidin ionas go n-éalóinn ón seanbhrothall, ach bhí an teas ann romham—teas fulachta agus mise am róstadh ann. Ní fheadar an bhfuil stáisiún chomh breá sna Stáit nó in aon tír eile. Is iontach an saothar ailtireachta é agus bíonn an t-aer níos fionnuaire thíos ann ná mar a bhíonn ar na sráideanna ; is é sin le rá go mbíonn sé níos teo thíos ann ná mar bheadh lá samhraidh in Éirinn. Tá hallaí fairsinge ann, siopaí agus oifigí de gach saghas. Tá cuma ardeaglaise ar an bpríomh-halla agus cloistear gach macalla ag athlingeadh ón díon ard—gutha agus bualadh agus coiscéimeanna a dhúisigh faitíos éigin ionam nár thuigeas.

Bhí turas ceithre huaire orm go Boston, agus chuir gach neomat de áthas orm. Bhí an fharraige ar dheis—an fharraige mhór agus an spéir éachtach áibhéile gan smál. Ba dhóbair don léinseach leathan de sholas gléghlan mé dhalladh. Bhí an ghile ina lasair bhán ar na muirghéaga, ar na riasca, ar na hinsí is na bailte beaga a bhí chomh glan le cailc nua. D'fhéachas ar na locháin luachracha agus na srutháin seisceacha agus gheallas dom féin go gcaithfinn lá ag spaisteoireacht áit éigin i Massachusetts. B'fhacthas dom, ar na crainn sailí is iad ag cromadh go lúbach craobhach os cionn na locha sin ba scátháin, ar na páirceanna féaracha, ar na coillte doimhne, go raibh an tír aoibhinn sin inchurtha leis na dúthaí is áille in Éirinn. Bhí na héin mhara ag eite-shnámh go séimh gan corraí sciathán ar leoithní boga an aeir. Shleamhnaigh na bailte beaga tharainn—bailte bána adhmaid agus an teampall ina lár istigh—agus d'aithníos ná raibh muintir na háite scaiptheach lena gcuid den tsaol. Tá na suáilcí Púiriteánacha ag feirmeoirí Shasana Nua.

D'fhear Micheál Ó Floinn, cúntóir do thaidhleoir Éireann i mBoston, agus Seosamh Ó Geannáin (prionsa na féile) fáilte romham ag an stáisiún. Thógadar gach rud go deas socair. Ní raibh aon deifir orthu. Níor chuireadar deifir ormsa. Glacadh liom chomh cineálta gur bhraitheas gur sheanchairde agam iad, cé nár leagas súil riamh cheana ar Mhicheál agus nár casadh an Geannánach orm ach uair amháin, agus é ar cuairt i mBaile Átha Cliath.

D'aithníos go raibh an cineáltas céanna ag baint le Boston. Tá sé ar na bailte is sine sna Stáit. Céad bliain ó shin bhí ainm an bhaile in airde ar fud an domhain i dtaobh a chuid cultúir. Ná gairmeadh muintir Bhoston 'Mol an Domhain' ar a gcathair? Bhíodh ómós don scríbhneoir agus don dathadóir ina measc agus b'é breithiúnas Bhoston breithiúnas Mheiriceá. Ní hé Boston Mol an Domhain anois, ach is beo iad na mairbh. Tá a n-aigne beo i seanfhoirgintí na cathrach—tógadh an chuid is fearr díobh nuair bhí an stíl chlasaiceach i réim—agus sílim go bhfuil sí beo freisin sa Harvard Club. Thug mo bheirt charad dinnéar dom ann. Céad bliain ó shin, ar éigin a ligfí duine dem chine agus dem chreideamh isteach. Ní raibh ardmheas go coitianta ag daoine galánta na cathrach ar na hÉireannaigh, cé gur thugadar onóir do Sheán Baoigheallach Ó Raghallaigh. Ghaibh an chaolaigne lena ngalántacht. '*Respectability stalks unchecked in Boston,*' adúirt duine éigin. Ach níor ligeas d'aon chuimhntí stairiúla teacht idir mé agus an bia. Ba lánábhar smaoinimh iontu féin na hoisrí is na sliogáin mhara friochta.

Tar éis an dinnéir tugadh mo chéad radharc ar an gcathair dom. Tá cuma Bhaile Átha Cliath uirthi, go háirithe ar chuid de na fobhailte, ach is mó meas atá ag muintir Bhoston ar na nithe stairiúla ná mar atá againne. Ghabhamar thar Boston Common ; páirc chrannach i lár na cathrach. Tá an smúit go doimhin bog ar na casáin ann agus tá an féar feoite donn ó theas na gréine. Maidir le húire nó deise, níl sé inchurtha le Faiche Stiofáin ; ach bheannaíos im aigne féin don talamh sin mar ar shiúil Emerson is Prescott, Parkman, Holmes, Longfellow agus Ticknor. Ar aghaidh linn trí na sráideanna cúnga casta agus is náir liom a rá ná raibh ach leathchluas liom ag éisteacht leis an mbeirt. Bhí abairt im aigne am chrá ag iarraidh teacht chun solais, ach ní tháinig nó gur shroicheas an t-óstán agus gur chuartaíos an leabhar staire im mhála. Oliver Wendell Holmes a scríobh go raibh Boston '*full of crooked streets ; but I tell you Boston has opened, and kept open, more turnpikes that lead straight to free thought and free speech and free deeds than any other city of live men or dead men . . .'*

Is mór an trua nár lean sí mar sin. Tá cathracha ar nós Bhoston na seanaimsire de dhíth go mór ar an gcine daonna.

Thug an Geannánach chun a thí féin mé agus shuíomar ar an bhfaiche lena bhean chéile lách fáiltiúil, ag comhrá gur thit an dorchadas gan clapsholas. Bhí cumhracht blátha éigin nár aithníos ar an aer.

' . . . meas ag muintir Bhoston ar na nithe stair-
iúla . . . '—Pól Revere ag síormharcaíocht agus an
Sean-Teampall Thuaidh, Boston (*lch.* 223)

‘ . . . Cnoc Beacon mar a bhfuil foirgneamh breá maorga . . . ’—Áras an Stáit, Boston (*lch.* 225)

An 1ú-3ú Iúil : Boston

AR ÉIGIN a bhíonn an t-am agam nó an fuinneamh ionam chun leathanach den dialann seo a scríobh. Tógaim an iomarca cuairteoireachta orm, an iomarca fiosrúcháin agus siúlóide. Is baolach ná beidh neart spideoige ionam ag dul ar bord loinge i Nua-Eabhrac an 23ú lá den mhí seo.

Tá ceartlár Bhoston siúlta agus athshiúlta agam. Tá iarsmaí stairiúla ar gach sráid beagnach, sa cheantar thíos faoi Chnoc Beacon mar a bhfuil foirgneamh breá maorga an Chapitol. Níl blas geal garbh na húire anseo. I gcomparáid le cathracha eile sna Stáit tá sí críonna agus tá dignit na seanaoise ar na foirgintí, ar na séipéil Phrotastúnacha agus ar na dealbha cuimhneacháin i ngach aird. Má ghabhaim síos Sráid Beacon agus Sráid Tremont—nó 'Tremont' mar adeirid gan bacadh le 'Sráid'—siúlaim le hais ráile iarainn na seanreilige mar a bhfuil na mairbh chlúiteacha sínte, na leaca go slachtmhar ina sreathanna agus brat beag Meiriceánach os cionn gach uaighe oirirce. Dá gcuirtí le chéile in aon scéal amháin beathaisnéis gach duine cháiliúil atá sa chré sin, bheadh leath de stair na Stát le léamh ann. Tá dealramh Protastúnach ar an áit. Go deimhin, tá dealramh Protastúnach ar an gcuid is mó de stair na Stát ó chéad-lá na Saoirse acu. Cé gur líonmhaire iad na Caitlicigh i mBoston anois agus gurb í an Eaglais Chaitliceach an ceann is treise sna Stáit faoi láthair, is fada an lá fós go bhfeicfear dealramh nua ar an meon Meiriceánach. Nílim ag smaoineamh anois ar an sean-namhdas a bhíodh, agus a bhíonn, idir lucht an dá chreidimh, ach ar an bhfaitíos atá ar fhormhór na bProtastúnach roimh údarás na hEaglaise. Is fraochmhar í dúil na Meiriceánach sa tsaoirse agus chítear dóibh go bhfuil coimhlint idir an tsaoirse agus an údarás sin.

Má ghabhaim suas Sráid Beacon agus iompó tuathal, siúlaim isteach trí Bhoston Common, ar na casáin chaite smúiteacha, ar an bhféar donnbhuí i measc na scíordán ard uisce. I lár locháin tá an t-uisce ag lingeadh ó scíordán i bhfoirm scáth fearthainne, agus na céadta páistí ag lapadaíl ann, ag gol is ag béicigh. I ngar don lochán tá amharclann do leanaí mar a bheadh taispeántas mór Punch agus Judy. Taithíonn na daoine an Common ina mílte, iad ina luí faoi scáth na gcrann, ag cabaireacht ar na suíocháin, nó sínte ina gcodladh sna háiteanna iargúlta.

Siúlaim na sráideanna cúnga ach ní thuigim déanamh na cathrach fós cé go mbreathnaím go minic ar an léarscáil atá agam. Thugas cuairt ar Fhoirgneamh Hancock, mar a bhfuil oifigí thaidhleora na hÉireann, agus ó bharr an scríobaire spéire sin tá lánradharc ar an gcathair. Is iontach glan an léargas é. I bhfad thíos chítear an Abha Charles ag lúbadh síos chun na farraige. Is breá fairsing an abha í. Leanas an sruth lem shúile gur shroich sé an tsáile. Tá na hoileáin creagacha soiléir faoi sholas na gréine, na longa móra cogaidh ina sreathanna leis na calaí, agus an t-aerphort tamall anonn.

Dá mba den chathair seo mé, bheadh uabhar orm.

Thugas cuairt ar stáisiún radio. Mná a bhí i ngach oifig, idir sean, meánaosta agus óg. Bhí na hoifigí go deas compordúil, pictiúirí is blátha iontu, cathaoireacha uilleann is súsaí, agus cuirtíní ar chuid de na fuinneoga. Ba léir gur i Ríocht ban a bhíomar agus gur fhágadar rian a lámh ar gach rud. Chuas go dtí oifig scríbhneora sa stáisiún. Bosca beag cúng ab ea é agus istigh ann . . . bhí fear ag obair !

Tá iarsmaí stairiúla ó Chogadh na Saoirse ar taispeáint sna fuinneoga siopa. An fíoriarsmaí iad ? Chonac gunna Phaul Revere, lampa leis, seanbhairéad mná, cliabhán páiste . . . agus tháinig amhras orm. Ar an gcéad dul síos, tá an iomarca dhíobh ann. Is maith an scagadóir an aimsir agus ní raibh lucht na réabhlóide ag smaoineamh ar na taispeántaisí ! Dá mbeidís, ní fhágfaí an tseanreilig ar Tremont gan cóiriú go dtí go raibh ar dhaoine eile na leaca a chur ina sreathanna, taobh le taobh beagnach.

Chaitheas tráthnóna sa reilig. Séard a bhí uaim uaigh Mother Goose, an bhean úd a bhailigh le chéile na rannta a bhíonn de ghlanmheabhar ag gach páiste a labhrann Béarla. Fuaireas mórán ainmneacha mórchlú mar atá Winthrop, Adams, Otis, Paul Revere féin, agus ainm an rógaire ghlic úd, Benjamin Franklin, ach tásc ná tuairisc ní raibh ar uaigh na mná. Tá colún cloiche os cionn Franklin. Sílim nár Chríostaí eisean, ach is aige atá an chloch chuimhneacháin is mó sa reilig. Chreid sé i nDia ; chreid sé i gcumhacht na haigne daonna ; ach thar aon rud eile, chreid sé i mBenjamin Franklin. Nuair bhíos óg bhíodh leabhar léitheoireachta ag na hardranganna in Éirinn agus abairtí ann le foghlaim de ghlanmheabhair ag na scoláirí. B'iad sin ' Ráitis Risteaird Bhoicht,' a scríobh Franklin. Ní cuimhin liom anois ach ceann amháin : is deacair mála folamh a chur ina sheasamh. Chuiridís cochall orm. B'ait liom gur gairmeadh údar nó saoi ar an té a chum, mar nach raibh de chiall iontu ach an chiall cheannaigh a bhíonn ag gach amadán.

Ghlaoigh Seosamh Ó Geannáin orm agus thug sé leis mé síos go dtí a theach samhraidh ar na Cnoic Ghlasa, in aice le Cohasset. B'álainn an turas báid a bhí againn. Chuir sí cúrsa casta dhi i measc na n-oileán go dtí go raibh an chathair ina luí go híseal ar imeall na spéire taobh thiar dínn. Ní raibh tonn dá laghad ar an bhfarraige. Ní ciúine a bheadh lochán i measc na sléibhte lá samhraidh. Chuir an t-aer glan agus an teas fonn codlata orm.

Tá teach Sheosaimh ina sheasamh ar ardán glas os cionn na farraige, crainn mórthimpeall air, agus a scáth go leathan ar na faichí. Teach mór adhmaid é. D'fhéadfadh dhá chlann cónaí ann gan cur isteach riamh ar a chéile. Fan taoibhe amháin den teach tá póirse fada agus ráil leis, agus d'fhanamar inár suí ann gur imigh an ghrian faoi taobh thiar den chathair. Ní raibh aon chrónú ann ná aon taispeántas datha mar a bhíonn againn in Éirinn. Thit an ghrian as an spéir agus ghluais an dorchadas thar éadan na farraige. D'éirigh leoithní beaga. Chualamar na tonnta ag lapadaíl ar na carraigeacha thíos fúinn agus na héin mhara ag caoineadh amuigh ar na hoileáin loma. Lean fionnuaire an dorchadas. Bhí fhios agam go gcodlóinn go sámh.

Seomraí fairsinge aeracha atá sa teach. Tá leabhair i ngach áit—leabhair faoi stair na tíre agus stair Bhoston, beathaisnéisí, gach rud. Cuireadh an saghas fáilte romham a chuireann daoine roimh a muintir féin. Tá cúigear clainne acu—ceathrar cailíní agus garsún—agus tá fuinneamh na Meiriceánach óg iontu, pé acu ag canadh, ag damhsadh, ag snámh, ag seinnt, nó am cheistiú faoi Éirinn. Bhaineadar an t-uaigneas díom.

An 4ú-6ú Iúil : Boston

NÍOR FHEALL AN CODLADH ORM. Bhí an ghrian go hard sa spéir nuair dhúisíos agus bhí na héin mhara ag béicigh faoina chéile ar nós páistí ag súgradh. Shílfeá gur de mharmar snasta glas an t-uisce agus na hoileáin ar a bharr. Bhí na fuinneoga ar oscailt agus fuaireas boladh géar sláintiúil na sáile. Bhí éan éigin ba gheall le smólach ag cantan sa chrann le hais na fuinneoige.

Chuimhníos gurbh é Lá na Saoirse é, lá saoire ag na Meiriceánaigh cé nach lá mór é. Is fada anois ó scaoileadh an chéad urchar i gcogadh na saoirse, ach éinne a cheapann gur lú torthaí na troda sin le Meiriceánaigh an lae inniu ná lena sinsir, tá breall air.

Luíos ar an bhfaiche ar feadh na maidne, ag léamh,

ag comhrá le Seosamh agus a pháistí, agus am ghoradh faoi theas bríomhar na gréine. Tar éis an lóin, chuamar ag spaisteoireacht trí choill ghiúise atá in aice an tí. Chuireamar siúlóid sé nó seacht míle dhínn agus mar sin chomhlíonas an gheallúint a thugas ag teacht go Boston ar an traen dom. Chuimhníos gur beag seans a bheadh agam a leithéid de shiúlóid a dhéanamh in Éirinn. Bhí an talamh chomh bog le súsa faoinár gcosa. Shúigh teas na gréine cumhracht an roisín as na crainn. Istigh fúthu bhí sé ina chlapsholas ciúin agus ghaibh fonn mé luí ann go gcloisfinn na héin ag preabadh sna géaga, agus na míoltóga sa bhféar, agus na hainmhithe beaga ag sleamhnú go faiteach ó chrann go crann. B'ait an mhian é. Cé an fáth gur ghaibh a leithéid mé i lár na coille ag Cohasset ? Chaitheas seal ag machnamh agus chuimhníos go mba nós liom im óige dul ag spaisteoireacht im aonar i gcoill bheag atá ar chnocán i bhfoisceacht míle go leith do Chill Choinnigh. Agus is dual do gach mac máthar fonn filleadh ar laethe na hóige. Coill duaibhseach é an saol, *una selva oscura*, mar adúirt Dante i dtosach a dháin. An té ná creideann, tá sé dall.

Ba leasc liom na Cnoic Ghlasa a fhágaint. Ní raibh uaim ach fanúint cois na farraige am ghrianadh, ag féachaint go codlatach ar na hoileántáin is na héin mhara, nó ag comhrá leis na páistí, nó ag léamh leabhair bhreátha an Gheannánaigh. Ní ligfeadh seisean saor mé gur gheallas dó go bhfillfinn.

Nuair shroicheas an teach ósta sa chathair bhí litir romham ó Philib Ó Ruanaigh i Radio Éireann ach níor osclaíos í go rabhas tomtha i bhfolcadán fuaruisce. Bhí brothall na cathrach ag goilliúint go trom orm cé ná rabhas ann ach le cúpla uair.

Séard a bhí ó Philib go ndéanfainn cuardach ar fuaid Bhoston go bhfaighinn duine ó na Blascaodaí agus é thabhairt go dtí stáisiún radio éigin chun ceirnín a dhéanamh dá chuimhní faoi shaol na ndaoine ar an oileán agus dá thuairimí faoi Mheiriceá. Bheadh an t-oileán mór á thréigint glan roimh dheireadh na bliana agus dar le Pilib ba mhaith oirfeadh an chaint sin don chlár a bhí a bheartú aige. D'aontaíos leis, chuireas mo mhallacht air, agus shuíos síos chun machnamh ar an gceist. Ba chuimhin liom gurbh é Hartford, Connecticut, ba cheann scríbe ag roinnt mhaith daoine ó Dhún Chaoin, ach dá bhfaighinn ór an domhain air ní fhéadfainn cuimhneamh ar an áit b'ansa le muintir an oileáin.

Chaitheas an lá ag cuardach. Thug Micheál Ó Floinn, in oifig an taidhleora, ainmneacha roinnt Chiarraíoch dom. Ghabhas ag comhrá le daoine in oifigí ; thugas cuairt ar stáisiún radio agus ar oifigí nuachtáin ; d'osclaíos eolaí an telefóin—is mó eolaí na cathrach ná ceann na hÉireann uile—agus thosnaíos ag glaoch ar na Súilleabhánaigh, na Dálaigh, na Catháanaigh . . . Ghlacadar liom go fáiltiúil nó go hamhrasach, go magúil nó go modhúil, ach ba shaothar in aisce agam é. Ní bhfuaireas mo Bhlascaodach. Agus bhíos bodhar balbh traochta. Leanfad den tóraíocht.

Tháinig mé féin agus an Geannánach le chéile le haghaidh dinnéir i dTeach Parker, ceann de na háiteanna is mó clú sa chathair. Roimh ré thug sé leis mé síos Sráid na Scoile—atá beagnach chomh hársa le Boston féin—agus thaispeán dom leac ar fhalla tí i gcuimhne an chéad Aifrinn a léadh sa chathair na céadta blian ó shin. Níos faide síos an tsráid, in aice Sráid Washington, tá seanteach de bhrící rua. Ansin a bhíodh an *Old Corner Bookshop* mar a gceannaíodh Emerson, Lowell agus Holmes a gcuid leabhar. Beag meas a bhí acusan ar an Aifreann ná ar an gCreideamh agus cé go rabhadar mórálach as a bhfealsúnacht agus iad beag beann dar leo ar an sean-Phrotastúnachas, bhí an dearcadh Protastúnach acu. Níl faid urchar cloiche idir leac chuimhneacháin an Aifrinn agus seansiopa na leabhar, ach tá stair uile na Stát eatarthu. Cathain a chaillfidh na Meiriceánaigh a bhfaitíos roimh chumhacht an Phápa? Nuair a tharlóidh, beidh siad tagaithe ar mhalairt aigne ní hamháin faoin bPápacht ach faoi chumhacht an Stáit agus saoirse an duine. B'fhéidir go mbeidh Pápa Meiriceánach sa Róimh—nó i gcathair éigin i Meiriceá—a bhainfeadh an chealg as an gcoimhlint idir teagasc na hEaglaise agus Bunreacht na Stát. Pé scéal é, beidh an choimhlint ann chomh cinnte agus atá idir an anam is an cholann, idir Dia agus Caesar, mar bhí riamh ó tháinig an Eaglais sa tsaol.

Sílim gur ólas an iomarca den *Chateau Neuf du Pape* i rith an dinnéir!

An 7ú-9ú Iúil: Boston

NÍ BHFUAIREAS AN BLASCAODACH fós. Má tá m'Oileánach beo, níl sé sa chomharsanacht. Nuair thiteann mo chodladh orm bíonn brionglóidí agam faoin oileán agus chím é ina luí ar an bhfarraige, caipín ceo air agus ciúnas marbh i measc na dtithe.

Chuas ag caint le Seosamh Ó Sighil, Taidhleoir na hÉireann, agus le Micheál Ó Floinn. Táid ag déanamh a ndíchill ar mo shon ach sílim go bhfuil éadóchas ag teacht orthusan freisin. Rug Seosamh leis mé go dtí an Chrannlann (Arboretum) atá in aice na cathrach agus bhaineamar araon taitneamh as na crainn ilchineálacha —crainn ó gach aird den domhan. Tá a ainm féin ar lipéad adhmaid ar gach ceann acu agus shíleas go n-éireodh duine léannta sa chrann-eolaíocht ann gan mórán stró. Níorbh é an léann a bhí uaim, áfach, ach faoiseamh ó mo shean-namhaid, an brothall, agus ón tuirse a bhí am chrá. Chaitheas an chuid eile den lá le Seosamh agus a bhean. Is iomaí rud a mhínigh sé dhom faoi stair na tíre. Dá mbeadh caoi aige chuig an staidéar, táim cinnte go mbeadh sé ina shárscríbhneoir staire. Cuireann sé spéis ar leith i stair Mhassachusetts i dtrátha tús na himirce.

Creidtear go coitianta san Eoraip ná bíonn cultúr ná léann ag na Meiriceánaigh shaibhre ; agus fós ná bíonn aon chomhar idir rachmas na tíre agus cúrsaí oideachais. Ní fíor pioc de. Tá meas níos mó ag daoine saibhre na tíre seo ar eolaíocht is ar ealaí ná mar a bhíodh ag bodairí móra Shasana le linn Victoria, ná mar atá ag na bodairí nua in Éirinn anois. Tá suáilce nó buaidh amháin ag na Meiriceánaigh atá caillte san Eoraip, an *magnificentia*!

Ní cuimhin liom go cruinn cad deir San Tomás faoin mbuaidh seo, ach baineann sé le flaithiúlacht agus le caitheamh mór airgid ar nithe fiúntacha. Agus caitheann Meiriceánaigh shaibhre a gcuid airgid ar choláistí, scoileanna, seodlanna, leabharlanna . . . mar is léir in aon chathair anseo.

Timpeall tríocha bliain ó shin fuair bean de chathair Bhoston bás a raibh an *magnificentia* inti má bhí in éinne riamh. B'ise Isabella Stewart Gardner. Tá a teach—móráras—ina sheasamh sa Fenway, ar imeall Bhoston. D'fhág sí le huacht ag an bpobal é ar choinníoll ná hathrófaí tada ann agus níl cead ag lucht a chaomhnaithe oiread agus cathaoir a bhogadh.

Tá iontais an tsaoil san áit. Bhailigh sí le chéile iad ionas go mbeadh clú ar an áras agus uirthi féin, go dtabharfadh Meiriceánaigh léannta ómós di, go mbainfeadh a cairde taitneamh as na nithe luachmhara, agus go bhfaigheadh sí an phríomháit i measc uaisle Bhoston. Iníon cheannaí ó Nua-Eabhrac ab ea í agus nuair tháinig sí chun cónaí i mBoston, b'fhuar an fháilte d'fhear seanchlanna na cathrach roimpi. B'iad sin na '*proper Bostonians*' a bhí leathmharbh ag an ngalántacht. Ní raibh sí dathúil ach bhí intinn ghéar aici. An rud ba thoil léi, déantaí é. Ba thoil léi an t-áras ab áille bheith aici, agus bhí ; urláir leacracha ó theampaill na sean-Róimhe ; colúin, altóirí is fuinneoga daite ó eaglaisí na Meánaoise ; tuambaí cloiche ón Éigipt ; clós mainistreach ón Spáinn ; lampaí is ráilí iarainn ón Fhrainc ; íkonaí ón Rúis ; lása luachmhar ón Iodáil, dealbha naomh ó na séipéil is ársa san Eoraip. Agus na pictiúirí ! D'fhéadfadh duine blianta a chaitheamh á bhféachaint. Tá ceann le Tiziano ann a chuirfeadh an croí is dúire faoi bhriocht. Ceann beag le Fra Angelico, den Mhaighdin Muire, a d'fhág balbh mé ar feadh leathuaire. Ní dathanna atá ann ach tinte gorma. Shílfeá *lapis lazuli* bheith á dhó ann agus na lasracha fuara gorma ag preabadh ar fuaid an chanfáis.

Níor theip ar Isabella Gardner. Bhí Boston umhal di. Ba chuma cuireadh chuig a háras nó cuireadh chuig an Teach Bán ó Uachtarán na tíre. Ach nuair bhreathnaíos pictiúirí na mná féin tháinig iarracht d'eagla orm. Níor léirigh ach an t-aon dathadóir amháin cruth a béil. Béal tanaí teann cruaidh é.

An 10*ú*-13*ú Iúil : Boston*

DHEINEAS FAILLÍ sa dialann ó thángas arís go teach Sheosaimh Uí Gheannáin cois na farraige ag Cohasset. Níl aon fhonn orm chuige. Cé an fáth go mbeadh? Tá saol rí agam—rí a mbeadh síocháin ina ríocht aige.

Ní cuimhin le héinne anseo an aimsir a bheith chomh soineanta is atá sí ó thosach na míosa. Gan cúr a bhriseann na tonnta beaga ar chlocha na trá agus ar éigin a bhogaid an fheamainn dubh is an fheamainn bhoilgíneach atá scaipithe ag bun na gcarraigeacha. Bánliath atá an t-uisce agus ós cosúil an dath sin le ceo na maidne, is deacair uaireanta an spéir a aithint thar an bhfarraige. Maidin amháin nuair d'fhéachas amach óm sheomra b'fhacthas dom go raibh rudaí ag eiteall trasna na spéire os cionn an chuain. Báid iascaigh a bhí ann, agus na gliomadóirí ag tarraingt na bpotaí isteach ón uisce bánliath ceomhar.

Is é dála na farraige agam féin é. Tá ceo aoibhnis ar m'aigne. Is cuma liom cé an lá den tseachtain atá ann nó cé an mhí den bhliain. Ólaim is ithim go sláintiúil ; codlaím go sámh ; bainim taitneamh as an gcomhrá le Seosamh nó lena bhean nó leis an gcailín Seapánach atá sa teach acu ; nó ligim do na páistí a gcuid cleas a imirt orm. Táim gan aois, gan tír, gan clann.

Gan aois ? Tháinig cailín atá gaolmhar le Seosamh chun an tí tráthnóna. Ní fhaca mise a sárú ar áilleacht in aon áit riamh. Bhí triús gearr uirthi, léine, bróigíní, agus na cosa go breá fada Meiriceánach fúithi. Folt fionn uirthi agus aoibh an gháire ar a béal i gcónaí, agus í oilte dea-bhéasach mar bharr ar sin uile. Tháinig ionadh orm nuair a fuaireas amach ná raibh sí ach ocht mbliana déag. Cheapas ar a caint go raibh sí i bhfad níos sine, a chiallmhaire eolgach a bhí sí. Thug sí cuireadh dhom dul ag snámh léi agus nuair dhiúltaíos chrom sí ar mhagadh fúm nó gur ghabhas chun na trá léi. Luíos ar an bhfeamainn fheoite, chaith sise dhi na balcaisí beaga agus bhí sí réidh ina culaith snáimh. Agus ní cailín a bhí inti ach spéirbhean, ábhar álainn ceoil nó filíochta. Shiúil sí go maorga isteach san uisce agus bhuail amach ag snámh. Le gach buille dá lámh agus le gach casadh dá ceann mhothaíos ualach na mblianta orm. Tháinig sí gar don trá agus ansin d'árdaigh í féin go mall ón ngrinneall—Vénus an Domhain Úir ag éirí ón tsáile, na braoiníní ag lonradh ina seoda geala ar an gcorp slímghlan ina raibh lí an róis.

Chuir sí ag machnamh mé ar mhná na tíre. Sara mbíonn fiche bliain acu bíd aibidh fásta. I gcomparáid leo is girseacha beaga cailíní na hÉireann san aois chéanna. Ní bhíd cúthail anseo ach ní bhíd dána. Bíd neamhspleách ach bíd ómósach. Ní leasc leo a rá gur mian leo pósadh chomh luath agus is féidir. Pósaid. Agus ansin tarlaíonn rud aisteach dóibh. Aosaíd go tapaidh. Titid chun feola. Téid i léithe go tiubh. An é déine na hoibre nó cruatan na haeráide a athraíonn iad?

De phreab tháinig athrú ar an aimsir. Dhúisigh tormán na stoirme mé timpeall a trí a chlog ar maidin. Léimeas amach chun na fuinneoga a chur faoi ghlas i gcoinne na gaoithe agus d'airíos go raibh urlár an tseomra ar crith faoi mo chosa. Bhí an ghaoth ag scuabadh cúr na dtonn anuas ón trá léi agus á shiabadh ar ghloine na bhfuinneog. I bhfad i gcéin bhí léas an teach solais ag teacht is ag imeacht go huaigneach agus gach gath solais ag leagadh raon geal bán thar na tonnta fíochmhara. Chualas scréachaíl do-aithnid éigin timpeall an tí agus thosnaigh duine de na páistí ag gol go faiteach. Shleamhnaíos faoin éadach leapan arís. Bhí goimh ghéar an gheimhridh san aer.

Le bánú an lae mhéadaigh ar neart na gaoithe. D'éiríos is chuas amach im aonar go cúl an tí go bhfeicinn na tonnta ag briseadh aníos thar na carraigeacha agus isteach ar fhéar na faiche. B'éigean dom greim daingean a choimeád ar ráil an phóirse ar eagla go leagfaí mé. Sciob an ghaoth an t-anál as mo bhéal. Bhí boladh géar an tsáile ar an ngaoith agus ghortaigh an cúr mo shúile. Bhí an cúr bán ar nós ceo deataigh os cionn na gcrann agus thit frasa dhe orm gur fliuchadh go craiceann mé. Bhíos am bhodhradh le toirneach na dtonn ar an trá.

Más mar seo a bhíonn an stoirm sa tsamhradh, conas a bhíonn i lár an gheimhridh? Ní bhead gearánach feasta faoi aeráid na hÉireann.

An 14ú-15ú Iúil : Nua-Eabhrac

B'FHUATH LIOM an turas ar ais go Nua-Eabhrac. Ba leasc liom slán a fhágaint ag muintir Gheannáin. Rud eile, ní raibh an traen compordach mar bhí scata páistí ag súgradh sa charráiste is ag imirt a dtola ar na paisnéirí eile. Bhíodar faoi chúram a dtuismitheoirí, mar dhea, ach níor thugadar aon aird orthusan. Léimeadar ar na suíocháin ; throideadar ; chaitheadar *gum* as a mbéal ar an urlár ; dhoirteadar uachtar oighre ar ghúna mná gur thug sí íde na muc dóibh. D'achainíos ar mháthair amháin duine de na siotaí beaga a bhaint dem ghlúna, agus thosnaigh sí ag peataireacht go séimh ar an diabhal beag. An mbítear chomh bog leis na páistí in aon tír eile ?

Tá Nua-Eabhrac níos teo ná mar bhí, agus tá na sráideanna plodaithe le *Shriners*. Baill de chumann náisiúnta iad a bhfuil rialacha cosúil le rialacha na saormhásún acu. Ach tá difríocht mhór idir an dá dhream, maidir le dignit. Cé gur fir aosta nó scothaosta iad na Shriners agus go bhfuil ribí liatha agus fáirbreacha na haoise orthu, tá baois na hóige iontu. Caitheann gach duine díobh *fez* Turcach agus bíonn éadaí daite ar chuid acu, róchosúil leis an sórt a bheadh ar dhoirseoir óstáin mhóir. Is trua liom iad. Ba mhian leo bheith ag geáitsíocht ach is fadó a thréig fuinneamh na hóige iad.

Chuas síos Broadway—leathshlí beagnach—go hoifigí Sheed agus Ward chun leabhar dem chuid féin a shíniú do Sheosamh Ó Geannáin agus inseadh dhom ann go raibh Hilaire Belloc tar éis titim sa tine ina theach féin agus go raibh sé i mbaol báis. Ghoill an drochscéal go mór orm agus tugaim faoi deara go mbím ag machnamh ó shin ar an bhfear bocht. Tá gean agam air óm óige cé nár bhuail mé riamh leis agus ná facas é ach uair amháin agus é ag tabhairt léachta i mBaile Átha Cliath. An t-am sin níor thaitnigh a ghuth ná a dhreach liom. Bhí guth ard píobarnaí aige agus labhair sé róthapaidh domsa. Ach ba chuma liom. Cheannaínn a chuid leabhar agus mholainn dom chairde iad. Chreidinn—agus creidim fós—ná raibh aon scríbhneoir próis ab fhearr ná é. Tá timpeall céad dá leabhair agam agus ní scarfainn le haon cheann acu. Dúirt sé i gceann amháin : *'The American Presidency is to-day far the strongest monarchy on earth.'* Is dócha go gcuirfeadh an ráiteas fearg ar Mheiriceánaigh, ach is fíor é.

Chuas ag siopadóireacht. Ní fiú tráithnín mé anois. Bhí *Shriners* i ngach siopa romham, na caipíní amaideacha ar a gceann, agus tuirse na cathrach ina súile. Bhí clóca Arabach ar dhuine acu, spéaclaí móra, agus totóg fhada ramhar ina ghob. Sheas triúr díobh ar an gcasán ag siollaireacht ar dhromaí ar feadh leathuaire go rabhadar traochta. Léas ar nuachtán go ndúirt maor Nua-Eabhrac leo go raibh saoirse na cathrach acu agus go gcaochfadh na póilíní súil ar a gcuid geáitsí. I gcionn dhá lá beidh mórshiúl acu trí lár na cathrach, ach le cúnamh Dé beidh mise i Washington. Ach mhúineadar ceacht dom. Nó chuireadar snas ar cheacht atá foghlamtha agam. Tá dhá eochair eolais agam ar an tír : an-fhuinneamh agus easpa síochána nó easpa suaimhnis. Bíonn na tréithe céanna i ndaoine óga. Is fearr leo gníomh ná smaointe. Is fearr leis na Meiriceánaigh bheith ag déanamh rudaí is ag gluaiseacht ó áit go háit ná bheith socair in aon áit chun tuiscint níos doimhne a fháil ar chúrsaí an tsaoil. Is mó le rá acu an t-innealltóir ná an t-ealaíontóir, an fear gnótha ná an fealsúnaí, agus an milliúnaí, bíodh a shláinte millte le hobair agus imní, ná an fear bocht a bhíonn folláin socair ann féin.

An 16ú–18ú Iúil : New York—Washington—New York

BHÍOS an-chorraithe is mé ag filleadh ar Washington le cuairt a thabhairt ar chairde liom don uair dheiridh.

Bhí an carráiste ar an traen róthe agus bhí an mí-ádh orm nuair thoghas suíochán ar an taobh chlé, is é sin, ar thaobh na gréine. Ní nach ionadh, bhíos ag smaoineamh ar mo chéad thuras ar an gcathair nuair bhí m'aigne úr agus mé cíocrach chun eolais. Ní foláir nó thugas faoi deara níos mó ná mar shíleas féin. Pé scéal é, an uair seo bhí ríméad orm gur aithníos éadan na tíre, na cnoic, na coillte doimhne dorcha, na cuanta is na hinsí. Bhí an t-arbhar Indiach fásta ard, na duilleoga leathna ar crochadh leis na plandaí mar sciatháin laga briste, na blátha feoite buí ar a mbarra mar a mborrfadh an t-arbhar ar ball, iad gan cor astu faoin mbrothall marbh. Faoi scáth na gcrann bhí sé dorcha, ach ar imeall na gcoillte ní raibh crann nár dhóigh an ghrian na duilleoga air go rabhadar ag sileadh síos ar an talamh lom bhán chalcaithe.

Má aithníos an tír, is ar éigin aithníos an chathair. Bhí sí craptha ídithe mar a bheadh sean-duine i ndeireadh a shaoil chruógaigh. Shíleas go raibh na hascail is na sráideanna níos caoile, níos ísle, níos smúití. B'fhacthas dom go raibh an tseanaois tagaithe go hobann ar na foirgintí is ar na páirceanna. Bhí dealramh na tuirse ar aghaidh na ndaoine. Cé an fáth ná beadh ? Is namhaid dhóibh an ghrian i rith an tsamhraidh is ní bhíonn aon tsos cogaidh ann go dtagann fuar-ghaoth an Fhómhair.

Chuir a lán daoine fáilte romham. Is é an rud is éachtaí agus is beannaithe sa tír seo an chairdiúlacht. Is cosúil í le cairdiúlacht pháiste. Bíonn sí fial oscailte maighdeanach. Bíonn sí simplí. Diabhal a dhéanfadh feall uirthi.

Shiúlas na sráideanna go mall doilíosach. Ní raibh éaló agam, ná ag éinne, ón teas. Ní raibh puth aeir ann, ach ceo mín buí an bhrothaill. Bhí troime na breoiteachta im shúile. Deineadh bruscar báite de na toitíní is na páipéirí im phóca. Thiormaigh an tseile im bhéal. D'fhéachas timpeall ar na foirgintí siabhraithe agus mhothaíos mearbhall ag teacht orm. Tháinig scanradh orm. D'iompaíos agus as go brách liom i dtreo an óstáin. Ar an slí bhuaileas isteach i shiopa agus cheannaíos buidéal mór uisce beatha is *ginger ale*, agus a thúisce shroicheas mo sheomra mheascas deoch mhór láidir agus leac oighre inti. D'imigh an taom díom. Bhí aiste faoi Nua-Eabhrac le scríobhagam do *Scéala Éireann;* bhaineas díom agus shuíos síos lomnocht, an buidéal lem ais, ag scríobh is ag ól. Níor shleamhnaigh aon deoch riamh chomh héasca siar im scornach ná uisce beatha úd an tseagail. Nuair a bhí leath den bhuidéal ólta agam, bhíos ullamh le cathair Washington a réabadh as a chéile, ach focal den ráiméis a bhí scríofa agam níor thuigeas.

Léas san *Evening Star* go bhfuair Belloc bás. Cheannaíos nuachtáin agus léas na scéalta faoi. Mholadar go léir é as a chuid bhéarsaíochta, ach ní shílfeá orthu gurb é an fear é a sháraigh a chomhaimsirigh sa phrós. Rud eile, tuigfí uathu nár chum sé riamh ach *The Path to Rome* agus *The Four Men*. B'ait liom nár dhein aon pháipéar tagairt dá leabhar ar na Stáit Aontaithe, mar cé gur leabhar tur é agus easpa eolais ann is iomaí gné den fhírinne a léirigh sé.

Chuas ag cur is ag cúiteamh le cara liom agus d'éirigh argóint eadrainn faoi ghníomha agus béasa na Meiriceánaigh a théann thar lear. ' Nuair a théann na Meiriceánaigh ag taisteal thar sáile,' ar seisean, ' is mian leo Meiriceá a fháil rompu i ngach áit.'

Theitheas as Washington mar theithfeadh fear fadó as cathair ina mbeadh an phláigh ag marú na mílte. An ghrian an galar. Ní raibh néall codlata agam an oíche dheiridh. Léas nuachtán mór, colún i ndiaidh a chéile, dhá thréimhseachán, agus leabhar téagartha faoi na fobháid Mheiriceánacha sa Chogadh Mór. Shíleas go mbeinn traochta amach roimh maidin. Ní rabhas ach úr aibidh. Agus mé ag dul chun an stáisiúin, bhí an ghrian ag spalpadh trí cheo buí an brothaill. Shílfeá go raibh na foirgintí ag leá san aer le teas.

Nuair shroicheas Nua-Eabhrac bhí sé 96° ar an teasmhéadar.

' . . . an ghrian an galar . . . —Spalpadh na gréine ar Chloch Chuimhneacháin George Washington

(*lch.* 244)

' . . . an oíche dheireannach . . . céilí mór na soilse ar siúl . . . '—Foirgneamh na N.A. is an Abha Thoir (*lch.* 251)

An 19ú-20ú Iúil : Nua-Eabhrac

D'IMRÍODH SEANCHLEAS orm inniu, ceann a bhíonn á imirt i Nua-Eabhrac gach lá den tseachtain.

Chuas trasna na cathrach go Broadway um mheán lae chun scannán Iodáileach a fheiscint atá á thaispeáint i gceann de na pictiúrlanna beaga. Roimh ré bhuaileas isteach in *automat* chun greim beag bídh a fháil, agus nuair bhí mo chuid bailithe agam chuas go dtí bord agus shuíos síos. Ar éigin a bhí an gloine sú oráiste lem bhéal agam nuair shuigh ógánach ard ar m'aghaidh amach. Bhreathnaigh sé go fíochmhar duairc ar mo chuid bídh agus ar m'aghaidh. Cé gur deacair aois na ngarsún a insint anseo, mar go bhféachaid níos sine ná mar bhíd, déarfainn go raibh scór bliain aige. Bhí sé fionn. Ní raibh pioc feola air. Léine gan mhainchillí air agus gréasáin aisteacha breacaithe ar chraiceann a lámha. Bhí pláta os a chomhair agus ciste beag amháin air.

Mhothaíos go raibh sé ag stánadh orm. Níor ardaíos mo shúile ach thugas faoi deara go raibh sé ag briseadh an chíste ina bhlúirí beaga lena mhéara tanaí. Faoi dheireadh dúirt sé rud éigin nár thuigeas.

'Gabh mo leathscéal,' arsa mise.

'Is damanta an lón é seo,' ar seisean.

'Céard tá cearr ?'

'Níor itheas béile le dhá lá.'

‘ Easpa oibre, an ea ? ’

‘ Sea. Níl post agam, ná seans ar phost.’

Shleamhnaíos mo lámh faoin mbord agus leathdhollaer idir mo mhéara. Sciob sé é. D’fhéach sé síos ; níor ghabh sé aon bhuíochas ach chuir sé lámh lena bhéal, agus ar seisean : ‘ Tá tinneas fiacal orm anois. An císte a rinne é. Bhfuil fhios agat cá bhfuil leithreas na bhfear ? ’

Síos leis. Chríochnaíos mo chuid agus ghabhas amach go dtí an phictiúrlann. Bhíos ag féachaint ar liosta scannán a bhí ar crochadh leis an doras nuair tháinig mo dhuine, gur leag sé síos an leathdhollaer agus isteach leis.

Níl aon tsráid i Meiriceá níos cáiliúla ná Broadway agus ní dócha go bhfuil aon tsráid cháiliúil is lú uaisleacht ná í. Shiúlas a faid inniu go Teach Mór na gCustam. Seachas an teach sin agus eaglais bheag dhubh na Tríonóide ní fhacas aon fhoirgneamh a bheadh oiriúnach do phríomhshráid cathrach. Fan na slí tá siopaí ina gcéadta – siopaí éadaigh, bróg, maisíní, bídh, troscáin—agus is beag ceann ná fuil a fhuinneoga clúdaithe le fógraí. Is dearóil an dealramh atá ar na fallaí salacha faoi sholas an lae. Istoíche a thagann Broadway chuici féin.

Chuas isteach i bproinnteach mór am lóin inniu agus a thúisce labhair an cailín freastail liom d’aithníos cárbh as di. Bhí déad mantach inti, spéaclaí móra ar a sróin, agus tuirse an domhain ina súile. ‘ Ar mhaith leat *cocktail* ar dtúis, a dhuine uasail ? ’ ar sise, agus an cárta

-na láimh aici.

'Cathair Chorcaí, an ea?' arsa mise.

'Gabhaim pardún . . .'

'Is fada ón mbaile tú, a chara.'

'Is fada.' Lig sí gáire beag aisti.

'An bhfuairis aon scéala ó Chorcaigh le deireannas?'

'Dhera, ní bhfuaireas,' ar sise.

'Cathain a tháinig tú anall?'

'Bliain ó shin. Ná cuir in angaid mé. Tá an bainisteoir ag faire. Céard a bheidh agat?'

'Anraith ar dtúis,' adúrt, ag breathnú ar an gcárta. 'An dtaitníonn Nua-Eabhrac leat?'

'Go hálainn. Ní raghainn abhaile ar ór an domhain. Agus i ndiaidh an anraithe!'

'An chaoireoil seo. Bhfuil cairde agat anseo?'

'Cé an fáth ná beadh. Téim ar rincí agus seónna, agus . . . Tá sé ag teacht. Cathain a tháinig tusa?'

'Trí mhí ó shin. Bead ag dul abhaile an tseachtain seo chugainn.'

D'fhéach sí idir an dá shúil orm. 'Nach aoibhinn duit!' ar sise.

An 21ú-22ú Iúil: Nua-Eabhrac

SHIÚLAS go raibh na cosa ag at im bhróga. Ba mhian liom an radharc deireannach a fháil ar Nua-Eabhrac. Tá seanaithne agam anois ar na sráideanna ón Abhainn Thoir go dtí an Hudson. Tá cion agam orthu um an taca seo agus táim deimhin go mbuailfidh taom cumhaidh mé nuair a raghad ar bord loinge. Ní thuigim cé an fáth. An féidir go bhfuil anam sa chathair áibhéil seo tar éis an tsaoil mar atá i mbailte na hEorpa nó i St. Louis nó Santa Fé nó Washington féin ?

Ar an 6ú Ascal bhí cuid de *Jehovah's Witnesses* ina seasamh ar na casáin gach fiche nó tríocha slat, agus duilleoga is fógraí acu. Fir agus mná meánaosta, nó sean, a bhformhór. Ní bhíd gléasta go maith. I gcomparáid le lucht na sráide bhraitheas dealramh tuatach orthu, go mórmhór ar na seanmhná craptha liath. Ach tá tine dhearg a gcreidimh ina súile agus fulangaíd an brothall go foighdeach. Ní chuala focal borb ó éinne acu, cé gur minic a thugann siad leathscéal chun boirbe don lucht siúil. Bhí cruinniú mór acu sa Yankee Stadium inné agus ghlacadar uile leis an rún go bhfuilid i gcoinne '*all subversive movements against the institutions of this world.*' Cad a tharlódh dá mbeadh réabhlóid i gcoinne an rialtais sa Rúis ? Is dócha go mbeadh na Finnéithe ar thaobh na deachtóireachta deirge cé go bhfuil an deachtóireacht sin i gcoinne Jehovah !

Ní rud nua é i stair Mheiriceá gluaiseacht den tsaghas seo. Chleachtaigh dreamanna áirithe an chumannacht sna Stáit sarar scríobh Marx focal dá leabhar. Cheadaigh an tsaoirse sa tír a leithéid. Ní dócha go gceadóidh arís. Tá coimhlint ar siúl in aigne na Meiriceánach idir an saoirse agus dílseacht don Stát, agus is é an cheist mhór atá á gcrá : cé acu is tábhachtaí do shlándáil an náisiúin ? An tsaoirse i saol na ndaoine, adeir na Liberálaigh, ach sílim go ndearbhódh formhór an phobail anois gur thábhachtaí i bhfad seasamh go dílis leis an Stát in aghaidh cumhacht na Rúise. Ní ar shaoirse a bhíonn daoine ag smaoineamh nuair a bhíonn eagla orthu. Tá eagla ar na Meiriceánaigh.

D'fheall an goile orm. Ní thig liom éinní a ithe ach tósta, ná éinní a ól ach bainne. Táim corraithe go hae, im ainneoin féin, mar go mbead ag dul ar bord loinge amárach. Más mar seo atáimse, conas mar bhíonn ag na deoraithe a fhilleann ar Éirinn tar éis blianta fada anseo ? Bladhmann baoth dar linne a gcaint ar thír álainn bheannaithe na hÉireann ; níl ach leath den cheart againn. Tá an leath eile acusan. Ní hí Éire an lae inniu atá uathu ná an Éire a bhíodh ann caoga bliain ó shin, ach an tír tairngre ina gcroí istigh. Bíonn a leithéid ag cách.

Chaitheas tréimhse eile leis na Náisiúin Aontaithe. Cruinniú de choiste speisialta a bhí ann agus bhaineas taitneamh as an díospóireacht d'ainneoin mo bhoilg chráite. B'é a ngnó '*self-government*' a léiriú agus a shainmhíniú. Bhí fhios agam go mbeadh spórt againn nuair d'fhógair an Cathaoirleach—fear Spáinnise ó Mheiriceá Theas—ná beadh cead tobac ag éinne gan é iarraidh go speisialta ar Choiste na Rúnaithe de na Náisiúin Aontaithe. Ba léir ná raibh *self-government* ag na baill ! B'iad briathra sin an Chathaoirligh an t-aon chaint chiallmhar a chualas gur chuir sé deireadh leis an gcruinniú.

'Ar mhaith le haon bhall an bhrí atá le *self-government* a shonrú ?' arsa an Cathaoirleach. 'Tá na ráitis ghinearálta againn cheana.'

D'fhéach na baill ar a chéile ; chromadar a gceann ; léadar páipéirí ; thosnaíodar ag cogarnach. Labhair an Cathaoirleach bocht arís agus ghríosaigh sé chun cainte iad. Dúirt duine focal nó dhó i dteanga iasachta ; chuir duine eile focal leis ; agus diaidh ar ndiaidh mealladh focla is abairtí is ráitis uathu go dtí go raibh fear ón Ollainn ag scaoileadh óráide uaidh. Mar óráidíocht bhí sé ar fheabhas. Dúirt an cainteoir gur rídheacair aon tsainmhíniú ar *self-government* a chur le chéile mar go raibh brí ar leith leis an bhfocal ag gach náisiún ; agus ansin dúirt sé gur riachtanach don domhan míniú éigin a bheith ann. Shuigh sé síos. Dúirt fear na Breataine Móire ná féadfaí sainmhíniú ar bith a chumadh. Ansin tháinig tost sa halla. Ba thrua liom an Cathaoirleach. Ba chuma nó múinteoir ar rang stuacach é. D'iompaigh sé chuig teachta na Stát Aontaithe agus d'iarr sé lámh tarrthála air. Cainteoir leadránach eisean ach bhí sé macánta. Thug sé iarracht faoi shainmhíniú agus dúirt gur chóir do gach teachta idirdhealú a dhéanamh idir *self-government* agus an tsaoirse, ach nuair thosnaigh sé ar shaothar an idirdhealuithe thuirling ceo focal ar a chiall agus i gceann tamaillín bhí sé ag breilliceáil chainte ar nós ógánaigh a bheadh á chothú féin ar an bhfealsúnacht gan í thuiscint. I dtosach bhí sé ag doirteadh abairtí ach faoi dheireadh ní raibh ach na siollaí beaga ag siltean as. Bíonn eadarnánaí cliste ag gach cruinniú agus bhí ceann ar an gcoiste seo. As an mBeilg dó. Chuir sé isteach go cancarach ar an gcainteoir, á rá nárbh aon tairbhe bheith ag trácht ar *self-government* mura raibh sainmhíniú acu.

Bhíos ag míogarnaigh nuair d'iarr fear na Breataine cead tobac. D'éirigh an Cathaoirleach agus dúirt sé go mbeadh sos acu.

Anocht an oíche dheireannach. Nuair a bhí mo bhagáiste réidh agus béile beag ite agam bhuaileas amach ag spaisteoireacht ar an 42ú Sráid, i dtreo na hAbhann Thoir. Bhí gaoth fhuar ag séideadh isteach thar uisce agus an t-aer glan go himeall na spéire. Níor airíos a leithéid d'fhionnuaire ar m'aghaidh leis na míosa agus chuir sí Éire i gcuimhne dhom—thráthnóna in Éirinn agus an ghrian ag dul faoi. Ghabhas suas ar ard an droichid atá in aice foirgnimh na N.A. agus ligeas don leoithne ghéar an t-allas a thiormú orm agus boladh na sráideanna a ghlanadh as mo scamhóga. Bhí éadan gloine an fhoirgnimh is airde go lonrach ó bhun go barr, ach taobh thiar de agus amuigh i dtreo Brooklyn bhí an dorchadas ag titim ar an loingeas, ar na monarchana, ar na simnéithe. D'iompaíos chuig Manhattan. Bhí céilí mór na soilse ar siúl arís, rince úd na réaltóg atá ar cheann d'fhíoriontaisí an domhain. Bhí an spéir á hadhaint ag solas éigin chomh dearg le fíon agus in aghaidh na spéire daite sin bhí na túrtha ag éirí suas go haerach seodmhar maorga—cathair ba dhual do Rí éigin finnscéil, a mbeadh glór doimhin na toirní aige agus an tintreach mar choróin ar a cheann. D'eitil rud beag uaigneach bán thar mo cheann. D'iompaíos arís i dtreo an uisce. Faoileán ag gabháil amach chun na farraige. Leanas lem shúile é. Bhí boladh na sáile leis an ngaoith.

AN CEANGAL

NÍ CHUIRFEAD A THUILLEADH lem dhialann. Tá deireadh an aistir sroichte agus nílim mar a bhínn. Athraíonn an fhírinne sinn, i ngan fhios dúinn féin go minic ; agus an té a chuireann aistear fada i dtír iasachta dhe gan athrú aigne a theacht air, is leathmharbhán é. Bead ag athrú fós do réir mar dhéanfad machnamh ar an eolas atá agam.

Airím mífhoighne agus cancar ag teacht orm chuig daoine in Éirinn a labhrann go húdarásach searbhasach as a n-aineolas ar chultúr na Meiriceánach, simplíocht na Meiriceánach, móráil na Meiriceánach, dhrochbhéasa na Meiriceánach, saint na Meiriceánach . . . Is luaithe leo an urchóid ná an fhírinne. Ach ní orthu ar fad an locht. Cár fhoghlaimíodar na finnscéalta ? Conas a tharla go mbíonn daoine oilte chomh haineolach sin faoi cheann den dá thír is tábhachtaí agus is cumhachtaí ar domhan ?

Céad nó caoga, nó fiú tríocha bliain ó shin bhí meas mór ag muintir na hEorpa ar na Stáit Aontaithe. Bhí siad láidir agus iad ag dul i láidre i measc na náisiún. I ngach tír bhí an bocht is an dearóil is an té shantaigh an tsíocháin thar an uile ag tnúth le dul go tír úr an dóchais. D'fhéadfaí casadh eile a bhaint as an seanfhocal : níor gheall Dia aon dá shaibhreas d'éinne riamh agus gheall sé Meiriceá do na bochta. Bhí a n-arán laethúil le fáil i Nua-Eabhrac nó Boston, Chicago nó

Pittsburg, ar fheirmeacha Khansas nó thall i San Francisco. Bheadh drochshaol acu ar dtúis mura mbeadh an t-ádh leo. Shaothróidís go dian ; thiocfadh cosúlacht seandaoine orthu roimh am ; ach bheadh saoirse na tíre acu agus airgead sa bhanc ; agus bheadh uabhar orthu. Tá a scéal le léamh sna litreacha úd ó Mheiriceá. Bhronn na litreacha dea-cháil ar an Oileán Úr d'ainneoin phropaganda éadmhar na Breataine. Cá bhfuil an dea-cháil sin anois ? Cé an meas atá ag na Francaigh ar na Stáit ? Nach fuath le mórchuid de mhuintir na Breataine an náisiún a tháinig i gcabhair orthu am an ghátair ?

Caithfear cuid dá mhilleán a chur ar na Meiriceánaigh. Cé gur fial iad—is í an déirciúlacht an bhua is mó iontu—ní thuigid uabhar righin mífhoighneach na mbocht. Ní thuigid gur náire le daoine móra na Breataine bheith ag glacadh cabhrach ó éinne. Ní thuigid go spreagaid fuath agus gráin dearg i gcroí na bhFrancach agus na nGearmánach nuair a théid ina measc—*Mom* go hardghlórach, *Pop* go ciúin, an iníon agus *Junior* ag cáineadh gach rud ina dtimpeall, iad ag caitheamh airgid go tiubh agus ag breathnú go mórálach ina ngluaisteán geal costasach. Mar adúirt an fear i Washington liom, is droch-thaistealaithe iad.

Is contúirteach na focail ' Stáit Aontaithe.' Tá níos mó de dhifríocht idir saol na ndaoine i Massachusetts agus New Mexico ná mar atá idir saol na ndaoine sa bhFrainc agus an saol san Iodáil. Tá comharthaí an ionannais ann, ceart go leor. Murach sin ní bheadh aontacht ann ar chor ar bith. Ach d'aireodh fear dall an difríocht idir St. Louis i Missouri agus Chicago in

Illinois. Tá dignit stairiúil ag cathair an Mhississippi na beidh choíche ag baile na mbúistéirí. Ach cé go bhfuil fonn fraochmhar chun saibhris ar Chicago, tá dúil sa chultúr aici freisin—agus nuair a bheidh St. Louis ar meath le dignit beidh fuinneamh na hóige fós i Chicago.

Tá níos mó ná aon Mheiriceá amháin ann, rud nár mhiste do Phoncáin a mheabhrú nuair a thagann siad anall go dtí an Eoraip. Cáinid óstáin na hÉireann—nach bhfuil drochóstáin sna Stáit? Bíd ag casaoid faoin drochaimsir sa Bhreatain—agus chonaiceas-sa drochaimsir sna Stáit. Cuireann uabhar na bhFrancach fearg orthu—ach níl sin inchurtha le huabhar tiománaí bus i Nua-Eabhrac. Is amaideach an cluiche é, ar ndóigh, bheith ag áireamh locht ar locht, duáilce ar dhuáilce. Ní imreann na Meiriceánaigh an cluiche sin, ach ceann is contúirtí fós. Cuirid an domhan uile i gcomparáid le Meiriceá agus sílid gur miste an domhan an chomparáid. Ní córas polaitíochta fíor-dhaonfhlathach atá ag an bhFrainc nó ag an Iodáil mar nach ionann ceachtar acu agus an córas Meiriceánach ! Ní feirmeoirí oilte iad feirmeoirí na Gearmáine mar ná cleachtaíd na nósa Meiriceánacha ! Creideann na Poncáin gurb í sibhialtacht a dtíre an tsibhialtacht is fearr ar an saol faoi láthair agus ná beidh an domhan ar fónamh go ndéanfaidh gach náisiún eile dá réir. Ní bheadh aon chontúirt don domhan sa smaoineamh sin murach a chumhachtaí atá na Stáit Aontaithe agus murach an claonadh chun impireachta atá ag teacht in aigne na gceannairí d'ainneoin a dtola.

Tá an locht le roinnt, mar sin. Sa tírín seo againne

tá dea-mheas ar Mheiriceá ach cé gur iomadúla na hÉireannaigh atá thar sáile ná mar atá sa bhaile, agus cé gur beag clann againn atá gan gaolta i gcathair éigin sna Stáit, níl aon teora lenár n-aineolas. Glacaimid le háiféis Hollywood. Táimid sásta leis na scannáin mar fhíorphictiúir. Ní chuimhnímid go bhfuil spiorad na Críostaíochta go tréan i measc na Meiriceánach, agus gurb iad na Caitlicigh an aicme chreidimh is líonmhaire, go mbíd ag síorthroid ar son an oideachais Chaitlicigh, go dtógaid is go gcoimeádaid scoileanna, coláistí, ospidéil is mainistreacha, go bhfoilsíd nuachtáin, tréimhseacháin, leabhair, gur dár gcine féin a leath. Ina ionad sin, cuimhnímid ar a saibhreas, agus ar a bhfonn chun inneall agus *gadgets*, agus go bhfuilid ' róthugtha do rudaí saolta.' An é éad na mbocht a chuireann sinn ag daoradh na mílte míle mar sin ?

Ní naoimh iad na Meiriceánaigh. Tá fhios ag Dia go bhfuil naoimh ina measc. Ní saoithe iad ach an oiread. Déanaid botúin. Má thaispeánaid uaireanta go bhfuilid ag gabháil le dícheille le neart eagla roimh chumhacht na Rúise, an bhfuilid gan cúis eagla ? Tá ualach an tsaoil orthu. Chailleadar na mílte fear i gKorea ; agus caillfid na mílte in áiteanna eile sara mbeidh deireadh ráite. Déanfaid botúin eile. Béidir go ndéanfaid an botún is mó—is é sin an cath a fhógairt go míthráthúil nó le déine sceoin. Pé acu a dhéanfaid, is beag rogha eile bheidh ag an gcuid den domhan ar ansa léi an tsaoirse seachas an sclábhaíocht.

Tá na foilsitheoirí faoi chomaoin ag Trans World Airlines, Baile Átha Cliath, ar son an phictiúra ar an chlúdach deannaigh, agus ag an United States Information Service, Ambasáid Mheiriceá, Baile Átha Cliath, ar son na bpictiúirí eile. Anne Yeats a leag amach an clúdach.

arna chur i gcló do
Sháirséal agus Dill Teoranta
ag Ó Gormáin Teoranta
Gaillimh